PARIS Zoom

par arrondissement

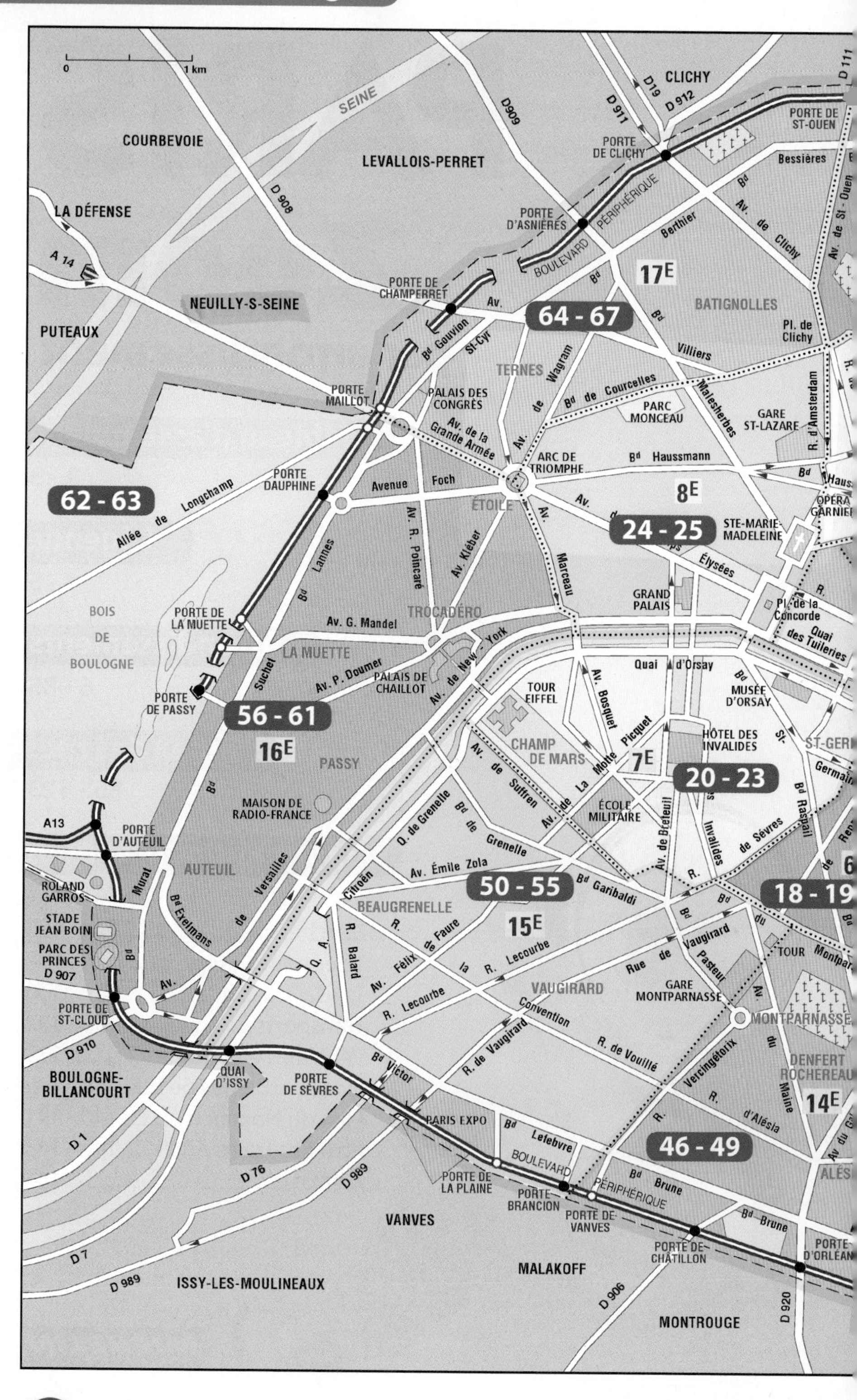

0
1 km
SEINE
COURBEVOIE
LEVALLOIS-PERRET
CLICHY
LA DÉFENSE
A 14
PUTEAUX
NEUILLY-S-SEINE
PORTE DE CLICHY
PORTE D'ASNIÈRES
PORTE DE CHAMPERRET
PORTE DE ST-OUEN
BOULEVARD PÉRIPHÉRIQUE
17E
BATIGNOLLES
64 - 67
PORTE MAILLOT
PALAIS DES CONGRÈS
TERNES
PARC MONCEAU
GARE ST-LAZARE
ARC DE TRIOMPHE
ÉTOILE
8E
OPÉRA GARNIER
62 - 63
PORTE DAUPHINE
24 - 25
STE-MARIE-MADELEINE
BOIS DE BOULOGNE
PORTE DE LA MUETTE
TROCADÉRO
GRAND PALAIS
Pl. de la Concorde
LA MUETTE
PALAIS DE CHAILLOT
TOUR EIFFEL
MUSÉE D'ORSAY
PORTE DE PASSY
56 - 61
16E
PASSY
CHAMP DE MARS
7E
HÔTEL DES INVALIDES
20 - 23
MAISON DE RADIO-FRANCE
ÉCOLE MILITAIRE
A13
PORTE D'AUTEUIL
AUTEUIL
ROLAND GARROS
STADE JEAN BOIN
PARC DES PRINCES
50 - 55
BEAUGRENELLE
15E
18 - 19
TOUR
VAUGIRARD
GARE MONTPARNASSE
MONTPARNASSE
PORTE DE ST-CLOUD
BOULOGNE-BILLANCOURT
QUAI D'ISSY
PORTE DE SÈVRES
DENFERT ROCHEREAU
14E
PARIS EXPO
46 - 49
PORTE DE LA PLAINE
PORTE BRANCION
PORTE DE VANVES
PORTE DE CHÂTILLON
PORTE D'ORLÉANS
VANVES
MALAKOFF
ISSY-LES-MOULINEAUX
MONTROUGE

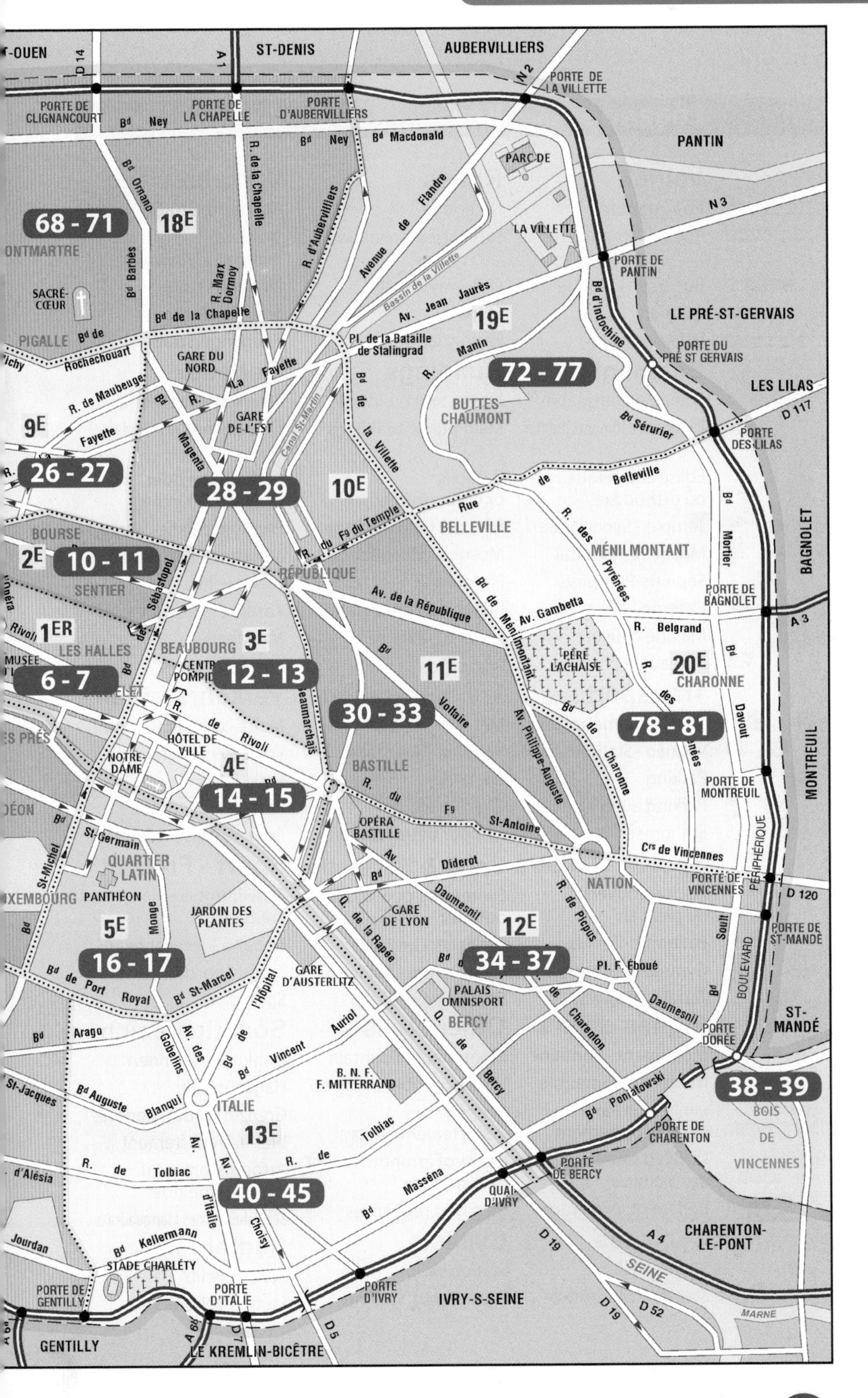
ST-DENIS
AUBERVILLIERS
PORTE DE CLIGNANCOURT
PORTE DE LA CHAPELLE
PORTE D'AUBERVILLIERS
PORTE DE LA VILLETTE
PANTIN
68 - 71
18E
MONTMARTRE
SACRÉ-CŒUR
PIGALLE
LA VILLETTE
PORTE DE PANTIN
LE PRÉ-ST-GERVAIS
19E
Pl. de la Bataille de Stalingrad
GARE DU NORD
72 - 77
PORTE DU PRÉ ST GERVAIS
LES LILAS
BUTTES-CHAUMONT
GARE DE L'EST
9E
PORTE DES LILAS
26 - 27
28 - 29
10E
BELLEVILLE
BOURSE
MÉNILMONTANT
BAGNOLET
2E
10 - 11
RÉPUBLIQUE
SENTIER
PORTE DE BAGNOLET
1ER
LES HALLES
BEAUBOURG
3E
PÈRE LACHAISE
20E
CHARONNE
11E
6 - 7
12 - 13
30 - 33
78 - 81
HÔTEL DE VILLE
NOTRE-DAME
4E
BASTILLE
PORTE DE MONTREUIL
MONTREUIL
14 - 15
OPÉRA BASTILLE
NATION
QUARTIER LATIN
PANTHÉON
PORTE DE VINCENNES
JARDIN DES PLANTES
GARE DE LYON
12E
PORTE DE ST-MANDÉ
5E
16 - 17
34 - 37
Pl. F. Éboué
GARE D'AUSTERLITZ
PALAIS OMNISPORT
BERCY
ST-MANDÉ
PORTE DORÉE
38 - 39
B. N. F. F. MITTERRAND
ITALIE
BOIS DE VINCENNES
PORTE DE CHARENTON
13E
PORTE DE BERCY
QUAI D'IVRY
40 - 45
CHARENTON-LE-PONT
STADE CHARLÉTY
SEINE
PORTE DE GENTILLY
PORTE D'ITALIE
PORTE D'IVRY
IVRY-S-SEINE
MARNE
GENTILLY
LE KREMLIN-BICÊTRE

Légende	Key	Zeichenerklärung
Voirie	**Roads**	**Verkehrswege**
Rue interdite	No entry	Gesperrte Straße
Rue réglementée	Street subject to restrictions	Straße mit Verkehrsbeschränkungen
Rue à sens unique	One-way street	Einbahnstraße
Escalier	Steps	Treppenstraße
Voie piétonne	Pedestrian street	Fußgängerstraße
Bâtiments	**Buildings**	**Gebäude**
Édifice remarquable	Interesting building	Bemerkenswertes Gebäude
Principaux bâtiments publics	Main public buildings	Öffentliche Gebäude
Église catholique ou orthodoxe	Catholic or Orthodox church	Katholische oder orthodoxe Kirche
Temple - Synagogue	Protestant church - Synagogue	Evangelische Kirche - Synagoge
Mosquée - Hôpital	Mosque - Hospital	Moschee - Krankenhaus
Sapeurs-Pompiers	Fire station	Feuerwehr
Caserne - Police	Barracks - Police station	Kaserne - Polizeirevier
Marché couvert	Covered market	Markthalle
Bureau de poste	Post office	Postamt
Transports	**Transportation**	**Verkehrsmittel**
Station de métro, RER	Metro or RER station	Metro- oder RER-Station
Voguéo - Station de taxi	Voguéo - Taxi ranks	Voguéo - Taxistation
Parking	Car park	Parkplatz
Parking autocar	Coach park	Parkplatz für Busse
Station-service 24h/24	24 hour petrol station	Tankstelle (rund um die Uhr)
Sports - Loisirs	**Sport & Recreation**	**Sport - Freizeit**
Piscine couverte, de plein air	Swimming pool indoor, outdoor	Schwimmbad: Hallenbad, Freibad
Patinoire - Tennis	Skating rink - Tennis courts	Eisbahn - Tennisplatz
Gymnase - Stade	Gymnasium - Stadium	Turn-, Sporthalle - Stadion
T.E.P. Terrain de sports	Sports ground	Sportplatz
Signes divers	**Other signs**	**Sonstige Zeichen**
Monument - Fontaine	Monument - Fountain	Denkmal - Brunnen
36 Numéro d'immeuble	House number in street	Hausnummer
Limites de Paris et de département	Paris limits; departement limits	Grenze: Pariser Stadtgebiet u. Departement
Limites d'arrondissement, de commune	Limits of arrondissement, of commune	Arrondissement u. Vorortgemeinde
C 21 Repère du carroyage	Map grid references	Bezeichnung des Planquadrats
Cyclistes	**Cyclists**	**Radfahrer**
Station Velib'	Station Velib'	Station Velib'
Station Velib' bonus	Velib' Bonus Stations	Station Velib' bonus

Legenda	Signos convencionales	Verklaring van de tekens
Viabilità	**Vías de circulación**	**Wegen**
Strada con divieto di accesso o impraticabile	Calle prohibida	Verboden of onberijdbare weg
Via a circolazione regolamentata	Calle reglamentada	Beperktopengestelde straat
Via a senso unico	Calle de sentido único	Straat met eenrichtingsverkeer
Scalinata	Escalera	Trapsgewijs aangelegde straat
Strada pedonale	Calle peatonal	Voetgangersgebied
Edifici	**Edificios**	**Gebouwen**
Edificio di particolare interesse	Edificio relevante	Bijzonder gebouw
Principali edifici pubblici	Principales edificios públicos	Belangrijkste openbare gebouwen
Chiesa cattolica o ortodossa	Iglesia católica u ortodoxa	Katholieke of orthodoxe kerk
Tempio - Sinagoga	Templo - Sinagoga	Protestantse kerk - Synagoge
Moschea - Ospedale	Mezquita - Hospital	Moskee - Hospitaal
Pompieri, Vigili del Fuoco	Parque de Bomberos	Brandweer
Caserma - Polizia	Cartel - Policía	Kazerne - Politie
Mercato coperto	Mercado cubierto	Overdekte markt
Ufficio postale	Oficina de correos	Postkantoor
Trasporti	**Transportes**	**Vervoer**
Stazione della Metropolitana o RER	Estación de metro o RER	Metro- of RER-station
Voguéo - Posteggio taxi	Voguéo - Parada de taxis	Voguéo - Taxistandplaatsen
Parcheggio	Aparcamiento	Parkeerplaats
Parcheggio autocarri	Aparcamiento para autocares	Parkeerterrein: Bus
Stazione di servizio 24h/24	Estación servicio 24h/24	24h/24 tankstation
Sport - Divertimento	**Deportes - Ocio**	**Sport - Recreatie**
Piscina coperta, all'aperto	Piscina cubierta, al aire libre	Zwembad overdekt, in openlucht
Pista di pattinaggio - Tennis	Pista de patinaje - Tenis	IJsbaan - Tennis
Palestra - Stadio	Gimnasio - Estadio	Sporthal - Stadion
T.E.P. Campo sportivo	Terreno de educación física	Sportterrein
Simboli vari	**Signos diversos**	**Diverse tekens**
Monumento - Fontana	Monumento - Fuente	Monument - Fontein
36 Numero civico	Número del edificio	Huisnummer
Confine di Parigi, di dipartimento	Límite de Paris o de departemento	Grens van Parijs en departement
Confine di «arrondissement», di comune	Límite de distrito o de municipio	Grens van arrondissement, ven de gemeente
C 21 Riferimento alla pianta	Coordenadas del plano	Letters die het graadnet aanduiden
Ciclisti	**Ciclistas**	**Fietsers**
Stazione Velib'	Estación Velib'	Velib'-station
Stazione Velib' bonus	Estación Velib' bonus	Velib bonus station

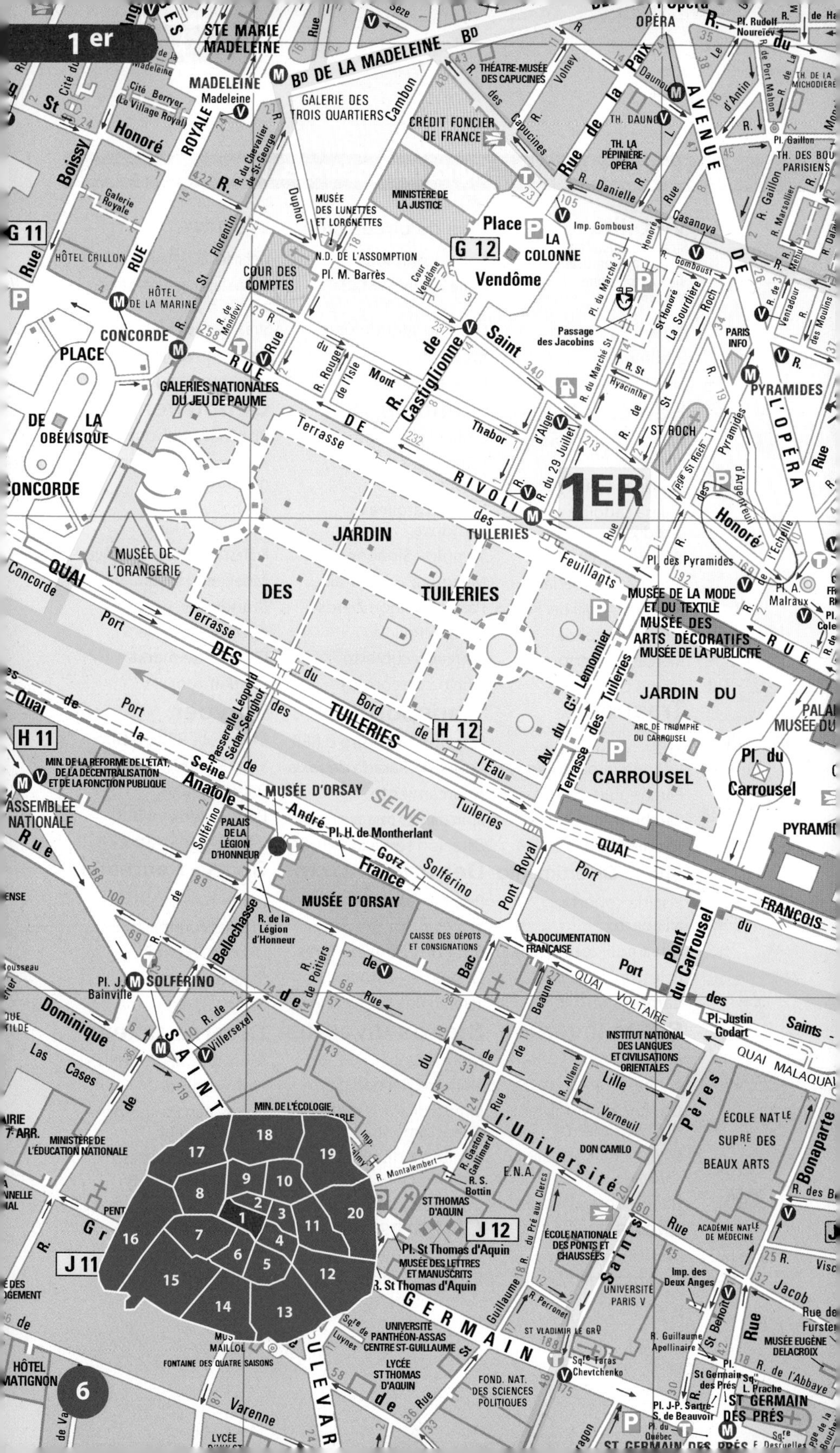
STE MARIE MADELEINE
MADELEINE
Madeleine
BD DE LA MADELEINE
GALERIE DES TROIS QUARTIERS
THÉATRE-MUSÉE DES CAPUCINES
OPÉRA
Pl. Rudolf Noureïev
CRÉDIT FONCIER DE FRANCE
TH. DAUNOU
TH. LA PÉPINIÈRE-OPÉRA
Rue de la Paix
AVENUE DE L'OPÉRA
TH. DE LA MICHODIÈRE
Pl. Gaillon
TH. DES BOUFFES PARISIENS
Cité Berryer (Le Village Royal)
St Honoré
Boissy
ROYALE
R. du Chevalier de St-George
Galerie Royale
MUSÉE DES LUNETTES ET LORGNETTES
MINISTÈRE DE LA JUSTICE
Place Vendôme
LA COLONNE
Imp. Gomboust
R. Danielle Casanova
G 11
G 12
HÔTEL CRILLON
HÔTEL DE LA MARINE
N.D. DE L'ASSOMPTION
Pl. M. Barrès
COUR DES COMPTES
CONCORDE
PLACE DE LA CONCORDE
OBÉLISQUE
Passage des Jacobins
PARIS INFO
PYRAMIDES
GALERIES NATIONALES DU JEU DE PAUME
R. de Castiglione
Rue de Rivoli
Terrasse
ST ROCH
1ER
JARDIN DES TUILERIES
des TUILERIES
MUSÉE DE L'ORANGERIE
Pl. des Pyramides
MUSÉE DE LA MODE ET DU TEXTILE
MUSÉE DES ARTS DÉCORATIFS
MUSÉE DE LA PUBLICITÉ
Pl. A. Malraux
QUAI DES TUILERIES
Port de la Concorde
Quai Anatole France
JARDIN DU CARROUSEL
ARC DE TRIOMPHE DU CARROUSEL
Pl. du Carrousel
CARROUSEL
Passerelle Léopold Sédar-Senghor
H 11
H 12
MIN. DE LA RÉFORME DE L'ÉTAT, DE LA DÉCENTRALISATION ET DE LA FONCTION PUBLIQUE
ASSEMBLÉE NATIONALE
MUSÉE D'ORSAY
SEINE
PALAIS DE LA LÉGION D'HONNEUR
Pl. H. de Montherlant
Pont Royal
Port des Tuileries
QUAI FRANÇOIS
PYRAMIDE
R. de la Légion d'Honneur
Bellechasse
CAISSE DES DÉPOTS ET CONSIGNATIONS
LA DOCUMENTATION FRANÇAISE
Pont du Carrousel
QUAI VOLTAIRE
Pl. Justin Godart
QUAI MALAQUAIS
SOLFÉRINO
Pl. J. Bainville
Dominique
Las Cases
R. de Villersexel
R. de Poitiers
Rue du Bac
Beaune
INSTITUT NATIONAL DES LANGUES ET CIVILISATIONS ORIENTALES
Lille
Verneuil
Rue de l'Université
DON CAMILO
ÉCOLE NATLE SUPRE DES BEAUX ARTS
MIN. DE L'ÉCOLOGIE
MINISTÈRE DE L'ÉDUCATION NATIONALE
R. Montalembert
R. Gaston Gallimard
R. S. Bottin
E.N.A.
ST THOMAS D'AQUIN
J 11
J 12
Pl. St Thomas d'Aquin
MUSÉE DES LETTRES ET MANUSCRITS
R. St Thomas d'Aquin
ÉCOLE NATIONALE DES PONTS ET CHAUSSÉES
UNIVERSITÉ PARIS V
ACADÉMIE NATLE DE MÉDECINE
Jacob
Rue des Saints Pères
Bonaparte
Imp. des Deux Anges
MUSÉE EUGÈNE DELACROIX
R. de l'Abbaye
ST GERMAIN DES PRÉS
Pl. St Germain des Prés
Sq. L. Prache
Pl. J-P. Sartre-S. de Beauvoir
R. Guillaume Apollinaire
ST VLADIMIR LE GRD
Sqre Taras Chevtchenko
FOND. NAT. DES SCIENCES POLITIQUES
UNIVERSITÉ PANTHÉON-ASSAS CENTRE ST-GUILLAUME
LYCÉE ST THOMAS D'AQUIN
Sqre de Luynes
MUSÉE MAILLOL
FONTAINE DES QUATRE SAISONS
HÔTEL MATIGNON
Varenne
BOULEVARD SAINT GERMAIN
Guillaume
R. Perronet
1
2
3
4
5
6
7
8
9
10
11
12
13
14
15
16
17
18
19
20

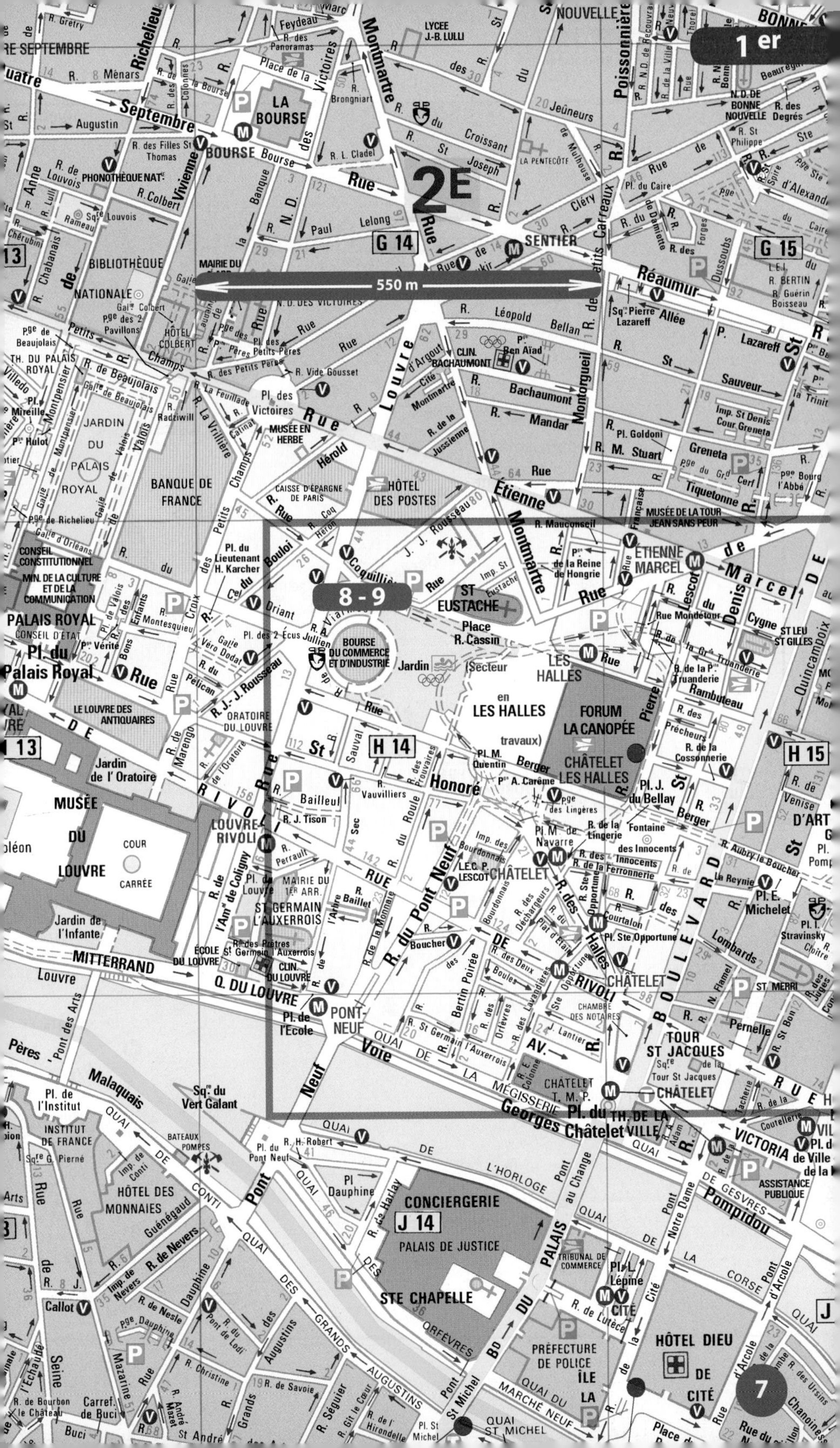

2E
550 m
8 - 9
G 14
G 15
H 14
H 15
J 14
13
LA BOURSE
BOURSE
R. Gretry
RE SEPTEMBRE
Richelieu
Feydeau
R. des Panoramas
Place de la Bourse
Victoires
Montmartre
LYCEE J.-B. LULLI
NOUVELLE
Poissonnière
R. de Louvois
PHONOTHÈQUE NATle
R. Colbert
Vivienne
R. des Filles St Thomas
Augustin
Septembre
R. Ménars
R. Brongniart
R. L. Cladel
R. du Croissant
R. St Joseph
Jeûneurs
LA PENTECÔTE
R. de Mulhouse
Rue de Cléry
SENTIER
Pl. du Caire
R. du Caire
R. de Damiette
R. des Forges
Dussoubs
N.D. DE BONNE NOUVELLE
R. des Degrés
R. St Philippe
R. St Spire
d'Alexandrie
Beauregard
Rue Paul Lelong
R. N. D. des Victoires
R. de la Banque
Sq.re Louvois
Rameau
R. Lulli
Chérubini
R. Chabanais
BIBLIOTHÈQUE NATIONALE
MAIRIE DU 2e ARR.
Galie Colbert
Pge des 2 Pavillons
HÔTEL COLBERT
Petits Champs
N.D. DES VICTOIRES
Pl. des Petits Pères
R. des Petits Pères
R. Vide Gousset
Pge de Beaujolais
TH. DU PALAIS ROYAL
R. de Beaujolais
Galie de Beaujolais
Pl. des Victoires
R. La Feuillade
R. Radziwill
R. La Vrillière
MUSÉE EN HERBE
Rue Étienne Marcel
Réaumur
Allée
Sq.re Pierre Lazareff
R. Léopold Bellan
Rue du Louvre
R. d'Argout
CLIN. BACHAUMONT
Pl. Ben Aïad
R. Bachaumont
Cité Montmartre
R. de la Jussienne
R. Mandar
R. Montorgueil
Pl. Goldoni
R. M. Stuart
R. Greneta
R. Tiquetonne
Imp. St Denis
Cour Greneta
Pge du Gd Cerf
Pge Bourg l'Abbé
Rue St Sauveur
R. Lazareff
la Trinité
L.E.I. R. BERTIN
R. Guérin Boisseau
JARDIN DU PALAIS ROYAL
Pl. Mireille
Pge Hulot
R. de Montpensier
Galie de Montpensier
Galie de Valois
R. de Valois
BANQUE DE FRANCE
R. Croix des Petits Champs
Pge de Richelieu
Galie d'Orléans
CONSEIL CONSTITUTIONNEL
MIN. DE LA CULTURE ET DE LA COMMUNICATION
PALAIS ROYAL
CONSEIL D'ÉTAT
Pl. du Palais Royal
Hérold
CAISSE D'ÉPARGNE DE PARIS
HÔTEL DES POSTES
R. Coq Héron
R. J. J. Rousseau
Coquillière
R. Mauconseil
Pge de la Reine de Hongrie
Imp. St Eustache
ST EUSTACHE
MUSÉE DE LA TOUR JEAN SANS PEUR
ETIENNE MARCEL
Rue Française
Rue Lescot
Rue du Cygne
Rue St Denis
ST LEU ST GILLES
Quincampoix
Pl. du Lieutenant H. Karcher
Cel du Bouloi
R. Montesquieu
R. des Bons Enfants
Pge Vérité
Pl. des 2 Écus
R. A. Viarmes
R. Jullien
Galie Véro Dodat
R. du Pélican
R. J.-J. Rousseau
BOURSE DU COMMERCE ET D'INDUSTRIE
Jardin
Place R. Cassin
LES HALLES
(Secteur en travaux)
LES HALLES
FORUM LA CANOPÉE
CHÂTELET LES HALLES
Rue Mondétour
R. de la Gde Truanderie
R. de la Pte Truanderie
Rambuteau
R. des Prêcheurs
R. de la Cossonnerie
Rue Pierre Lescot
LE LOUVRE DES ANTIQUAIRES
ORATOIRE DU LOUVRE
R. de Marengo
R. de l'Oratoire
Jardin de l'Oratoire
MUSÉE DU LOUVRE
COUR CARRÉE
Jardin de l'Infante
RIVOLI
LOUVRE RIVOLI
Rue St Honoré
R. Sauval
R. Bailleul
R. J. Tison
R. Vauvilliers
R. des Prouvaires
R. du Roule
R. Perrault
R. de l'Amal de Coligny
Pl. du Louvre
MAIRIE DU 1ER ARR.
ST GERMAIN L'AUXERROIS
R. Baillet
R. de l'Arbre Sec
R. de la Monnaie
R. du Pont Neuf
Pl. M. Quentin
Pce A. Carême
Berger
Imp. des Bourdonnais
L.E.C. P. LESCOT
CHÂTELET
Pge des Lingères
Pl. M. de Navarre
R. de la Lingerie
Fontaine des Innocents
R. des Innocents
R. de la Ferronnerie
Pl. J. du Bellay
R. Aubry le Boucher
R. de la Reynie
Pl. E. Michelet
Pl. I. Stravinsky
Cloître
R. des Lombards
R. Ste Opportune
Pl. Ste Opportune
R. Courtalon
R. des Halles
R. des Déchargeurs
R. du Plat d'Étain
R. des Bourdonnais
R. des Deux Boules
R. des Lavandières Ste Opportune
R. Bertin Poirée
R. des Orfèvres
R. J. Lantier
R. St Germain l'Auxerrois
CHAMBRE DES NOTAIRES
BOULEVARD SEBASTOPOL
R. N. Flamel
R. Pernelle
R. St Bon
ST MERRI
R. des Juges Consuls
TOUR ST JACQUES
Sq.re de la Tour St Jacques
R. St Martin
Venise
D'ART
Pl. Pompidou
MITTERRAND
Louvre
ÉCOLE DU LOUVRE
R. des Prêtres St Germain l'Auxerrois
CLIN. DU LOUVRE
Q. DU LOUVRE
Pl. de l'École
PONT-NEUF
Pont des Arts
Pères
Voie Georges Pompidou
QUAI DE LA MÉGISSERIE
Pl. du Châtelet
CHÂTELET T. M. P.
TH. DE LA VILLE
CHÂTELET
R. de la Coutellerie
Av. VICTORIA
Pl. de l'Hôtel de Ville
ASSISTANCE PUBLIQUE
QUAI DE GESVRES
Malaquais
Pl. de l'Institut
INSTITUT DE FRANCE
Sq.re G. Pierné
Imp. de Conti
HÔTEL DES MONNAIES
Guénégaud
QUAI DE CONTI
BATEAUX POMPES
Sq.re du Vert Galant
Pl. du Pont Neuf
R. H. Robert
Pont Neuf
QUAI DE L'HORLOGE
Pl. Dauphine
R. de Harlay
CONCIERGERIE
PALAIS DE JUSTICE
STE CHAPELLE
Pont au Change
BD DU PALAIS
TRIBUNAL DE COMMERCE
Pl. L. Lépine
CITÉ
R. de Lutèce
QUAI DE LA CORSE
Pont Notre Dame
Pont d'Arcole
HÔTEL DIEU
QUAI DES ORFÈVRES
QUAI DES GRANDS AUGUSTINS
R. de Nevers
Imp. de Nevers
R. de Nesle
R. Dauphine
Pge Dauphine
R. du Pont de Lodi
R. des Grands Augustins
R. Christine
R. de Savoie
R. Séguier
R. Git le Cœur
R. de l'Hirondelle
Pl. St Michel
QUAI ST MICHEL
Pont St Michel
QUAI DU MARCHÉ NEUF
PRÉFECTURE DE POLICE
ÎLE DE LA CITÉ
Rue de la Cité
Rue d'Arcole
R. des Ursins
R. Chanoinesse
Place du Parvis
Rue Mazarine
Rue de Seine
R. de l'Échaudé
R. de Bourbon le Château
Carref. de Buci
Buci
R. André Mazet
St André des Arts
Callot

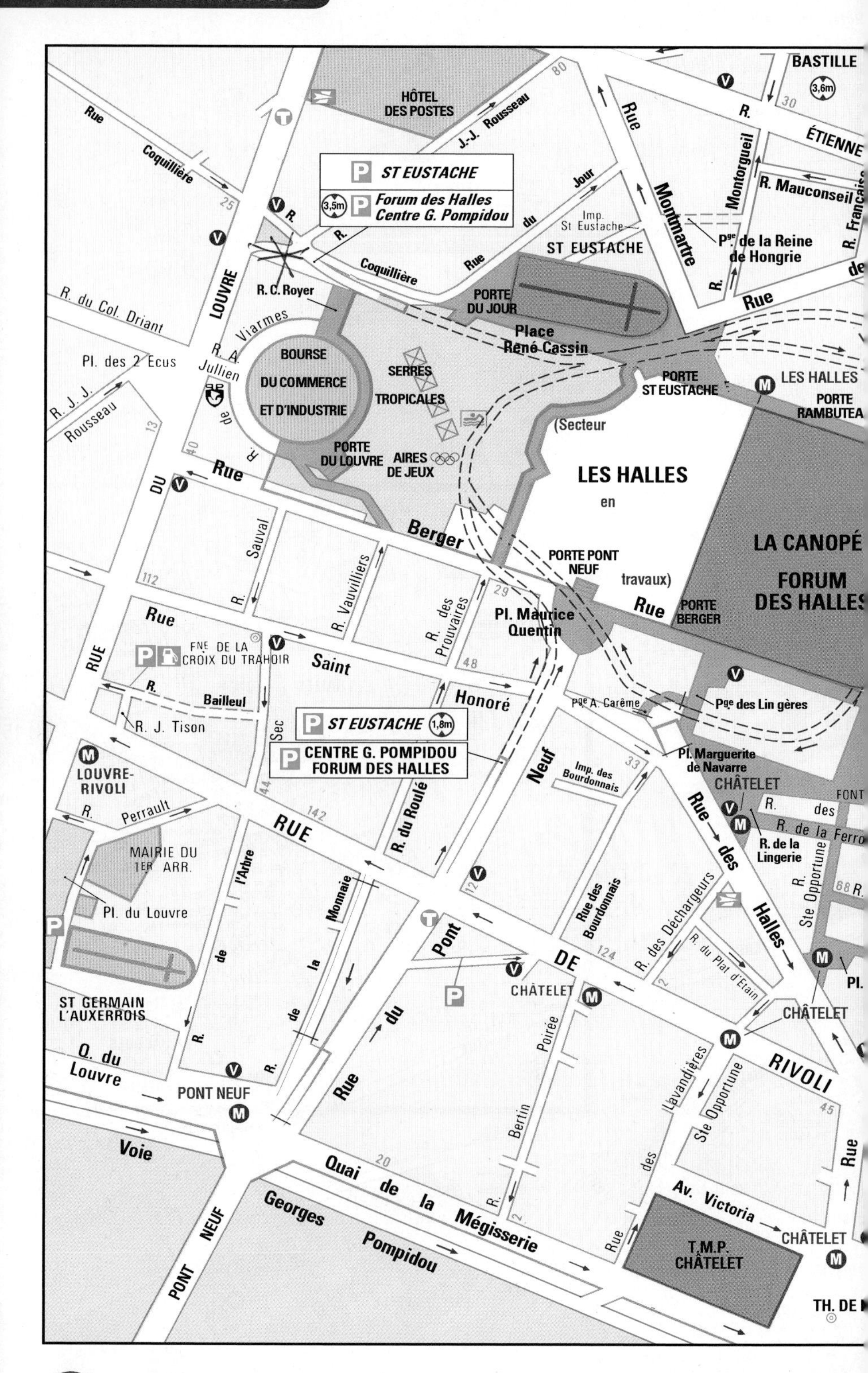
HÔTEL DES POSTES
ST EUSTACHE
Forum des Halles Centre G. Pompidou
BASTILLE
R. ÉTIENNE
R. Mauconseil
Rue Montmartre
Montorgueil
Pge de la Reine de Hongrie
Imp. St Eustache
ST EUSTACHE
Rue Coquillière
R. du Jour
J.-J. Rousseau
R. C. Royer
R. du Col. Driant
PORTE DU JOUR
Place René Cassin
Viarmes
Pl. des 2 Ecus
R. A. Jullien
R. J. J. Rousseau
BOURSE DU COMMERCE ET D'INDUSTRIE
SERRES TROPICALES
PORTE ST EUSTACHE
LES HALLES
PORTE RAMBUTEAU
(Secteur LES HALLES en travaux)
PORTE DU LOUVRE
AIRES DE JEUX
LA CANOPÉE
FORUM DES HALLES
Rue Berger
PORTE PONT NEUF
PORTE BERGER
R. Sauval
R. Vauvilliers
R. des Prouvaires
Pl. Maurice Quentin
Rue Saint Honoré
Fne DE LA CROIX DU TRAHOIR
ST EUSTACHE
CENTRE G. POMPIDOU FORUM DES HALLES
R. Bailleul
R. J. Tison
Pge A. Carême
Pge des Lingères
Pl. Marguerite de Navarre
Imp. des Bourdonnais
CHÂTELET
R. des Ferro
R. de la Lingerie
R. Ste Opportune
LOUVRE-RIVOLI
R. Perrault
MAIRIE DU 1ER ARR.
Pl. du Louvre
R. de l'Arbre Sec
R. de la Monnaie
R. du Roulé
Rue du Pont Neuf
Rue des Bourdonnais
R. des Déchargeurs
R. du Plat d'Étain
Rue des Halles
RUE DE RIVOLI
ST GERMAIN L'AUXERROIS
CHÂTELET
R. Bertin Poirée
Rue des Lavandières Ste Opportune
Q. du Louvre
PONT NEUF
Voie Georges Pompidou
Quai de la Mégisserie
Av. Victoria
T.M.P. CHÂTELET
CHÂTELET
TH. DE
PONT NEUF

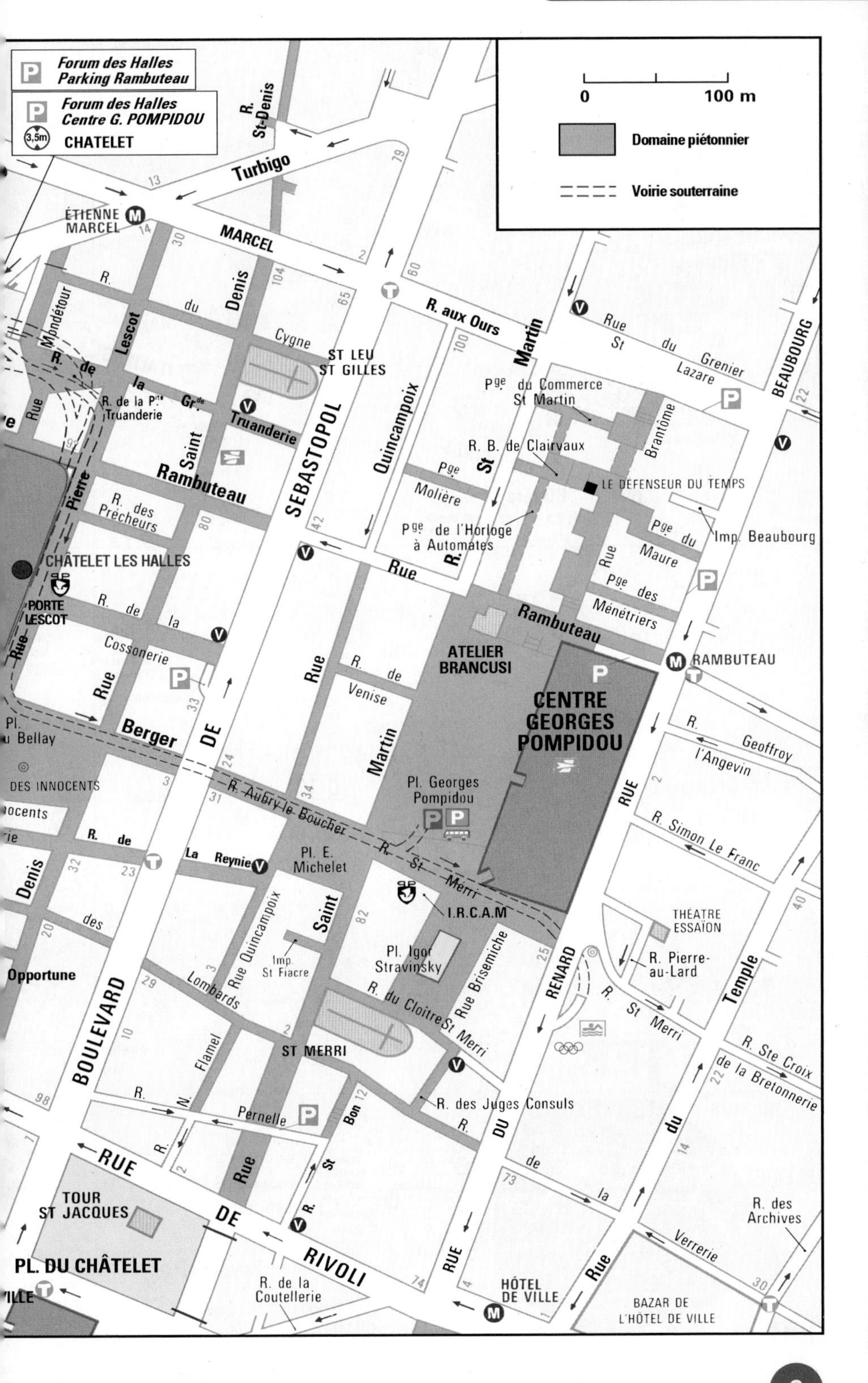

Forum des Halles
Parking Rambuteau
Forum des Halles
Centre G. POMPIDOU
CHATELET
0
100 m
Domaine piétonnier
Voirie souterraine
Turbigo
MARCEL
ÉTIENNE MARCEL
R. St-Denis
R. aux Ours
Rue St Martin
Rue du Grenier St Lazare
BEAUBOURG
SEBASTOPOL
Quincampoix
ST LEU ST GILLES
Rue du Cygne
R. de la Grde Truanderie
R. de la Pite Truanderie
Rambuteau
R. des Prêcheurs
CHÂTELET LES HALLES
PORTE LESCOT
R. de la Cossonerie
Rue Berger
BOULEVARD DE SEBASTOPOL
Pge du Commerce St Martin
R. B. de Clairvaux
Pge Molière
Pge de l'Horloge à Automates
LE DÉFENSEUR DU TEMPS
Imp. Beaubourg
Pge du Maure
Pge des Ménétriers
RAMBUTEAU
ATELIER BRANCUSI
CENTRE GEORGES POMPIDOU
R. de Venise
Rue St Martin
Pl. Georges Pompidou
R. Geoffroy l'Angevin
R. Simon Le Franc
R. Aubry le Boucher
R. St Merri
Pl. E. Michelet
R. de La Reynie
I.R.C.A.M
THÉATRE ESSAÏON
R. Pierre-au-Lard
Pl. Igor Stravinsky
R. du Cloitre St Merri
Rue Brisemiche
RUE DU RENARD
Rue du Temple
R. Ste Croix de la Bretonnerie
Imp. St Fiacre
Rue Quincampoix
R. des Lombards
R. N. Flamel
ST MERRI
R. des Juges Consuls
R. Pernelle
Rue St Bon
R. de la Verrerie
R. des Archives
RUE DE RIVOLI
TOUR ST JACQUES
PL. DU CHÂTELET
R. de la Coutellerie
HÔTEL DE VILLE
BAZAR DE L'HÔTEL DE VILLE
Pl. du Bellay
DES INNOCENTS
Opportune
Rue St Denis

2e
9E
1ER
10
HAUSSMANN-ST LAZARE
LYCÉE CONDORCET
ST LOUIS D'ANTIN
MAGASINS DU PRINTEMPS
HAVRE CAUMARTIN
GALERIES LAFAYETTE
TH. MOGADOR
CHAUSSÉE D'ANTIN
N.-D. DE LORETTE
LE PELETIER
Rue de Provence
Rue de la Chaussée d'Antin
Rue La Fayette
Rue de Châteaudun
Rue du Faubourg Montmartre
Rue Drouot
BD HAUSSMANN
Pl. J. Kaplan
Cité d'Antin
RÉDEMPTION
HÔTEL DES VENTES DROUOT-RICHELIEU
MAIRIE 9E ARR.
RICHELIEU DROUOT
F 12
F 13
G 12
G 13
H 12
H 13
PARIS-STORY
AUBER
OFFICE DU TOURISME
Place Diaghilev
OPÉRA GARNIER
Pl. Ch. Garnier
Pl. J. Rouché
Pl. Adrien Oudin
MÉE DE LA PARFUMERIE FRAGONARD
TH. ATHENEE L. JOUVET
Sq.re de l'Opéra L. Jouvet
TH. ÉDOUARD VII
Pl. Édouard VII
OLYMPIA
BD DES CAPUCINES
BD DES ITALIENS
BD DE LA MADELEINE
l'Opéra
OPÉRA
Pl. de l'Opéra
OPÉRA COMIQUE
Pl. Boïeldieu
QUATRE SEPTEMBRE
Rue du Quatre Septembre
Pl. Rudolf Noureïev
THÉATRE-MUSÉE DES CAPUCINES
TH. DE LA MICHODIÈRE
TH. DAUNOU
TH. LA PÉPINIÈRE-OPÉRA
CRÉDIT FONCIER DE FRANCE
MINISTÈRE DE LA JUSTICE
Place Vendôme
LA COLONNE
Rue de la Paix
AVENUE DE L'OPÉRA
Pl. Gaillon
TH. DES BOUFFES PARISIENS
PHONOTHÈQUE NATLE
BOURSE
Sq.re Louvois
BIBLIOTHÈQUE NATIONALE
MAIRIE DU 2E ARR.
HÔTEL COLBERT
Galie Colbert
Galie Vivienne
Rue Vivienne
Rue de Richelieu
Rue Ste Anne
Passage des Jacobins
PARIS INFO
PYRAMIDES
ST ROCH
Rue Saint Honoré
Rue de Castiglione
Rue de Rivoli
TUILERIES
Rue du 29 Juillet
TH. DU PALAIS ROYAL
JARDIN DU PALAIS ROYAL
BANQUE DE FRANCE
Pl. du Lieutenant H. Karcher
CONSEIL CONSTITUTIONNEL
MIN. DE LA CULTURE ET DE LA COMMUNICATION
COMÉDIE FRANÇAISE RICHELIEU
Pl. A. Malraux
Pl. Colette
PALAIS ROYAL
CONSEIL D'ÉTAT
Pl. du Palais Royal
LE LOUVRE DES ANTIQUAIRES
PALAIS ROYAL MUSÉE DU LOUVRE
ORATOIRE DU LOUVRE
Jardin de l'Oratoire
Pl. du Carrousel
CARROUSEL
ARC DE TRIOMPHE DU CARROUSEL
Cour
MUSÉE

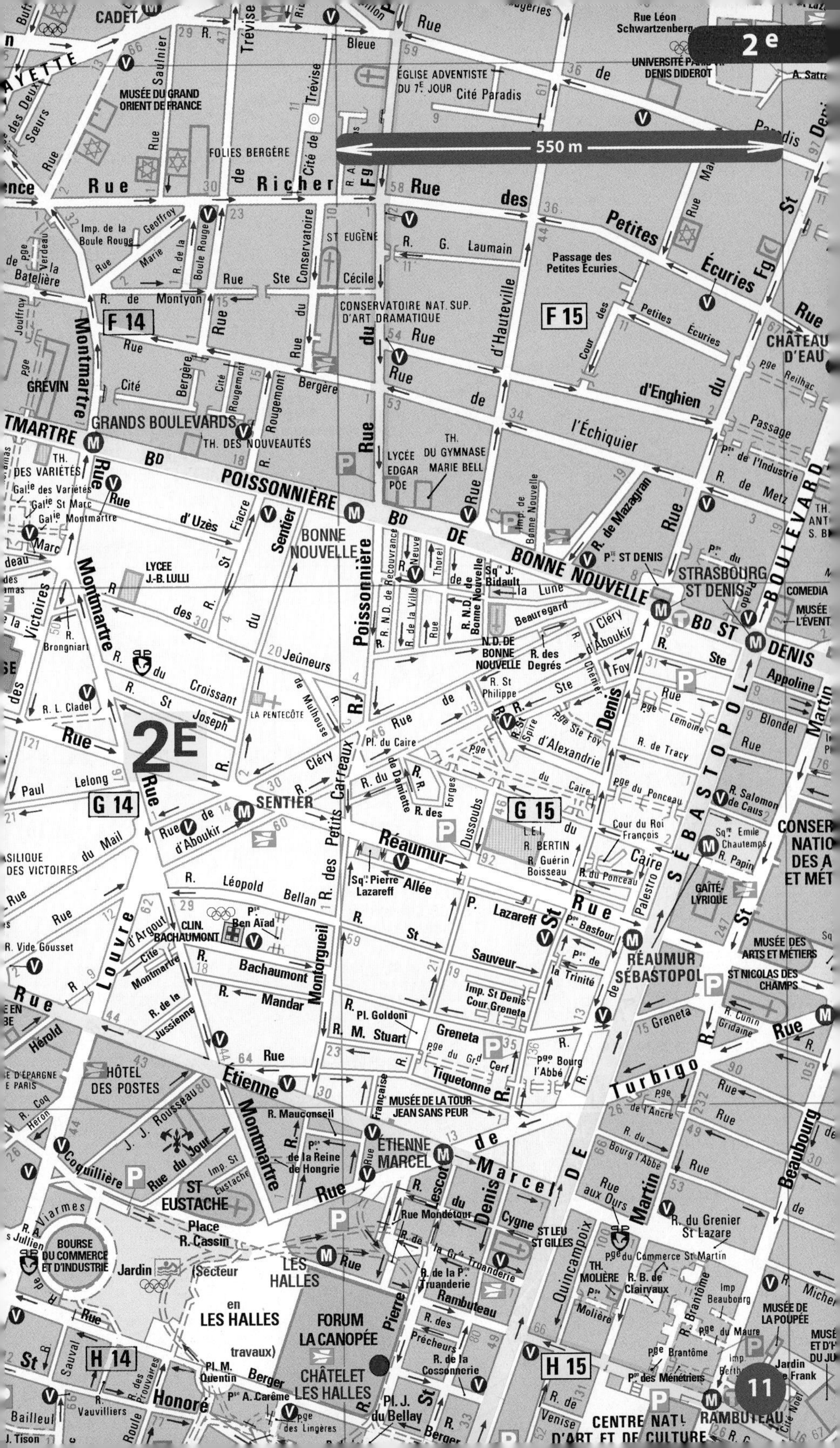
550 m
2E
F 14
F 15
G 14
G 15
H 14
H 15
CADET
Rue Léon Schwartzenberg
UNIVERSITÉ PARIS DENIS DIDEROT
ÉGLISE ADVENTISTE DU 7E JOUR
Cité Paradis
MUSÉE DU GRAND ORIENT DE FRANCE
FOLIES BERGÈRE
Rue de Richer
Rue des Petites Écuries
Passage des Petites Écuries
Imp. de la Boule Rouge
R. Geoffroy Marie
R. de la Boule Rouge
ST EUGÈNE
R. G. Laumain
Rue Ste Cécile
R. de Montyon
CONSERVATOIRE NAT. SUP. D'ART DRAMATIQUE
Rue du Conservatoire
Rue d'Hauteville
Cour des Petites Écuries
CHÂTEAU D'EAU
Rue Bergère
Cité Bergère
Cité Rougemont
Rue Rougemont
Rue de l'Échiquier
Rue d'Enghien
GRÉVIN
Rue Montmartre
GRANDS BOULEVARDS
TH. DES NOUVEAUTÉS
TH. DES VARIÉTÉS
Galie des Variétés
Galie St Marc
Galie Montmartre
Bd Poissonnière
LYCÉE EDGAR POE
TH. DU GYMNASE MARIE BELL
Passage de l'Industrie
R. de Metz
Bd de Bonne Nouvelle
BONNE NOUVELLE
Rue d'Uzès
Rue du Sentier
Rue Poissonnière
R. N.D. de Recouvrance
R. de la Ville Neuve
R. Thorel
Sqe J. Bidault
R. de la Lune
R. de Mazagran
Pge ST DENIS
STRASBOURG ST DENIS
Bd St Denis
Boulevard de Sébastopol
COMEDIA
LYCÉE J.-B. LULLI
Rue des Jeûneurs
Rue Beauregard
R. d'Aboukir
R. des Degrés
N.D. DE BONNE NOUVELLE
Rue Ste Foy
Rue Appoline
R. Blondel
R. Brongniart
R. du Croissant
R. St Joseph
LA PENTECÔTE
Rue de Mulhouse
Rue de Cléry
R. St Philippe
R. St Spire
Pge Ste Foy
Rue d'Alexandrie
Pge Lemoine
R. de Tracy
R. L. Cladel
Rue Paul Lelong
Pl. du Caire
R. de Damiette
R. des Forges
Rue du Caire
Pge du Ponceau
R. Salomon de Caus
SENTIER
Rue du Mail
Rue des Petits Carreaux
Rue Dussoubs
L.E.I. R. BERTIN
R. Guérin Boisseau
Cour du Roi François
Sqe Emile Chautemps
R. Papin
CONSERVATOIRE NATIONAL DES ARTS ET MÉTIERS
DES VICTOIRES
Rue Réaumur
R. Léopold Bellan
Sqre Pierre Lazareff
Allée P. Lazareff
R. du Ponceau
Rue Palestro
GAÎTÉ LYRIQUE
CLIN. BACHAUMONT
Pge Ben Aïad
Rue du Louvre
R. d'Argout
R. Vide Gousset
Cité Montmartre
R. Bachaumont
R. Montorgueil
R. St Sauveur
Pge Basfour
Pge de la Trinité
RÉAUMUR SÉBASTOPOL
MUSÉE DES ARTS ET MÉTIERS
ST NICOLAS DES CHAMPS
R. Mandar
R. de la Jussienne
Imp. St Denis
Cour Greneta
Pl. Goldoni
R. M. Stuart
Rue Greneta
R. Cunin Gridaine
Rue Hérold
HÔTEL DES POSTES
Rue Étienne Marcel
Rue Tiquetonne
Pge du Grd Cerf
Pge Bourg l'Abbé
Rue de Turbigo
Rue Beaubourg
R. Coq Héron
R. J. J. Rousseau
R. Mauconseil
Rue Française
MUSÉE DE LA TOUR JEAN SANS PEUR
Pge de la Reine de Hongrie
ÉTIENNE MARCEL
Pge de l'Ancre
R. Bourg l'Abbé
Rue Coquillière
Rue du Jour
Imp. St Eustache
ST EUSTACHE
Rue Mondétour
R. Pierre Lescot
Rue du Cygne
ST LEU ST GILLES
Rue Quincampoix
Rue aux Ours
R. du Grenier St Lazare
Rue Viarmes
R. A. Jullien
BOURSE DU COMMERCE ET D'INDUSTRIE
Place R. Cassin
Jardin
LES HALLES
(Secteur en travaux)
Rue Rambuteau
R. de la Gde Truanderie
R. de la Pte Truanderie
TH. MOLIÈRE
Pge Molière
R. B. de Clairvaux
Pge du Commerce St Martin
R. Brantôme
Imp Beaubourg
MUSÉE DE LA POUPÉE
FORUM LA CANOPÉE
R. des Prêcheurs
R. de la Cossonnerie
Pge du Maure
Pge Brantôme
Pge des Ménétriers
Jardin Anne Frank
Rue St Honoré
R. Sauval
R. des Prouvaires
Pl. M. Quentin
Rue Berger
Pge A. Carême
CHÂTELET LES HALLES
Pl. J. du Bellay
Pge des Lingères
R. Vauvilliers
R. Bailleul
J. Tison
R. de Venise
CENTRE NATL D'ART ET DE CULTURE
RAMBUTEAU

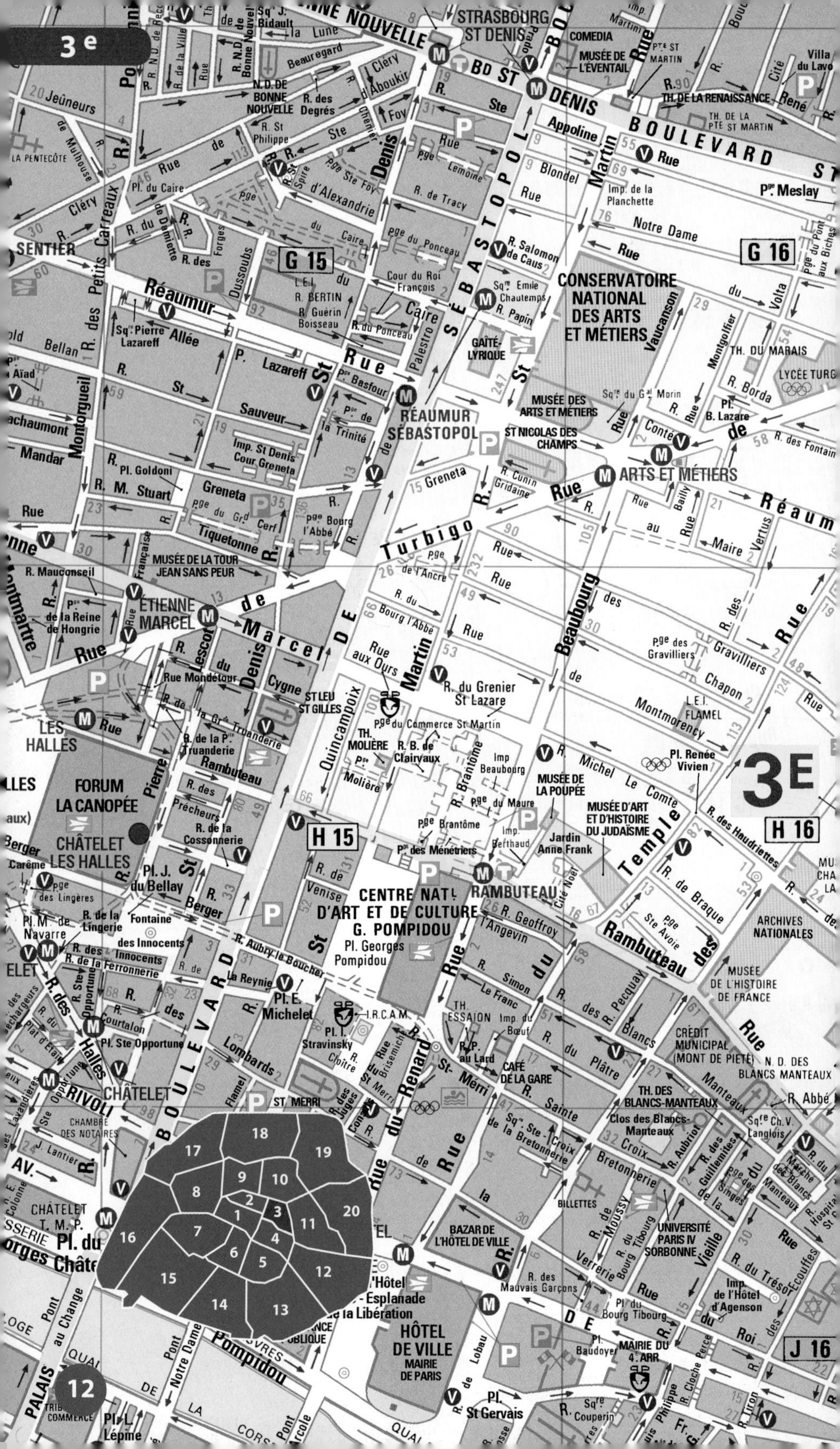
STRASBOURG ST DENIS
BD ST DENIS
BOULEVARD
COMEDIA
MUSÉE DE L'ÉVENTAIL
PTE ST MARTIN
TH. DE LA RENAISSANCE
TH. DE LA PTE ST MARTIN
N.D. DE BONNE NOUVELLE
R. des Degrés
R. St Philippe
Jeûneurs
LA PENTECÔTE
Pl. du Caire
SENTIER
G 15
G 16
CONSERVATOIRE NATIONAL DES ARTS ET MÉTIERS
Réaumur
Sq.re Pierre Lazareff
Allée
L.E.I. R. BERTIN
Cour du Roi François
R. Guérin Boisseau
GAÎTÉ LYRIQUE
TH. DU MARAIS
LYCÉE TURG
MUSÉE DES ARTS ET MÉTIERS
Sq.re du Gal Morin
Pl. B. Lazare
RÉAUMUR SÉBASTOPOL
ST NICOLAS DES CHAMPS
ARTS ET MÉTIERS
Montorgueil
Mandar
Pl. Goldoni
R. M. Stuart
Greneta
Tiquetonne
MUSÉE DE LA TOUR JEAN SANS PEUR
Turbigo
ÉTIENNE MARCEL
R. Mauconseil
Pge de la Reine de Hongrie
LES HALLES
FORUM LA CANOPÉE
CHÂTELET LES HALLES
Rambuteau
R. des Prêcheurs
R. de la Cossonnerie
ST LEU ST GILLES
Quincampoix
TH. MOLIÈRE
R. B. de Clairvaux
R. du Grenier St Lazare
Beaubourg
Gravilliers
Chapon
Montmorency
L.E.I. FLAMEL
Pl. Renée Vivien
3E
MUSÉE DE LA POUPÉE
MUSÉE D'ART ET D'HISTOIRE DU JUDAÏSME
Jardin Anne Frank
Temple
H 15
H 16
R. des Haudriettes
R. de Braque
ARCHIVES NATIONALES
MUSÉE DE L'HISTOIRE DE FRANCE
CENTRE NATL D'ART ET DE CULTURE G. POMPIDOU
Pl. Georges Pompidou
RAMBUTEAU
R. Geoffroy l'Angevin
Fontaine des Innocents
Pl. J. du Bellay
R. Aubry le Boucher
La Reynie
Pl. E. Michelet
I.R.C.A.M.
Pl. I. Stravinsky
TH. ESSAION
CAFÉ DE LA GARE
St-Merri
R. des Blancs Manteaux
CRÉDIT MUNICIPAL (MONT DE PIÉTÉ)
N. D. DES BLANCS MANTEAUX
TH. DES BLANCS-MANTEAUX
Clos des Blancs-Manteaux
Sq.re Ch.V. Langlois
RIVOLI
CHÂTELET
CHAMBRE DES NOTAIRES
Pl. Ste Opportune
ST MERRI
BOULEVARD
Sq.re Ste Croix de la Bretonnerie
BILLETTES
UNIVERSITÉ PARIS IV SORBONNE
Vieille du Temple
Verrerie
BAZAR DE L'HÔTEL DE VILLE
R. des Mauvais Garçons
Imp. de l'Hôtel d'Agenson
Pl. du Bourg Tibourg
HÔTEL DE VILLE
MAIRIE DE PARIS
Pl. Baudoyer
MAIRIE DU 4e ARR
Pl. St Gervais
Sq.re Couperin
J 16
CHÂTELET T.M.P.
Pl. du Châtelet
Pont au Change
Pont Notre Dame
Pompidou
Esplanade de la Libération
Pl. L. Lépine
18
17
19
9
10
8
2
1
3
11
20
16
7
4
6
5
12
15
14
13

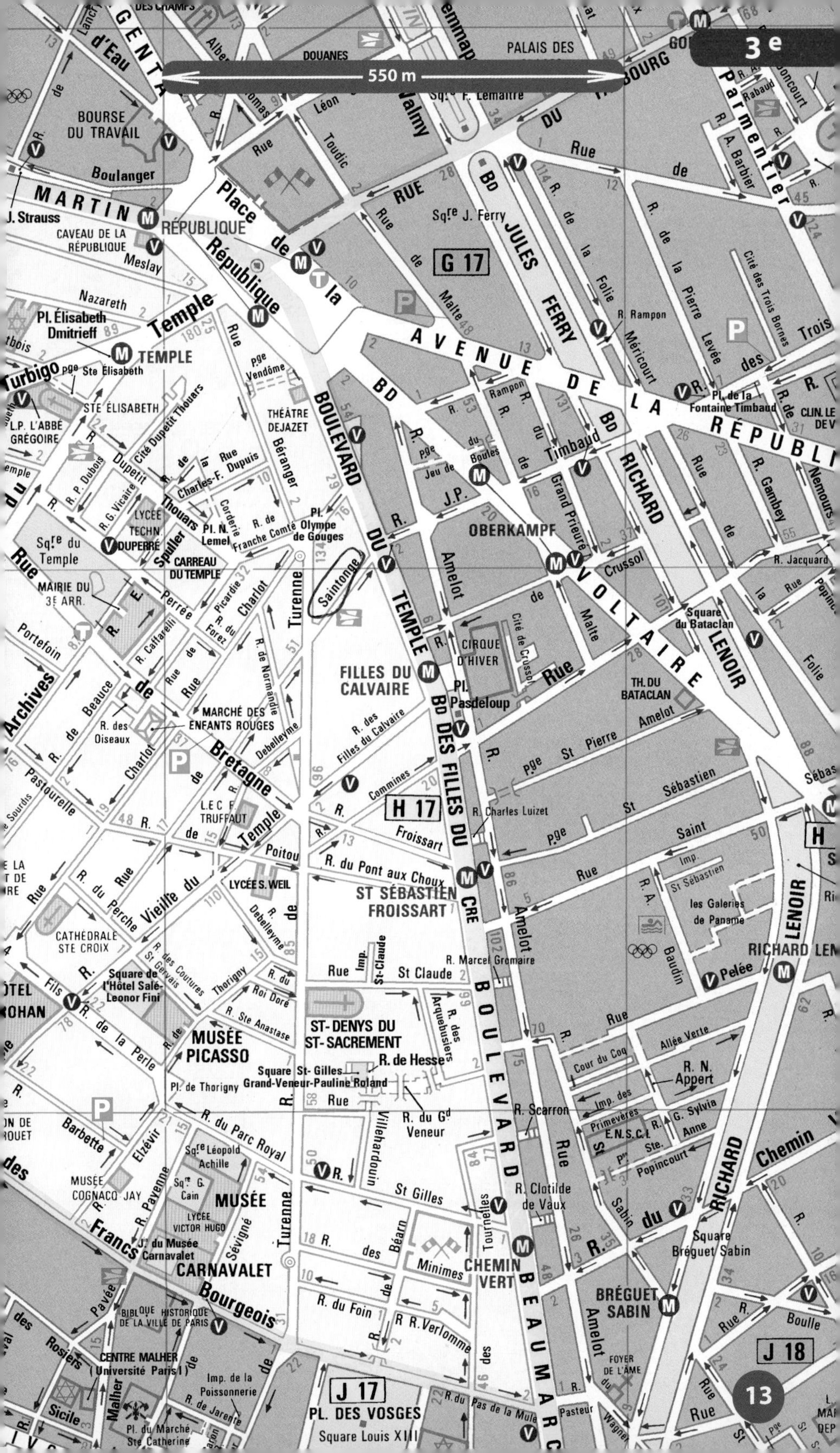
3e
550 m
G 17
H 17
J 17
J 18
BOURSE DU TRAVAIL
Boulanger
MARTIN
J. Strauss
CAVEAU DE LA RÉPUBLIQUE
RÉPUBLIQUE
Place de la République
Meslay
Nazareth
Pl. Élisabeth Dmitrieff
Temple
TEMPLE
Turbigo
Ste Élisabeth
STE ÉLISABETH
L.P. L'ABBÉ GRÉGOIRE
Dupetit Thouars
Cité Dupetit Thouars
R. de la Rue Charles-F. Dupuis
R. P. Dubois
R. G. Vicaire
LYCÉE TECHN
DUPERRÉ
Spuller
Pl. N. Lemel
Corderie
R. de Franche Comté
Pl. Olympe de Gouges
Sq.re du Temple
CARREAU DU TEMPLE
MAIRIE DU 3E ARR.
Perrée
Picardie
Charlot
R. du Forez
R. Caffarelli
Portefoin
Archives
R. de Beauce
R. des Oiseaux
MARCHÉ DES ENFANTS ROUGES
R. de Normandie
Debelleyme
Bretagne
L.E.C. F. TRUFFAUT
Pastourelle
Vieille du Temple
Poitou
LYCÉE S. WEIL
R. du Perche
CATHÉDRALE STE CROIX
Square de l'Hôtel Salé-Leonor Fini
R. des Coutures St Gervais
Thorigny
R. du Roi Doré
R. Ste Anastase
MUSÉE PICASSO
R. de la Perle
Pl. de Thorigny
Barbette
Elzévir
R. du Parc Royal
Sq.re Léopold Achille
Sq.re G. Cain
MUSÉE COGNACQ JAY
R. Payenne
LYCÉE VICTOR HUGO
J.n du Musée Carnavalet
MUSÉE CARNAVALET
Sévigné
Francs Bourgeois
Pavée
BIBL.QUE HISTORIQUE DE LA VILLE DE PARIS
Rosiers
CENTRE MALHER (Université Paris I)
Malher
Sicile
Imp. de la Poissonnerie
R. de Jarente
Pl. du Marché Ste Catherine
PL. DES VOSGES
Square Louis XIII
DOUANES
PALAIS DES
Sq.re F. Lemaître
Léon
Toudic
Valmy
Rue de Malte
Sq.re J. Ferry
BD JULES FERRY
R. de la Folie Méricourt
R. Rampon
R. de la Pierre Levée
Cité des Trois Bornes
Rue des Trois
Parmentier
Rabaud
R. A. Barbier
Rue de
AVENUE DE LA RÉPUBLIQUE
R. Pl. de la Fontaine Timbaud
CLIN. LE
R. du Grand Prieuré
Timbaud
BD RICHARD LENOIR
R. Gambey
Nemours
R. Jacquard
Rue de la Folie
Popincourt
THÉÂTRE DEJAZET
Béranger
BOULEVARD DU TEMPLE
Saintonge
Turenne
FILLES DU CALVAIRE
R. des Filles du Calvaire
P.ge Jeu de Boules
J.P.
OBERKAMPF
Amelot
Crussol
VOLTAIRE
Cité de Crussol
CIRQUE D'HIVER
Pl. Pasdeloup
Malte
Square du Bataclan
TH. DU BATACLAN
P.ge St Pierre Amelot
St Sébastien
R. Charles Luizet
P.ge Saint
Commines
Froissart
R. du Pont aux Choux
ST SÉBASTIEN FROISSART
BD DES FILLES DU CALVAIRE
Imp. St Sébastien
les Galeries de Paname
Baudin
Pelée
RICHARD LENOIR
Rue St Claude
Imp. St-Claude
R. Marcel Gromaire
ST-DENYS DU ST-SACREMENT
R. des Arquebusiers
R. de Hesse
Square St-Gilles Grand-Veneur-Pauline Roland
R. du G.d Veneur
Villehardouin
Allée Verte
Cour du Coq
R. N. Appert
Imp. des Primevères
E.N.S.C.I.
G. Sylvia
Ste. Anne
P.ge Popincourt
R. Scarron
R. Clotilde de Vaux
St Gilles
Tournelles
R. des Minimes
Béarn
CHEMIN VERT
Chemin Vert
Sabin
BOULEVARD BEAUMARCHAIS
Square Bréguet Sabin
BRÉGUET SABIN
Boulle
R. du Foin
R. Verlomme
R. du Pas de la Mule
Pasteur
FOYER DE L'ÂME
Wagner

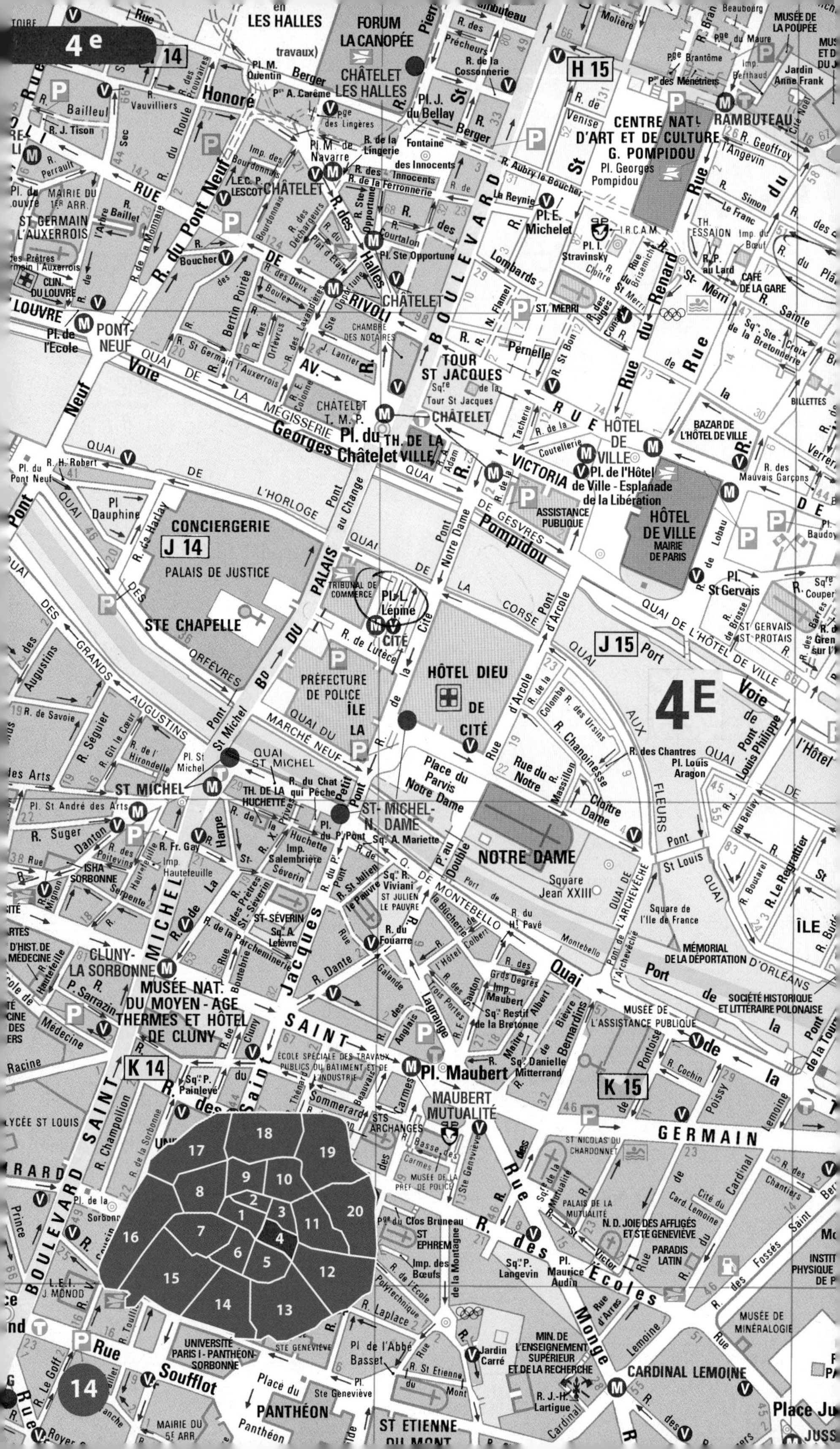
LES HALLES
FORUM LA CANOPÉE
CHÂTELET LES HALLES
H 14
H 15
Honoré
R. Bailleul
R. J. Tison
R. Vauvilliers
R. du Roule
R. Perrault
MAIRIE DU 1ER ARR.
ST GERMAIN L'AUXERROIS
CLIN. DU LOUVRE
RUE
DE RIVOLI
R. du Pont Neuf
CHÂTELET
L.E.C.P. LESCOT
Pl. J. du Bellay
Fontaine des Innocents
R. Berger
R. de la Cossonnerie
R. des Prêcheurs
R. Rambuteau
CENTRE NATL D'ART ET DE CULTURE G. POMPIDOU
Pl. Georges Pompidou
RAMBUTEAU
R. Geoffroy l'Angevin
R. Simon le Franc
R. Aubry le Boucher
R. St Martin
R. de Venise
La Reynie
Pl. E. Michelet
I.R.C.A.M.
Pl. I. Stravinsky
R. des Lombards
Rue du Renard
R. St Merri
ST MERRI
R. des Juges Consuls
R. Ste Croix de la Bretonnerie
Sq. Ste-Croix de la Bretonnerie
TH. ESSAION
CAFÉ DE LA GARE
BOULEVARD SEBASTOPOL
CHÂTELET
CHAMBRE DES NOTAIRES
TOUR ST JACQUES
Sq. de la Tour St Jacques
PONT-NEUF
Pl. de l'Ecole
QUAI DE LA MÉGISSERIE
Voie Georges Pompidou
CHÂTELET T.M.P.
Pl. du Châtelet
TH. DE LA VILLE
RUE DE RIVOLI
HÔTEL DE VILLE
Pl. de l'Hôtel de Ville - Esplanade de la Libération
AVENUE VICTORIA
ASSISTANCE PUBLIQUE
HÔTEL DE VILLE MAIRIE DE PARIS
BAZAR DE L'HÔTEL DE VILLE
R. des Mauvais Garçons
R. de la Verrerie
BILLETTES
QUAI DE L'HORLOGE
Pl. Dauphine
Pl. du Pont Neuf
R. H. Robert
CONCIERGERIE
J 14
PALAIS DE JUSTICE
STE CHAPELLE
QUAI DES ORFÈVRES
BD DU PALAIS
Pont au Change
QUAI DE GESVRES
QUAI DE LA CORSE
Pont Notre Dame
TRIBUNAL DE COMMERCE
Pl. L. Lépine
CITÉ
R. de Lutèce
PRÉFECTURE DE POLICE
ÎLE DE LA CITÉ
HÔTEL DIEU
Pont d'Arcole
QUAI DE L'HÔTEL DE VILLE
J 15
Pl. St Gervais
ST GERVAIS ST PROTAIS
4E
Voie de Pont Louis Philippe
QUAI DES GRANDS AUGUSTINS
R. des Grands Augustins
R. de Savoie
R. Séguier
R. Git le Cœur
R. de l'Hirondelle
Pont St Michel
Pl. St Michel
QUAI ST MICHEL
QUAI DU MARCHÉ NEUF
ST MICHEL
TH. DE LA HUCHETTE
R. du Chat qui Pêche
Petit Pont
ST-MICHEL-N. DAME
Place du Parvis Notre Dame
R. Chanoinesse
R. des Ursins
R. des Chantres
Pl. Louis Aragon
QUAI AUX FLEURS
Cloître Notre Dame
NOTRE DAME
Square Jean XXIII
Pont St Louis
QUAI DE L'ARCHEVÊCHÉ
Square de l'Ile de France
MÉMORIAL DE LA DÉPORTATION
QUAI D'ORLÉANS
ÎLE
Pl. St André des Arts
R. Suger
R. Danton
ISHA SORBONNE
R. de la Harpe
R. Fr. Gay
R. de la Huchette
Sq. A. Mariette
Sq. R. Viviani
ST JULIEN LE PAUVRE
Q. DE MONTEBELLO
R. de la Bûcherie
R. du Fouarre
Port de Montebello
R. du Haut Pavé
ST-SÉVERIN
Sq. A. Lefèvre
R. de la Parcheminerie
R. Dante
R. Galande
CLUNY-LA SORBONNE
MUSÉE NAT. DU MOYEN-AGE THERMES ET HÔTEL DE CLUNY
BOULEVARD SAINT MICHEL
Rue St Jacques
BOULEVARD SAINT GERMAIN
Quai de la Tournelle
Port de la Tournelle
MUSÉE DE L'ASSISTANCE PUBLIQUE
SOCIÉTÉ HISTORIQUE ET LITTÉRAIRE POLONAISE
R. de Bièvre
R. Maître Albert
Sq. Restif de la Bretonne
ÉCOLE SPÉCIALE DES TRAVAUX PUBLICS DU BATIMENT ET DE L'INDUSTRIE
Pl. Maubert
Sq. Danielle Mitterrand
MAUBERT MUTUALITÉ
K 14
K 15
Sq. P. Painlevé
R. des Écoles
R. Champollion
R. de la Sorbonne
LYCÉE ST LOUIS
R. Sommerard
STS ARCHANGES
R. des Carmes
MUSÉE DE LA PRÉF. DE POLICE
ST NICOLAS DU CHARDONNET
R. de Poissy
R. du Card. Lemoine
R. de Pontoise
R. Cochin
PALAIS DE LA MUTUALITÉ
N. D. JOIE DES AFFLIGÉS ET STE GENEVIÈVE
PARADIS LATIN
R. des Fossés Saint Bernard
R. des Chantiers
Impasse du Clos Bruneau
ST EPHREM
Imp. des Bœufs
R. de l'École Polytechnique
R. Laplace
R. de la Montagne Ste Geneviève
Sq. P. Langevin
Pl. Maurice Audin
Rue Monge
Rue d'Arras
R. Lemoine
MUSÉE DE MINÉRALOGIE
L.E.I. J. MONOD
UNIVERSITÉ PARIS I - PANTHÉON-SORBONNE
STE GENEVIÈVE
Pl de l'Abbé Basset
Jardin Carré
MIN. DE L'ENSEIGNEMENT SUPÉRIEUR ET DE LA RECHERCHE
R. J.-H. Lartigue
CARDINAL LEMOINE
Rue Soufflot
Place du Panthéon
Pl. Ste Geneviève
PANTHÉON
MAIRIE DU 5E ARR.
ST ETIENNE DU MONT
R. St Etienne du Mont
Place Jussieu
INSTITUT PHYSIQUE DE P
17
18
19
8
9
10
2
1
3
11
20
16
7
4
6
5
12
15
14
13

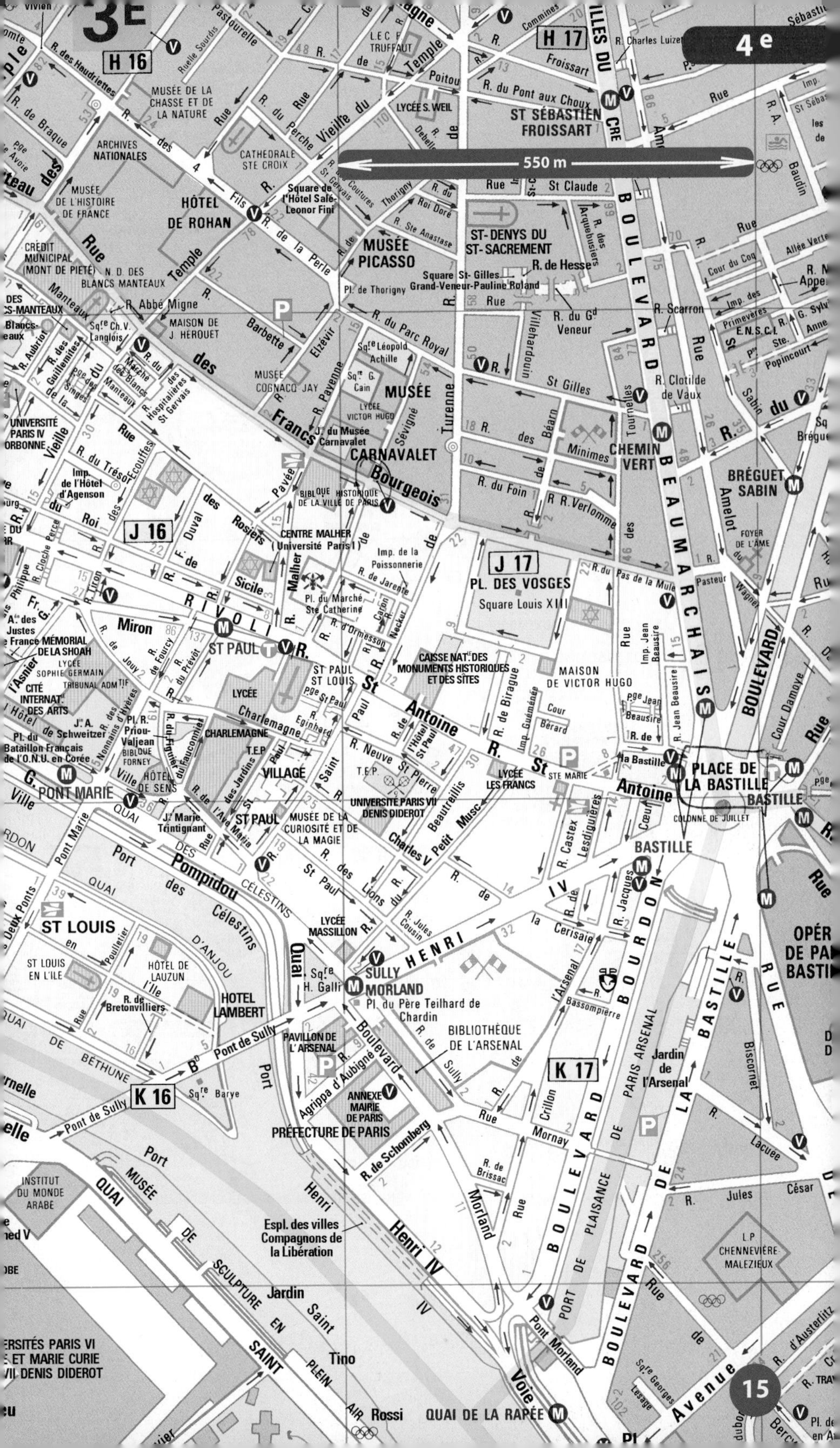
3e
4e
H 16
H 17
J 16
J 17
K 16
K 17
550 m
MUSÉE DE LA CHASSE ET DE LA NATURE
ARCHIVES NATIONALES
CATHÉDRALE STE CROIX
MUSÉE DE L'HISTOIRE DE FRANCE
HÔTEL DE ROHAN
CRÉDIT MUNICIPAL (MONT DE PIÉTÉ)
N. D. DES BLANCS MANTEAUX
MAISON DE J. HÉROUET
MUSÉE COGNACQ JAY
LYCÉE S. WEIL
Square de l'Hôtel Salé-Leonor Fini
MUSÉE PICASSO
Pl. de Thorigny
ST SÉBASTIEN FROISSART
ST-DENYS DU ST-SACREMENT
Square St-Gilles Grand-Veneur-Pauline Roland
R. de Hesse
R. du Gd Veneur
R. du Parc Royal
Sq.re Léopold Achille
Sq.re G. Cain
LYCÉE VICTOR HUGO
MUSÉE CARNAVALET
Jn du Musée Carnavalet
BIBLque HISTORIQUE DE LA VILLE DE PARIS
CHEMIN VERT
BRÉGUET SABIN
FOYER DE L'ÂME
E.N.S.C.I.
UNIVERSITÉ PARIS IV SORBONNE
Imp. de l'Hôtel d'Agenson
CENTRE MALHER (Université Paris I)
Imp. de la Poissonnerie
Pl. du Marché Ste Catherine
PL. DES VOSGES
Square Louis XIII
MAISON DE VICTOR HUGO
CAISSE NATLE DES MONUMENTS HISTORIQUES ET DES SITES
RIVOLI
ST PAUL
ST PAUL ST LOUIS
MÉMORIAL DE LA SHOAH
LYCÉE SOPHIE GERMAIN
TRIBUNAL ADMTIF
CITÉ INTERNATLE DES ARTS
LYCÉE CHARLEMAGNE
T.E.P.
VILLAGE ST PAUL
Pl. R. Priou-Valjean
BIBLQUE FORNEY
HÔTEL DE SENS
Jn Marie Trintignant
PONT MARIE
MUSÉE DE LA CURIOSITÉ ET DE LA MAGIE
UNIVERSITÉ PARIS VII DENIS DIDEROT
LYCÉE LES FRANCS
PLACE DE LA BASTILLE
COLONNE DE JUILLET
BASTILLE
OPÉRA DE PARIS BASTILLE
LYCÉE MASSILLON
SULLY MORLAND
Sq.re H. Galli
Pl. du Père Teilhard de Chardin
BIBLIOTHÈQUE DE L'ARSENAL
PAVILLON DE L'ARSENAL
ANNEXE MAIRIE DE PARIS
PRÉFECTURE DE PARIS
ST LOUIS EN L'ILE
HÔTEL DE LAUZUN
HOTEL LAMBERT
Sq.re Barye
Pont de Sully
INSTITUT DU MONDE ARABE
MUSÉE DE SCULPTURE EN PLEIN AIR
Jardin Saint Tino Rossi
Espl. des villes Compagnons de la Libération
QUAI DE LA RAPÉE
PORT DE PLAISANCE PARIS ARSENAL
Jardin de l'Arsenal
L.P. CHENNEVIÈRE-MALEZIEUX
BOULEVARD BEAUMARCHAIS
BOULEVARD BOURDON
BOULEVARD HENRI IV
BOULEVARD DE LA BASTILLE
RUE DE LYON
Rue des Francs Bourgeois
Rue Vieille du Temple
R. St Antoine
Quai des Célestins
Quai d'Anjou
Quai de Béthune
Voie Georges Pompidou
Avenue Daumesnil

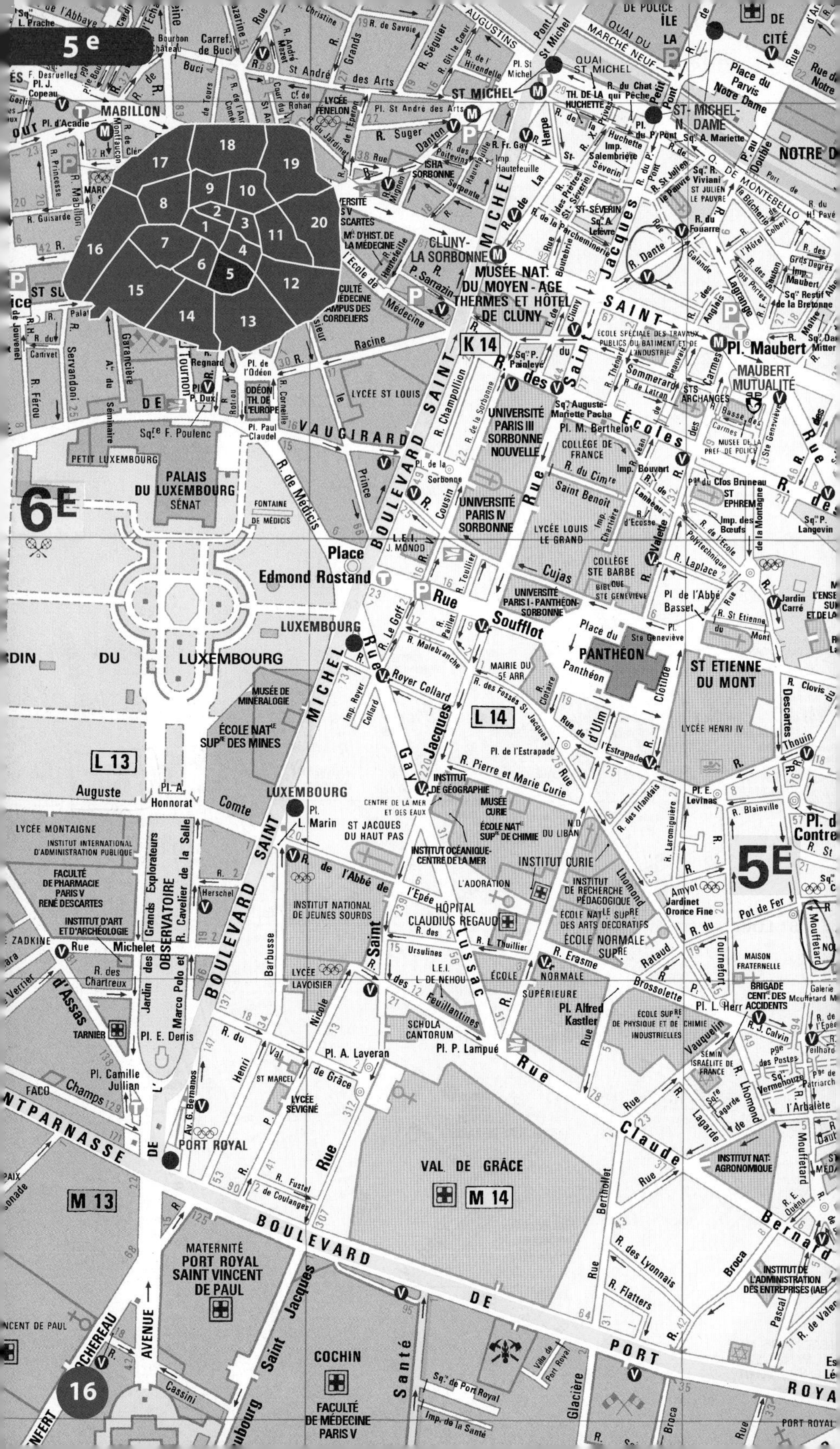

MABILLON
ST MICHEL
QUAI ST MICHEL
ST-MICHEL-N. DAME
NOTRE DAME
Place du Parvis Notre Dame
CITÉ
ÎLE DE LA CITÉ
QUAI DU MARCHÉ NEUF
AUGUSTINS
Carref. de Buci
R. St André des Arts
LYCÉE FÉNELON
Pl. St André des Arts
R. Suger
R. Danton
TH. DE LA HUCHETTE
R. du Chat qui Pêche
Huchette
R. de la Harpe
St-Séverin
ST-SÉVERIN
R. Dante
R. Galande
R. St Julien le Pauvre
Sq. R. Viviani
Q. DE MONTEBELLO
R. de la Bûcherie
R. du Fouarre
CLUNY-LA SORBONNE
MUSÉE NAT. DU MOYEN-AGE THERMES ET HÔTEL DE CLUNY
M. D'HIST. DE LA MÉDECINE
R. de l'École de Médecine
CULTÉ MÉDECINE CAMPUS DES CORDELIERS
BOULEVARD SAINT MICHEL
Rue Saint Jacques
SAINT
Pl. Maubert
MAUBERT MUTUALITÉ
R. des Carmes
R. Lagrange
R. Racine
Pl. de l'Odéon
ODÉON TH. DE L'EUROPE
LYCÉE ST LOUIS
R. de Vaugirard
K 14
R. Champollion
R. de la Sorbonne
R. des Écoles
UNIVERSITÉ PARIS III SORBONNE NOUVELLE
Sq. Auguste-Mariette Pacha
Pl. M. Berthelot
COLLÈGE DE FRANCE
R. du Cimre
Saint Benoît
UNIVERSITÉ PARIS IV SORBONNE
LYCÉE LOUIS LE GRAND
COLLÈGE STE BARBE
BIBLQUE STE GENEVIÈVE
R. Cujas
R. Laplace
R. Valette
Montagne Ste Geneviève
Polytechnique
Sq. P. Langevin
Jardin Carré
PETIT LUXEMBOURG
PALAIS DU LUXEMBOURG SÉNAT
6E
FONTAINE DE MÉDICIS
R. de Médicis
Place Edmond Rostand
LUXEMBOURG
JARDIN DU LUXEMBOURG
Sqre F. Poulenc
Pl. Paul Claudel
Rue Soufflot
UNIVERSITÉ PARIS I - PANTHÉON-SORBONNE
Place du Panthéon
PANTHÉON
Ste Geneviève
ST ETIENNE DU MONT
R. Clovis
R. Descartes
MAIRIE DU 5E ARR.
R. des Fossés St Jacques
R. Royer Collard
R. Gay Lussac
L 14
Rue d'Ulm
R. Clotilde
Pl. de l'Estrapade
LYCÉE HENRI IV
R. Thouin
MUSÉE DE MINÉRALOGIE
ÉCOLE NATLE SUPRE DES MINES
L 13
Pl. A. Honnorat
R. Auguste Comte
R. Pierre et Marie Curie
INSTITUT DE GÉOGRAPHIE
CENTRE DE LA MER ET DES EAUX
MUSÉE CURIE
ÉCOLE NATLE SUPRE DE CHIMIE
INSTITUT OCÉANIQUE-CENTRE DE LA MER
ST JACQUES DU HAUT PAS
N.D. DU LIBAN
INSTITUT CURIE
R. des Irlandais
Pl. E. Levinas
R. Blainville
Pl. de la Contrescarpe
5E
Pl. L. Marin
R. de l'Abbé de l'Epée
LYCÉE MONTAIGNE
INSTITUT INTERNATIONAL D'ADMINISTRATION PUBLIQUE
FACULTÉ DE PHARMACIE PARIS V RENÉ DESCARTES
INSTITUT D'ART ET D'ARCHÉOLOGIE
Av. de l'OBSERVATOIRE
R. Cavelier de la Salle
R. Herschel
INSTITUT NATIONAL DE JEUNES SOURDS
HÔPITAL CLAUDIUS REGAUD
L'ADORATION
INSTITUT DE RECHERCHE PÉDAGOGIQUE
ÉCOLE NATLE SUPRE DES ARTS DÉCORATIFS
ÉCOLE NORMALE SUPRE
Jardinet Oronce Fine
R. Amyot
Pot de Fer
R. Mouffetard
R. Rataud
R. Tournefort
MAISON FRATERNELLE
R. Michelet
R. des Chartreux
Rue d'Assas
TARNIER
Pl. E. Denis
R. Marco Polo
LYCÉE LAVOISIER
R. des Ursulines
L.E.I. L. DE NEHOU
R. L. Thuillier
R. Erasme
ÉCOLE NORMALE SUPÉRIEURE
Pl. Alfred Kastler
R. Brossolette
ÉCOLE SUPRE DE PHYSIQUE ET DE CHIMIE INDUSTRIELLES
Pl. L. Herr
BRIGADE CENTLE DES ACCIDENTS
R. Vauquelin
SÉMIN. ISRAÉLITE DE FRANCE
R. J. Calvin
R. des Feuillantines
SCHOLA CANTORUM
Pl. P. Lampué
Pl. A. Laveran
R. du Val de Grâce
R. Henri Barbusse
R. Nicole
LYCÉE SÉVIGNÉ
Av. G. Bernanos
PORT ROYAL
Pl. Camille Jullian
R. Fustel de Coulanges
VAL DE GRÂCE
M 14
Rue Claude Bernard
INSTITUT NATL AGRONOMIQUE
R. Berthollet
R. des Lyonnais
R. Flatters
R. Broca
R. Pascal
INSTITUT DE L'ADMINISTRATION DES ENTREPRISES (IAE)
BOULEVARD DE PORT ROYAL
BOULEVARD DU MONTPARNASSE
M 13
MATERNITÉ PORT ROYAL SAINT VINCENT DE PAUL
AVENUE
Faubourg Saint Jacques
R. Cassini
COCHIN
FACULTÉ DE MÉDECINE PARIS V
R. de la Santé
Sq. de Port Royal
Villa de Port Royal
R. de la Glacière

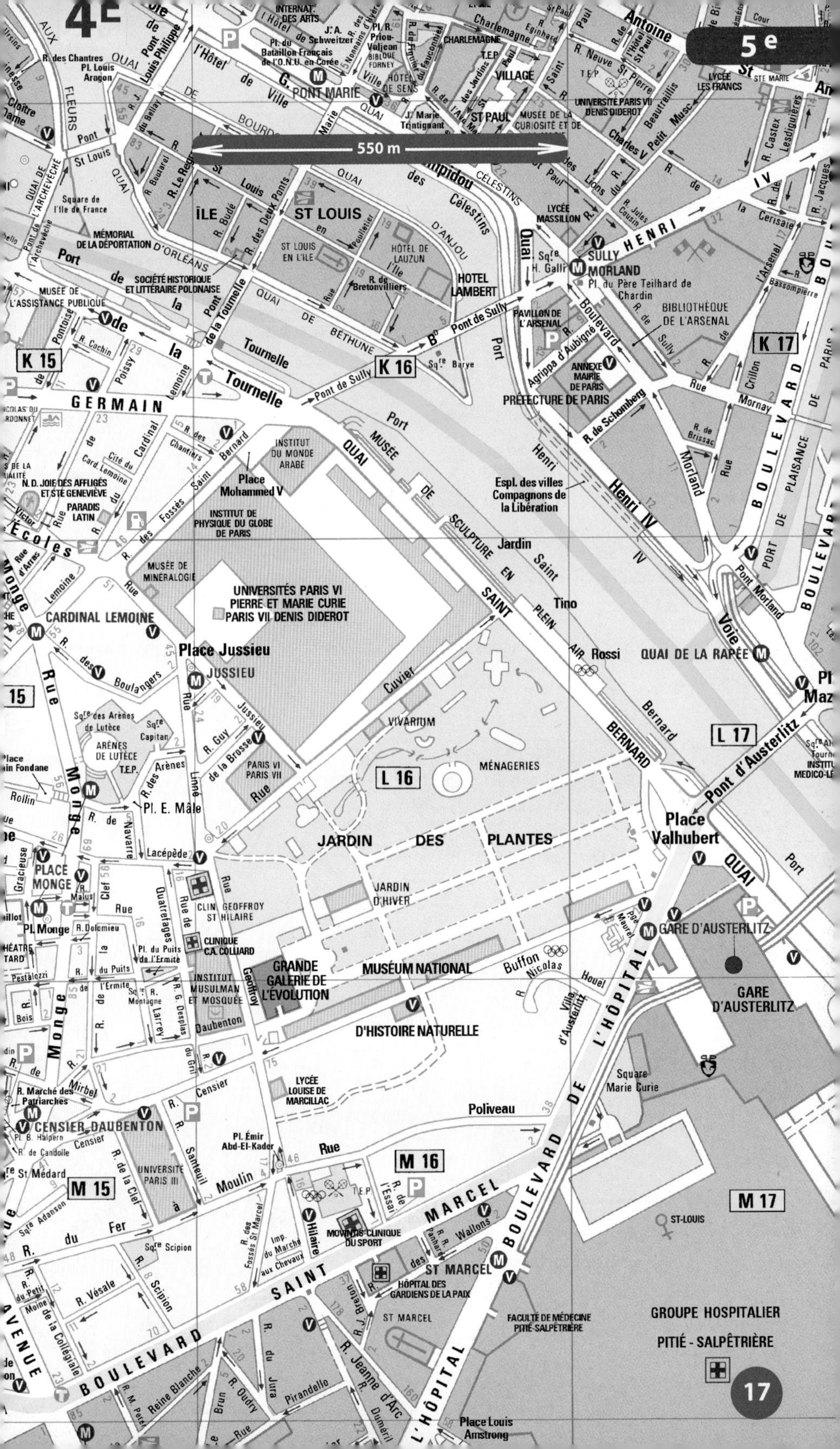
550 m
K 15
K 16
K 17
L 16
L 17
M 15
M 16
M 17
ÎLE ST LOUIS
JARDIN DES PLANTES
MUSÉUM NATIONAL D'HISTOIRE NATURELLE
GRANDE GALERIE DE L'ÉVOLUTION
GARE D'AUSTERLITZ
UNIVERSITÉS PARIS VI PIERRE ET MARIE CURIE PARIS VII DENIS DIDEROT
INSTITUT DU MONDE ARABE
Place Jussieu
Place Valhubert
Place Mohammed V
BIBLIOTHÈQUE DE L'ARSENAL
PRÉFECTURE DE PARIS
HOTEL LAMBERT
GROUPE HOSPITALIER PITIÉ - SALPÊTRIÈRE
BOULEVARD SAINT MARCEL
BOULEVARD DE L'HÔPITAL
QUAI SAINT BERNARD
QUAI DE LA RAPÉE
Pont d'Austerlitz
Pont de Sully
SULLY MORLAND
CARDINAL LEMOINE
JUSSIEU
CENSIER DAUBENTON
ST MARCEL
PLACE MONGE
MÉNAGERIES
VIVARIUM
JARDIN D'HIVER
INSTITUT MUSULMAN ET MOSQUÉE
UNIVERSITÉ PARIS III
LYCÉE LOUISE DE MARCILLAC
Square Marie Curie
Place Louis Amstrong

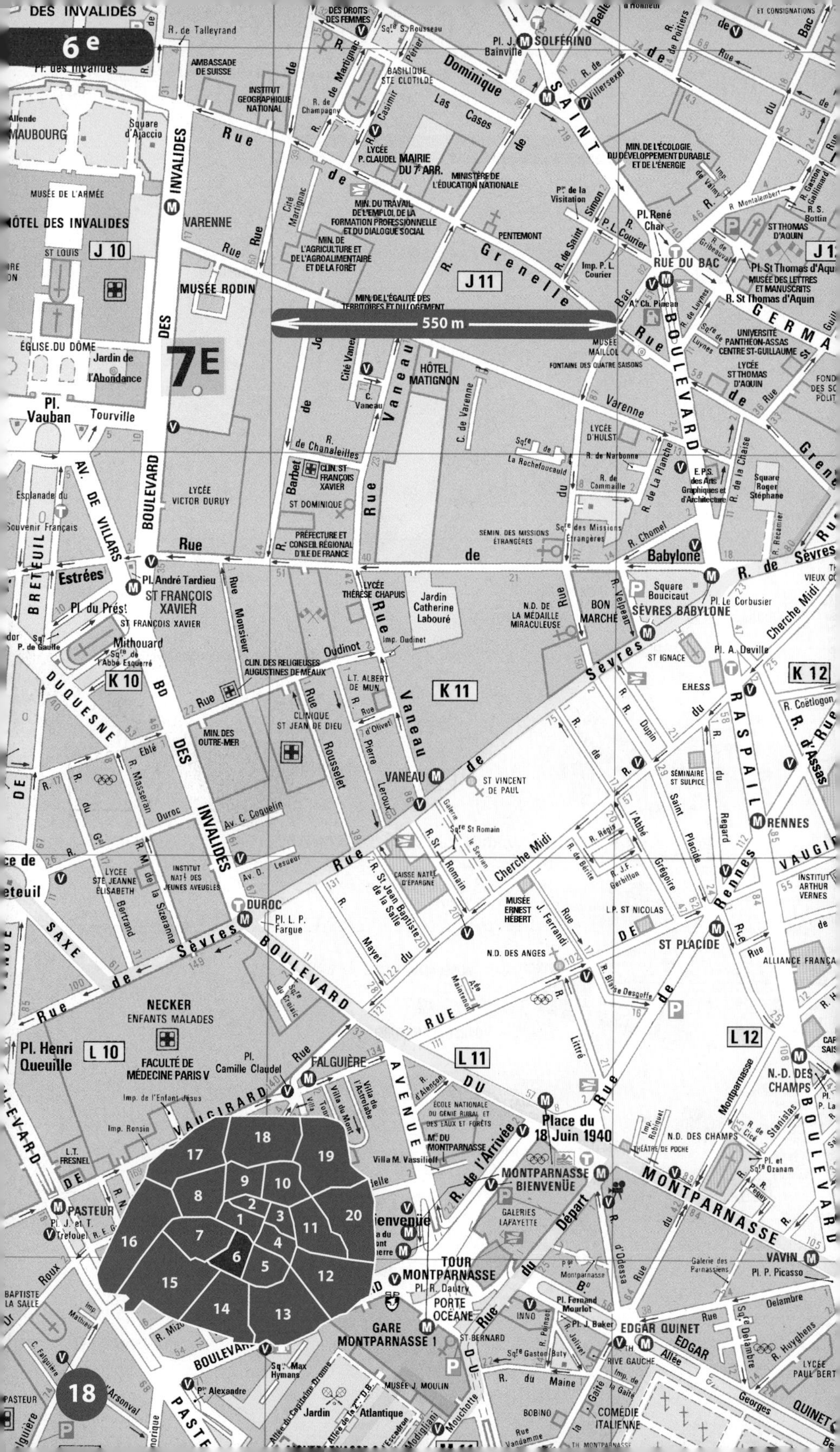
6e
550 m
7E
DES INVALIDES
R. de Talleyrand
Pl. des Invalides
AMBASSADE DE SUISSE
INSTITUT GÉOGRAPHIQUE NATIONAL
Allende
MAUBOURG
Square d'Ajaccio
MUSÉE DE L'ARMÉE
HÔTEL DES INVALIDES
ST LOUIS
J 10
ÉGLISE DU DÔME
Jardin de l'Abondance
Pl. Vauban
Tourville
Esplanade du Souvenir Français
AV. DE VILLARS
BRETEUIL
Estrées
Pl. André Tardieu
ST FRANÇOIS XAVIER
Pl. du Prés! Mithouard
Sq.re de l'Abbé Esquerré
Sq.r P. de Gaulle
K 10
DUQUESNE
BOULEVARD DES INVALIDES
VARENNE
MUSÉE RODIN
LYCÉE VICTOR DURUY
Rue Monsieur
CLIN. DES RELIGIEUSES AUGUSTINES DE MEAUX
MIN. DES OUTRE-MER
R. Masseran
Duroc
Eblé
Av. C. Coquelin
LYCEE STE JEANNE ELISABETH
R. M. de la Sizeranne
INSTITUT NATL DES JEUNES AVEUGLES
Av. D. Lesueur
DUROC
Pl. L. P. Fargue
SAXE
Rue de Sèvres
NECKER ENFANTS MALADES
Pl. Henri Queuille
L 10
FACULTÉ DE MÉDECINE PARIS V
Pl. Camille Claudel
FALGUIÈRE
VAUGIRARD
Imp. de l'Enfant Jésus
Imp. Ronsin
L.T. FRESNEL
PASTEUR
Pl. J. et T. Tréfouel
BAPTISTE LA SALLE
Roux
DES DROITS DES FEMMES
Sq.re S. Rousseau
BASILIQUE STE CLOTILDE
R. de Martignac
R. de Champagny
R. Casimir Périer
Las Cases
Rue de Grenelle
LYCÉE P. CLAUDEL
MAIRIE DU 7e ARR.
MINISTÈRE DE L'ÉDUCATION NATIONALE
Cité Martignac
MIN. DU TRAVAIL, DE L'EMPLOI, DE LA FORMATION PROFESSIONNELLE ET DU DIALOGUE SOCIAL
MIN. DE L'AGRICULTURE ET DE L'AGROALIMENTAIRE ET DE LA FORÊT
MIN. DE L'ÉGALITÉ DES TERRITOIRES ET DU LOGEMENT
PENTEMONT
J 11
Cité Vaneau
HÔTEL MATIGNON
C. Vaneau
R. de Chanaleilles
Rue Barbet de Jouy
CLIN. ST FRANÇOIS XAVIER
ST DOMINIQUE
PRÉFECTURE ET CONSEIL RÉGIONAL D'ILE DE FRANCE
Rue Vaneau
C. de Varenne
Rue de Babylone
LYCÉE THÉRÈSE CHAPUIS
Jardin Catherine Labouré
Imp. Oudinot
Oudinot
L.T. ALBERT DE MUN
Rue Rousselet
CLINIQUE ST JEAN DE DIEU
Rue d'Olivet
Pierre Leroux
K 11
VANEAU
ST VINCENT DE PAUL
Rue de Sèvres
R. St Jean Baptiste de la Salle
CAISSE NATLE D'ÉPARGNE
R. St Romain
Sq.re St Romain
Galerie le Sevrien
Cherche Midi
R. Mayet
MUSÉE ERNEST HÉBERT
J. Ferrandi
N.D. DES ANGES
Allée Maintenon
R. Blaise Desgoffe
RUE DU CHERCHE MIDI
L 11
ÉCOLE NATIONALE DU GÉNIE RURAL ET DES EAUX ET FORÊTS
M. DU MONTPARNASSE
Villa de l'Astrolabe
Villa du Mont Tonnerre
R. d'Alençon
AVENUE DU MAINE
Villa M. Vassilieff
R. de l'Arrivée
Place du 18 Juin 1940
MONTPARNASSE BIENVENÜE
GALERIES LAFAYETTE
TOUR MONTPARNASSE
Pl. R. Dautry
PORTE OCÉANE
GARE MONTPARNASSE 1
ST-BERNARD
Sq. Max Hymans
MUSÉE J. MOULIN
Jardin Atlantique
Allée du Capitaine Dronne
Allée de la 2e D.B.
Pl. Alexandre
BOULEVARD PASTEUR
R. Falguière
Imp. Mathieu
18
17
19
9
10
8
2
1
3
20
16
7
11
4
6
5
12
15
14
13
Pl. J. Bainville
SOLFÉRINO
Bellechasse
Rue de l'Université
Dominique
BOULEVARD SAINT GERMAIN
R. de Villersexel
R. de Poitiers
MIN. DE L'ÉCOLOGIE, DU DÉVELOPPEMENT DURABLE ET DE L'ÉNERGIE
Imp. de Valmy
Pl. de la Visitation
R. de Saint Simon
P. L. Courier
Imp. P. L. Courier
Pl. René Char
RUE DU BAC
R. Montalembert
R. Gaston Gallimard
R. S. Bottin
ST THOMAS D'AQUIN
R. de Gribeauval
Pl. St Thomas d'Aquin
MUSÉE DES LETTRES ET MANUSCRITS
R. St Thomas d'Aquin
A. Ch. Pineau
R. de Luynes
Sq.re de Luynes
UNIVERSITÉ PANTHÉON-ASSAS CENTRE ST-GUILLAUME
LYCÉE ST THOMAS D'AQUIN
MUSÉE MAILLOL
FONTAINE DES QUATRE SAISONS
Varenne
LYCÉE D'HULST
Sq.re de la Rochefoucauld
R. de Narbonne
R. de Commaille
R. de La Planche
E.P.S. des Arts Graphiques et d'Architecture
R. de la Chaise
Square Roger Stéphane
R. Récamier
SÉMIN. DES MISSIONS ÉTRANGÈRES
Sq.re des Missions Étrangères
R. Chomel
Babylone
R. de Sèvres
Square Boucicaut
N.D. DE LA MÉDAILLE MIRACULEUSE
BON MARCHÉ
R. Velpeau
SÈVRES BABYLONE
Pl. Le Corbusier
Cherche Midi
VIEUX COLOMBIER
ST IGNACE
Pl. A. Deville
E.H.E.S.S
K 12
R. Coëtlogon
R. d'Assas
BD RASPAIL
R. Dupin
SÉMINAIRE ST SULPICE
Saint Placide
R. du Regard
RENNES
Rue de l'Abbé Grégoire
R. Régis
R. de Bérite
R. J.F. Gerbillon
L.P. ST NICOLAS
ST PLACIDE
Rue de Rennes
INSTITUT ARTHUR VERNES
VAUGIRARD
ALLIANCE FRANÇAISE
L 12
Littré
Imp. Robiquet
N.D. DES CHAMPS
THÉÂTRE DE POCHE
Montparnasse
R. de Cicé
Stanislas
N.-D. DES CHAMPS
Pl. et Sq.re Ozanam
R. Péguy
BOULEVARD DU MONTPARNASSE
VAVIN
Pl. P. Picasso
Rue du Départ
R. d'Odessa
Pl. du Montparnasse
Galerie des Parnassiens
Pl. Fernand Mourlot
Pl. J. Baker
INNO
R. Poinsot
R. Jolivet
Sq.re Gaston Baty
EDGAR QUINET
RIVE GAUCHE
Allée Edgar Quinet
Sq.re Delambre
Delambre
R. Huyghens
LYCÉE PAUL BERT
R. du Maine
Imp. de la Gaîté
Rue de la Gaîté
COMÉDIE ITALIENNE
BOBINO
Rue Vandamme
R. Mouchotte
Modigliani
Escadron
Rue Georges

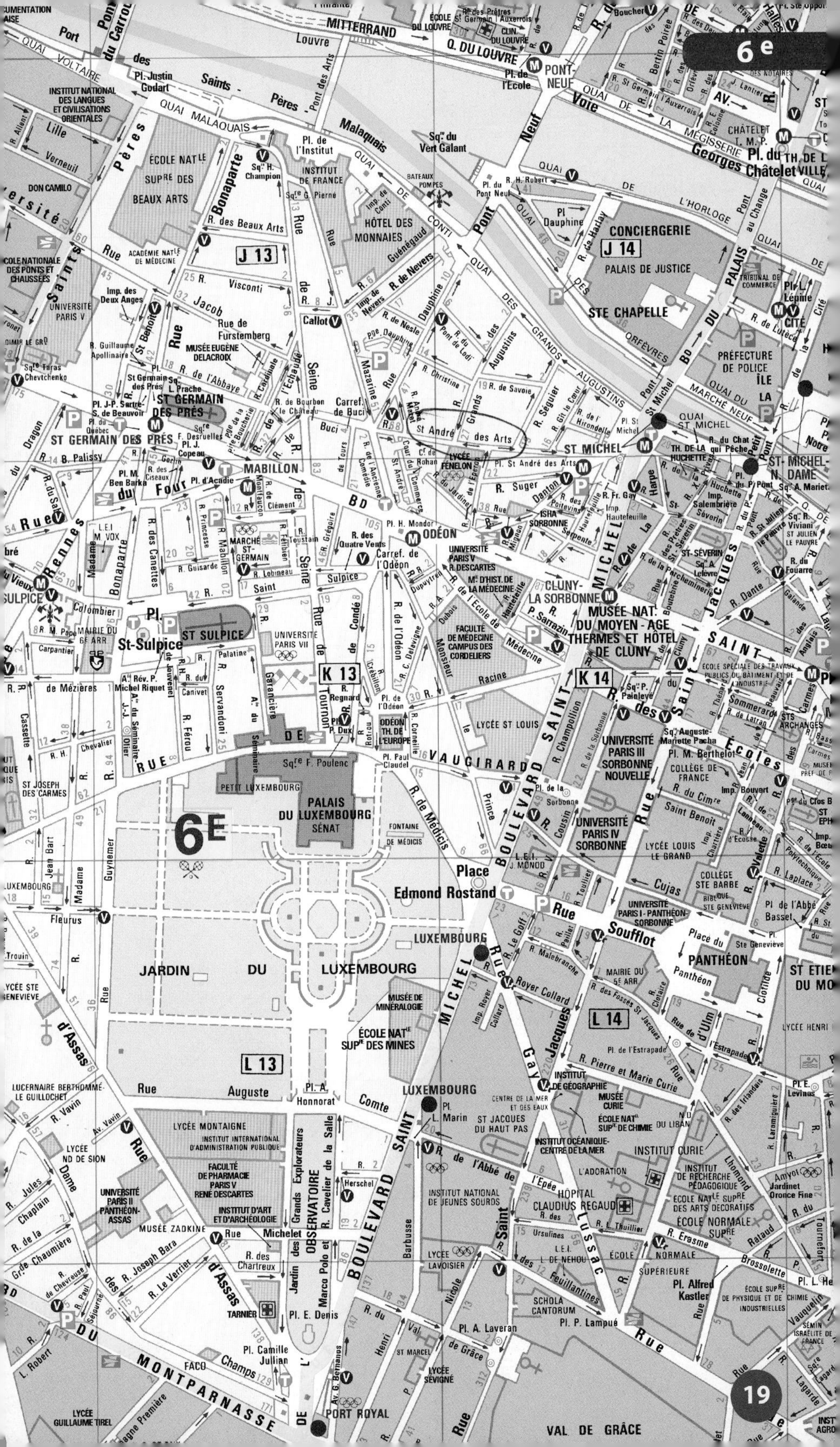

MITTERRAND
Q. DU LOUVRE
PONT-NEUF
QUAI VOLTAIRE
QUAI MALAQUAIS
INSTITUT NATIONAL DES LANGUES ET CIVILISATIONS ORIENTALES
ÉCOLE NATLE SUPRE DES BEAUX ARTS
INSTITUT DE FRANCE
HÔTEL DES MONNAIES
Pl. de l'Institut
Sqre du Vert Galant
QUAI DE CONTI
Pl. Dauphine
CONCIERGERIE
J 14
PALAIS DE JUSTICE
STE CHAPELLE
PRÉFECTURE DE POLICE
ÎLE DE LA CITÉ
QUAI DES GRANDS AUGUSTINS
QUAI DES ORFÈVRES
QUAI DU MARCHE NEUF
QUAI DE LA MÉGISSERIE
Pl. du Châtelet
CHÂTELET
J 13
R. des Beaux Arts
R. Visconti
R. Jacob
Rue de Furstemberg
MUSÉE EUGÈNE DELACROIX
R. de l'Abbaye
ST GERMAIN DES PRÉS
ACADÉMIE NATLE DE MÉDECINE
UNIVERSITÉ PARIS V
Rue Bonaparte
Rue de Seine
Rue Mazarine
Rue Dauphine
R. Christine
R. de Savoie
R. Séguier
St André des Arts
Carref. de Buci
Pl. St André des Arts
ST MICHEL
Pl. St Michel
QUAI ST MICHEL
TH. DE LA HUCHETTE
ST-MICHEL-N. DAME
LYCÉE FÉNELON
MABILLON
R. du Four
Pl. d'Acadie
Bd St Germain
ODÉON
Carref. de l'Odéon
R. des Quatre Vents
R. Mabillon
MARCHÉ ST-GERMAIN
UNIVERSITÉ PARIS V R. DESCARTES
Mée D'HIST. DE LA MÉDECINE
FACULTÉ DE MÉDECINE CAMPUS DES CORDELIERS
CLUNY-LA SORBONNE
MUSÉE NAT. DU MOYEN-AGE THERMES ET HÔTEL DE CLUNY
R. de l'École de Médecine
R. Racine
ST-SÉVERIN
R. de la Harpe
Rue St Jacques
Rue Saint Sulpice
Pl. St-Sulpice
ST SULPICE
MAIRIE DU 6E ARR.
Rue de Rennes
R. de Vaugirard
UNIVERSITE PARIS VII
K 13
Rue de Tournon
Rue de Condé
R. de l'Odéon
ODÉON TH. DE L'EUROPE
Pl. Paul Claudel
K 14
LYCÉE ST LOUIS
Rue des Écoles
UNIVERSITÉ PARIS III SORBONNE NOUVELLE
UNIVERSITÉ PARIS IV SORBONNE
Pl. de la Sorbonne
LYCÉE LOUIS LE GRAND
COLLÈGE DE FRANCE
COLLÈGE STE BARBE
ST JOSEPH DES CARMES
PETIT LUXEMBOURG
PALAIS DU LUXEMBOURG SÉNAT
FONTAINE DE MÉDICIS
Sqre F. Poulenc
R. de Médicis
6E
Place Edmond Rostand
BOULEVARD SAINT MICHEL
Rue Soufflot
Place du Panthéon
PANTHÉON
MAIRIE DU 5E ARR.
ST ETIENNE DU MONT
LYCÉE HENRI IV
L 14
Rue Gay Lussac
R. Royer Collard
R. Pierre et Marie Curie
Rue d'Ulm
Pl. de l'Estrapade
JARDIN DU LUXEMBOURG
LUXEMBOURG
MUSÉE DE MINÉRALOGIE
ÉCOLE NATLE SUPRE DES MINES
L 13
Rue Auguste Comte
Rue d'Assas
Rue Guynemer
Rue de Fleurus
Rue Madame
LUCERNAIRE BERTHOMMÉ-LE GUILLOCHET
LYCÉE MONTAIGNE
INSTITUT INTERNATIONAL D'ADMINISTRATION PUBLIQUE
FACULTÉ DE PHARMACIE PARIS V RENÉ DESCARTES
INSTITUT D'ART ET D'ARCHÉOLOGIE
UNIVERSITÉ PARIS II PANTHÉON-ASSAS
MUSÉE ZADKINE
LYCÉE ND DE SION
Rue Notre Dame des Champs
Rue Michelet
Av. de l'Observatoire
Jardin des Grands Explorateurs Marco Polo et R. Cavelier de la Salle
Pl. E. Denis
Pl. Camille Jullian
TARNIER
INSTITUT DE GÉOGRAPHIE
MUSÉE CURIE
ÉCOLE NATLE SUPRE DE CHIMIE
INSTITUT CURIE
INSTITUT OCÉANIQUE-CENTRE DE LA MER
ST JACQUES DU HAUT PAS
INSTITUT NATIONAL DE JEUNES SOURDS
R. de l'Abbé de l'Épée
HÔPITAL CLAUDIUS REGAUD
ÉCOLE NORMALE SUPÉRIEURE
ÉCOLE NATLE SUPRE DES ARTS DÉCORATIFS
INSTITUT DE RECHERCHE PÉDAGOGIQUE
Pl. Alfred Kastler
ÉCOLE SUPRE DE PHYSIQUE ET DE CHIMIE INDUSTRIELLES
LYCÉE LAVOISIER
R. des Feuillantines
R. des Ursulines
SCHOLA CANTORUM
Pl. P. Lampué
Pl. A. Laveran
Rue Henri Barbusse
Rue du Val de Grâce
LYCÉE SÉVIGNÉ
Rue Saint Jacques
BOULEVARD DU MONTPARNASSE
PORT ROYAL
VAL DE GRÂCE
LYCÉE GUILLAUME TIREL
R. Vavin
R. Joseph Bara
R. Le Verrier
R. de Chevreuse

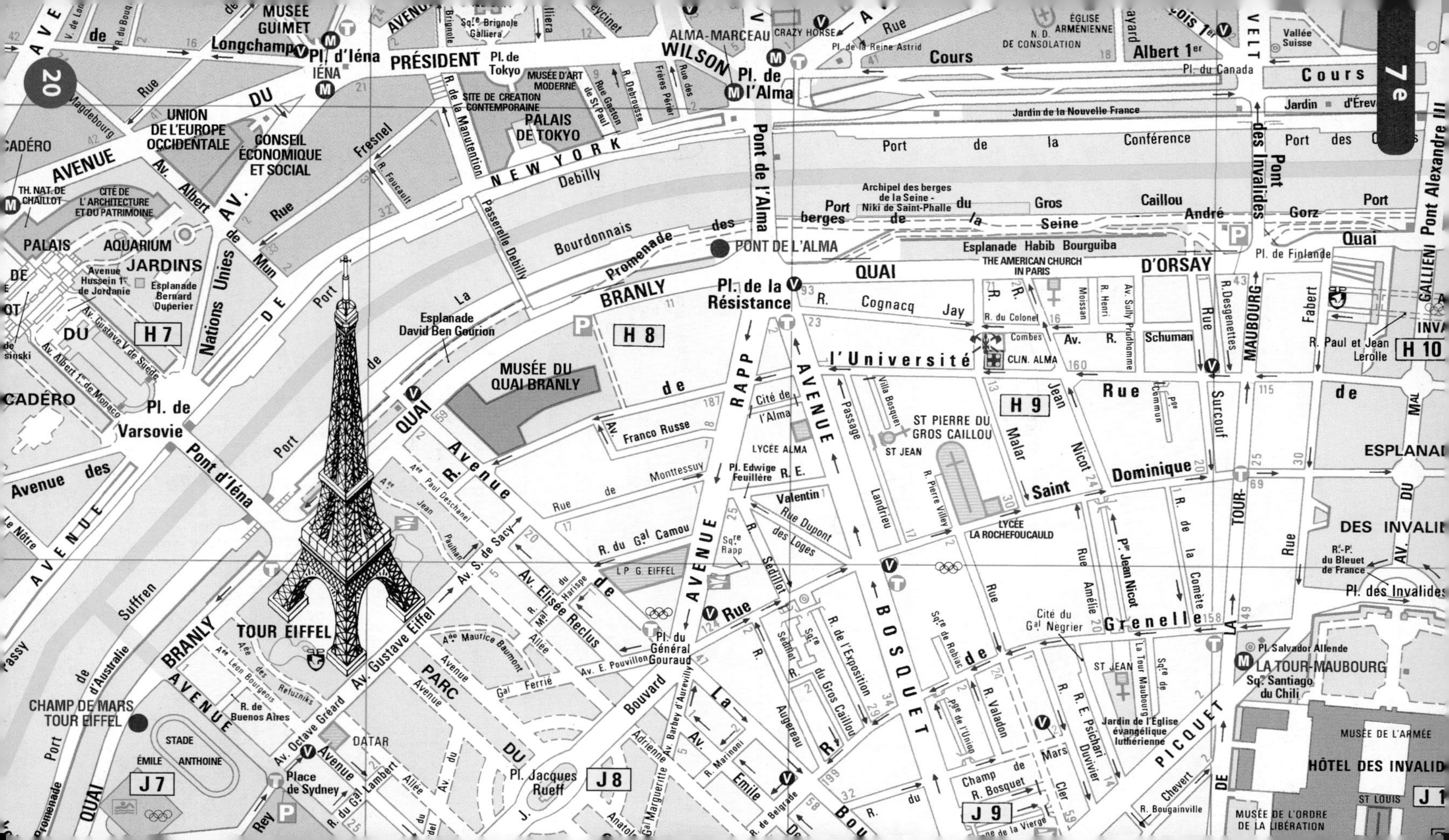

7e
20
Pont Alexandre III
Pont des Invalides
Pont de l'Alma
Pont d'Iéna
Passerelle Debilly
Quai d'Orsay
Quai Branly
Port du Gros Caillou
Port de la Conférence
Cours Albert 1er
Cours la Reine
Avenue Rapp
Avenue Bosquet
Avenue de la Bourdonnais
Avenue de New York
Avenue du Président Wilson
Av. de la Motte-Picquet
Rue de Grenelle
Rue Saint-Dominique
Rue de l'Université
Rue de la Comète
Rue Jean Nicot
Rue Malar
Rue Surcouf
Rue Fabert
Rue Cognacq Jay
Rue Amélie
Rue Cler
R. Valadon
R. de l'Exposition
R. du Gros Caillou
R. Augereau
R. Sédillot
Rue Dupont des Loges
Rue de Monttessuy
R. du Gal Camou
Av. Franco Russe
Av. Elisée Reclus
Av. Gustave Eiffel
Av. Octave Gréard
Av. de Suffren
Champ de Mars
Parc du Champ de Mars
TOUR EIFFEL
MUSÉE DU QUAI BRANLY
Pl. de la Résistance
Pl. de l'Alma
Pl. d'Iéna
Pl. de Varsovie
Pl. du Général Gouraud
Pl. Jacques Rueff
Pl. de Tokyo
Pl. du Canada
Pl. de Finlande
Pl. des Invalides
Pl. Salvador Allende
Place de Sydney
Esplanade des Invalides
HÔTEL DES INVALIDES
MUSÉE DE L'ARMÉE
MUSÉE DE L'ORDRE DE LA LIBÉRATION
PALAIS DE TOKYO
MUSÉE D'ART MODERNE
SITE DE CRÉATION CONTEMPORAINE
CONSEIL ÉCONOMIQUE ET SOCIAL
MUSÉE GUIMET
UNION DE L'EUROPE OCCIDENTALE
PALAIS DE CHAILLOT
CITÉ DE L'ARCHITECTURE ET DU PATRIMOINE
TH. NAT. DE CHAILLOT
JARDINS DU TROCADÉRO
AQUARIUM
STADE ÉMILE ANTHOINE
ST PIERRE DU GROS CAILLOU
THE AMERICAN CHURCH IN PARIS
LYCÉE LA ROCHEFOUCAULD
LYCÉE ALMA
L P G. EIFFEL
CLIN. ALMA
ÉGLISE ARMÉNIENNE
N. D. DE CONSOLATION
Esplanade Habib Bourguiba
Archipel des berges de la Seine - Niki de Saint-Phalle
Esplanade David Ben Gourion
Promenade des Berges de la Seine
Jardin de la Nouvelle France
Jardin de l'Église évangélique luthérienne
Sq. Santiago du Chili
CRAZY HORSE
ALMA-MARCEAU
IÉNA
CHAMP DE MARS TOUR EIFFEL
LA TOUR-MAUBOURG
DATAR
H 7
H 8
H 9
H 10
J 7
J 8
J 9

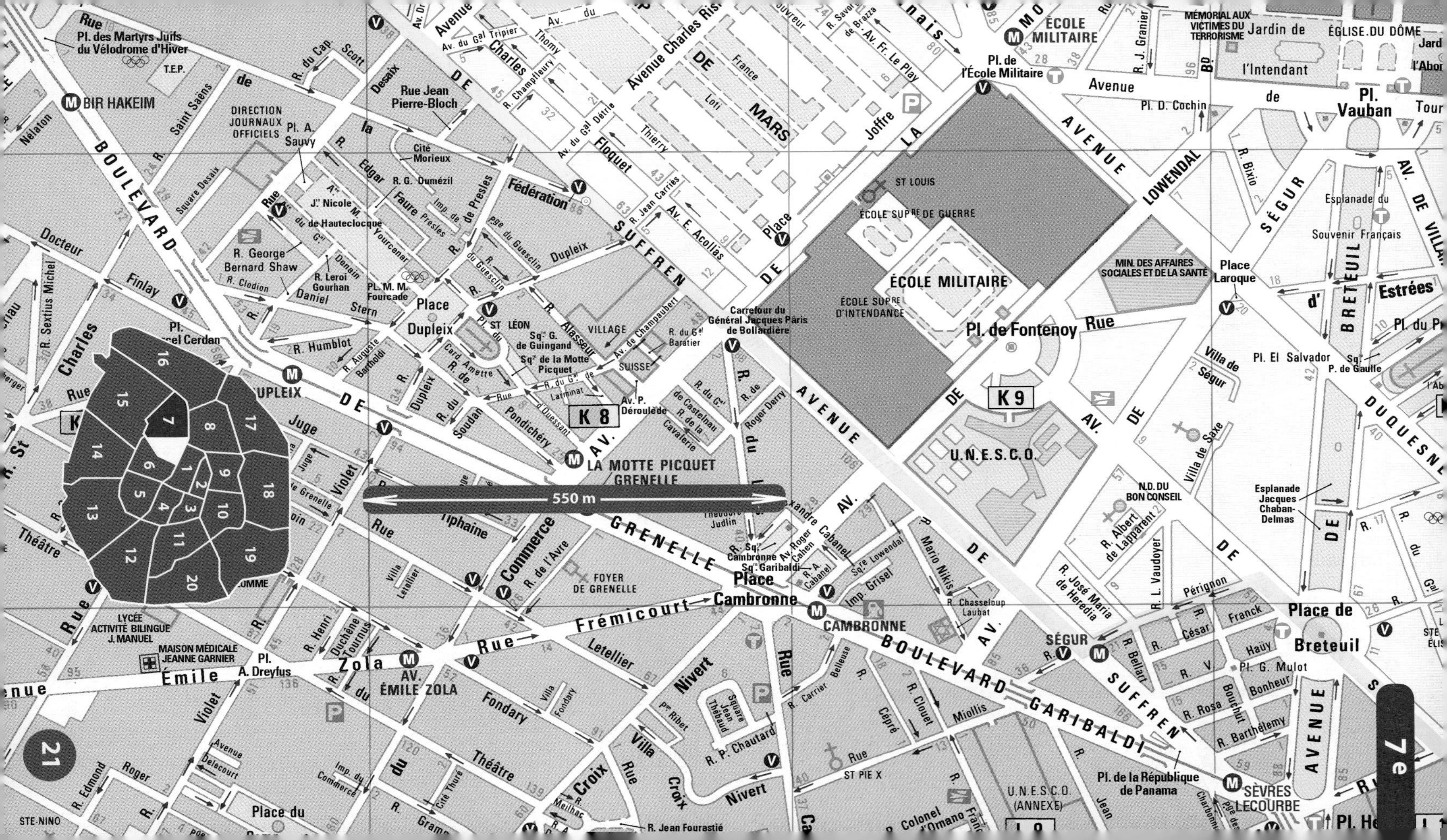
ÉCOLE MILITAIRE
U.N.E.S.C.O.
Pl. de Fontenoy
K 9
K 8
LA MOTTE PICQUET GRENELLE
AVENUE DE LA MOTTE PICQUET
AV. DE SÉGUR
AVENUE DE BRETEUIL
Place de Breteuil
AVENUE DE LOWENDAL
AVENUE DE SUFFREN
BOULEVARD GARIBALDI
BOULEVARD DE GRENELLE
Villa de Saxe
DUQUESNE
CHAMP DE MARS
Pl. Vauban
ÉGLISE DU DÔME
MÉMORIAL AUX VICTIMES DU TERRORISME
MIN. DES AFFAIRES SOCIALES ET DE LA SANTÉ
ÉCOLE SUPRE DE GUERRE
ÉCOLE SUPRE D'INTENDANCE
ST LOUIS
Pl. de l'École Militaire
Carrefour du Général Jacques Pâris de Bollardière
Place Dupleix
Place Cambronne
Rue du Commerce
Rue Frémicourt
Rue Lecourbe
Rue de la Croix Nivert
Pl. des Martyrs Juifs du Vélodrome d'Hiver
BIR HAKEIM
DUPLEIX
CAMBRONNE
SÉGUR
SÈVRES LECOURBE
AV. ÉMILE ZOLA
FOYER DE GRENELLE
N.D. DU BON CONSEIL
Esplanade Jacques Chaban-Delmas
Pl. de la République de Panama
U.N.E.S.C.O. (ANNEXE)
DIRECTION JOURNAUX OFFICIELS
LYCÉE ACTIVITÉ BILINGUE J. MANUEL
MAISON MÉDICALE JEANNE GARNIER
550 m

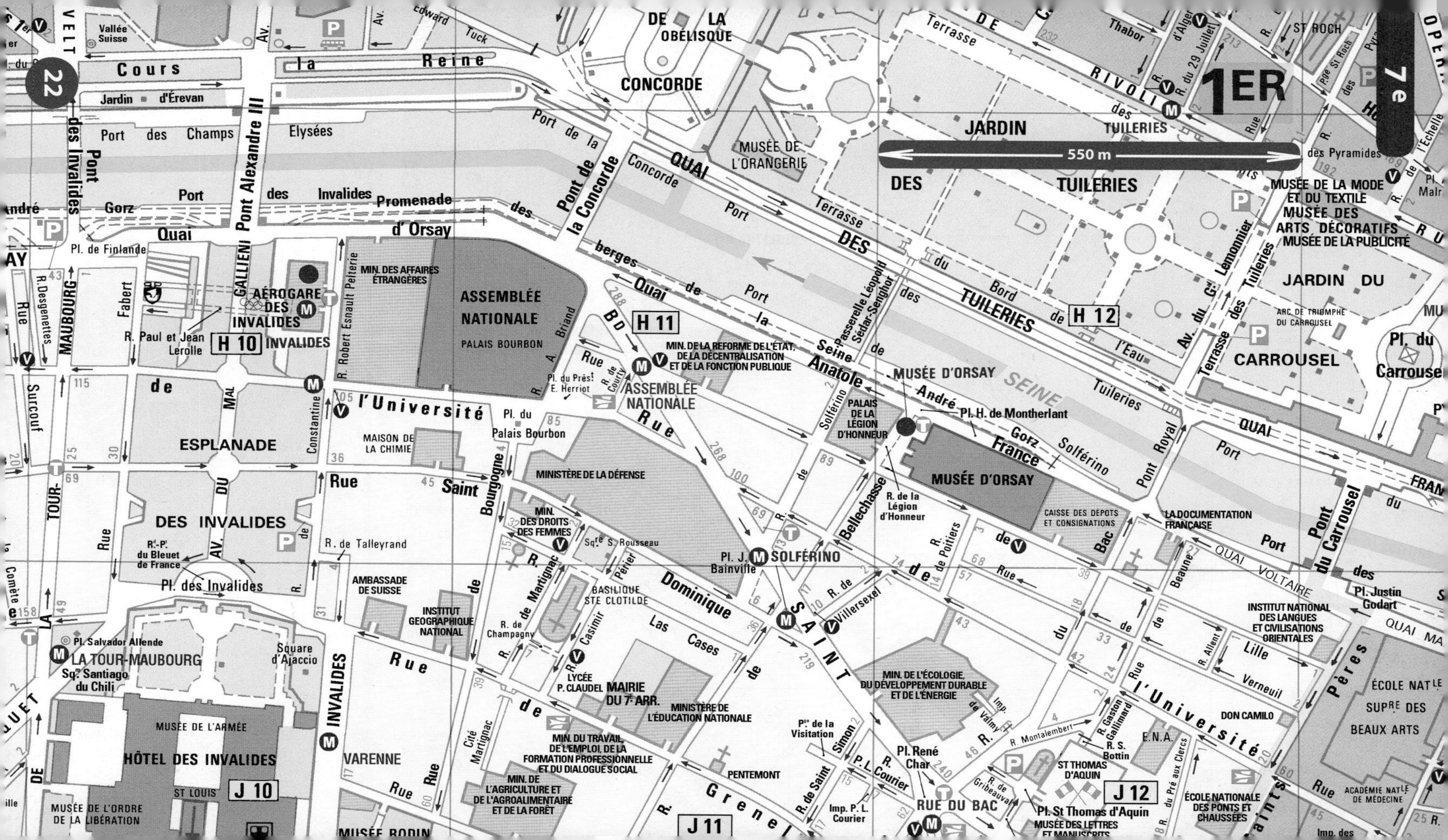
1ER
JARDIN DES TUILERIES
JARDIN DU CARROUSEL
ARC DE TRIOMPHE DU CARROUSEL
Pl. du Carrousel
MUSÉE DE LA MODE ET DU TEXTILE
MUSÉE DES ARTS DÉCORATIFS
MUSÉE DE LA PUBLICITÉ
MUSÉE DE L'ORANGERIE
550 m
RIVOLI
TUILERIES
CONCORDE
OBÉLISQUE
Cours la Reine
Jardin d'Érevan
Port des Champs Elysées
QUAI DES TUILERIES
Pont de la Concorde
Pont Royal
Pont du Carrousel
Pont Alexandre III
Pont des Invalides
Passerelle Léopold Sédar-Senghor
SEINE
Quai Anatole France
Quai d'Orsay
Quai Voltaire
MUSÉE D'ORSAY
Pl. H. de Montherlant
PALAIS DE LA LÉGION D'HONNEUR
CAISSE DES DÉPOTS ET CONSIGNATIONS
LA DOCUMENTATION FRANÇAISE
ASSEMBLÉE NATIONALE
PALAIS BOURBON
MIN. DE LA RÉFORME DE L'ÉTAT, DE LA DÉCENTRALISATION ET DE LA FONCTION PUBLIQUE
MIN. DES AFFAIRES ÉTRANGÈRES
MINISTÈRE DE LA DÉFENSE
MIN. DES DROITS DES FEMMES
MAISON DE LA CHIMIE
INSTITUT GÉOGRAPHIQUE NATIONAL
AMBASSADE DE SUISSE
BASILIQUE STE CLOTILDE
LYCÉE P. CLAUDEL
MAIRIE DU 7e ARR.
MINISTÈRE DE L'ÉDUCATION NATIONALE
MIN. DE L'ÉCOLOGIE, DU DÉVELOPPEMENT DURABLE ET DE L'ÉNERGIE
MIN. DU TRAVAIL, DE L'EMPLOI, DE LA FORMATION PROFESSIONNELLE ET DU DIALOGUE SOCIAL
MIN. DE L'AGRICULTURE ET DE L'AGROALIMENTAIRE ET DE LA FORÊT
PENTEMONT
ÉCOLE NATLE SUPRE DES BEAUX ARTS
ACADÉMIE NATLE DE MÉDECINE
ÉCOLE NATIONALE DES PONTS ET CHAUSSÉES
INSTITUT NATIONAL DES LANGUES ET CIVILISATIONS ORIENTALES
DON CAMILO
E.N.A.
ST THOMAS D'AQUIN
Pl. St Thomas d'Aquin
Pl. René Char
ESPLANADE DES INVALIDES
AÉROGARE DES INVALIDES
HÔTEL DES INVALIDES
MUSÉE DE L'ARMÉE
MUSÉE DE L'ORDRE DE LA LIBÉRATION
ST LOUIS
MUSÉE RODIN
Square d'Ajaccio
Pl. Salvador Allende
LA TOUR-MAUBOURG
Sqre Santiago du Chili
Pl. des Invalides
Pl. de Finlande
INVALIDES
SOLFÉRINO
Pl. J. Bainville
RUE DU BAC
Rue de l'Université
Rue de Lille
Rue de Verneuil
Rue Saint Dominique
Rue de Grenelle
Rue de Varenne
Bd Saint Germain
Rue de Bourgogne
Rue de Bellechasse
Rue Las Cases
Rue du Bac
Rue des Saints Pères
H 10
H 11
H 12
J 10
J 11
J 12

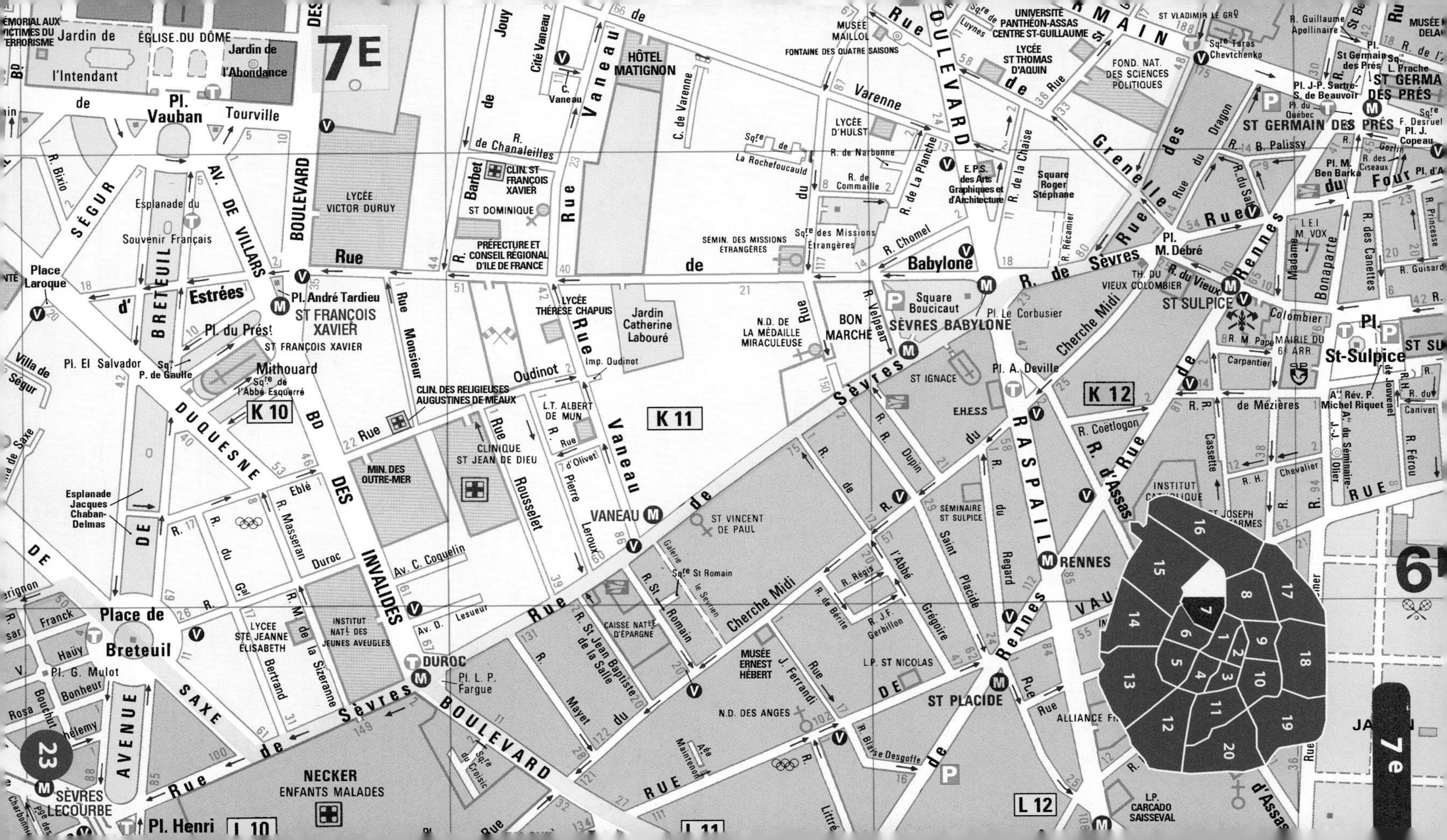
6e
RASPAIL
RENNES
BOULEVARD DES INVALIDES
BD DES INVALIDES
Rue de Sèvres
Rue de Rennes
R. d'Assas
Rue Vaneau
Rue Oudinot
Rue Monsieur
Rue Rousselet
Rue de Babylone
Rue du Cherche Midi
Rue de Grenelle
R. de Varenne
R. de la Chaise
R. de La Planche
R. Velpeau
R. du Regard
Saint Placide
R. Dupin
R. de l'Abbé Grégoire
R. St Romain
R. St Jean Baptiste de la Salle
Mayet
Pierre Leroux
Rue Barbet de Jouy
R. de Chanaleilles
AV. DE VILLARS
BD DE SÉGUR
BOULEVARD DE LA TOUR-MAUBOURG
DUQUESNE
AVENUE DE SAXE
Place de Breteuil
Pl. Vauban
ÉGLISE DU DÔME
Jardin de l'Intendant
Jardin de l'Abondance
LYCÉE VICTOR DURUY
HÔTEL MATIGNON
BON MARCHÉ
SÈVRES BABYLONE
ST SULPICE
St-Sulpice
ST GERMAIN DES PRÉS
ST FRANÇOIS XAVIER
VANEAU
DUROC
ST PLACIDE
SÈVRES LECOURBE
NECKER ENFANTS MALADES
R. des Canettes
R. Princesse
R. Férou
Bonaparte
R. Cassette
R. de Mézières
R. du Vieux Colombier
Square Boucicaut
Jardin Catherine Labouré
Square Roger Stéphane
N.D. DE LA MÉDAILLE MIRACULEUSE
SÉMIN. DES MISSIONS ÉTRANGÈRES
ST VINCENT DE PAUL
MUSÉE ERNEST HÉBERT
N.D. DES ANGES
LYCÉE THÉRÈSE CHAPUIS
CLINIQUE ST JEAN DE DIEU
MIN. DES OUTRE-MER
INSTITUT NAT. DES JEUNES AVEUGLES
LYCÉE STE JEANNE ÉLISABETH
MUSÉE MAILLOL
FONTAINE DES QUATRE SAISONS
FOND. NAT. DES SCIENCES POLITIQUES
UNIVERSITÉ PANTHÉON-ASSAS CENTRE ST-GUILLAUME
LYCÉE ST THOMAS D'AQUIN
PRÉFECTURE ET CONSEIL RÉGIONAL D'ILE DE FRANCE
SÉMINAIRE ST SULPICE
E.H.E.S.S.
ST IGNACE
K 10
K 11
K 12
L 12
7E
18
17
19
8
9
10
2
1
3
11
20
16
7
4
6
5
12
15
14
13

8e
550 m
D 8
D 9
E 8
E 9
F 8
F 9
G 8
G 9
AV. WAGRAM
Pl. Mgr Loutil
LYCÉE CARNOT
MALESHERBES
UNIVERSITÉ PARIS IV SORBONNE (Centre Malesherbes)
BOULEVARD DE MALESHERBES
R. J. Bingen
ST CHARLES DE MONCEAU
Pl. du Gal Catroux
MUSÉE HENNER
Cardinet
R. Meissonier
Rue Prony
AVENUE DE WAGRAM
Pl. A. Maillard
Demours
V. Niel
R. G. Flaubert
Rennequin
Fourcroy
Laugier
Saussier Leroy
Poncelet
Pl. Boulnois
Bayen
TERNES
Pl. des Ternes
BOULEVARD DE COURCELLES
Rue de Courcelles
R. L. Cogniet
Barye
Medéric
Jadin
Chazelles
Logelbach
Thann
Berger
L.P. HÔTELIER DROUANT
SVENSKA KYRKAN
CLIN. DU PARC MONCEAU
Léon Jost
Théodule Ribot
Marguerite
Renaudes
Pl. de la République Dominicaine
MONCEAU
Allée Michel Berger
Av. de Valois
Av. Vélasquez
Ségur
MUSÉE CERNUSCHI
PARC MONCEAU
Allée Comtesse de Ségur
Ferdousi
Allée J. Garnerin
MUSÉE NISSIM DE CAMONDO
COURCELLES
Pl. de la République de l'Équateur
LYCÉE ACTIVE BILINGUE ÉTOILE
Daru
Pl. Gal Brocard
Av. Van Dyck
AVENUE HOCHE
CATHÉDRALE ST ALEXANDRE NEVSKY
R. de la Néva
Rue Beaucour
SALLE PLEYEL
Murillo
Lisbonne
Pl. de Rio de Janeiro
Monceau
AV. DE MESSINE
ESPACE WAGRAM
Montenotte
Rue de l'Étoile
Brey
Troyon
AVENUE MAC MAHON
Villa Wagram St Honoré
Sqre du Roule
N.D. DE L'ANNONCIATION
Faubourg St Honoré
Pl. du Révérend Père Carré
Pl. Gérard Oury
R. L. Murat
Lancereaux
Téhéran
CLIN. COURCELLES-HAUSSMANN
MUSÉE JACQUEMART ANDRÉ
DIRECTION E.D.F.
ST JOSEPH
AVENUE DE FRIEDLAND
Balzac
Av. Bertie Albrecht
Jardin de l'Hôtel S. de Rothschild
Pl. G. Guillaumin
Berryer
BOULEVARD HAUSSMANN
Beaujon
Rue Berri
R. P. Cézanne
Av. Myron Herrick
Rue du Faubourg
Rue de Courcelles
8E
H. DE GAULLE ÉTOILE
PLACE CHARLES DE GAULLE
ARC DE TRIOMPHE
Tilsitt
Houssaye
CORPUS CHRISTI
R. Arsène
FREDERIKSKIRKEN
CHAMBRE DE COMMERCE ET D'INDUSTRIE DE PARIS
Rue de Chateaubriand
R. Lamennais
Washington
Cité Odiot
Lord Byron
LIDO
ST PHILIPPE DU ROULE
SALLE GAVEAU
R. St Philippe du Roule
Pl. Chassaigne-Goyon
R. du Cdt Rivière
Bastiat
Baudry
Fortin
R. P. R. Frédéric
d'Artois
AVENUE DES CHAMPS ÉLYSÉES
Presbourg
AIR FRANCE
GEORGE V
Galerie Berri-Washington
Galie des Champs
Arcades du Lido
Galie du Claridge
Galie Point Show
La Boétie
CLIN. DU RD-PT DES CHAMPS ÉLYSÉES
Colisée
Mermoz
Rabelais
Ponthieu
R. Newton
Galilée
Euler
Bassano
Galie Carré d'Or
Vernet
Bauchart
Lincoln
Galie Élysées La Boétie
Galerie Élysées 26
Galerie Élysée Rond Point
La Pérouse
d'Urville
Vacquerie
ST GEORGE'S
R. de Coudenhove-Kalergi
Auguste
Pl. de l'Uruguay
Jean
Kepler
R. C. Magellan
Pl. Paul-Émile Victor
Rue Pierre Charron
Marbeuf
Marignan
FRANKLIN D. ROOSEVELT
Pge Marignan
Rond-Point des Champs-Élysées-Marcel Dassault
Quentin
Giraudoux
Chaillot
AVENUE D'IÉNA
AVENUE MARCEAU
Mt ET BOUTIQUE BACCARAT
Pl. Amiral de Grasse
CLIN. BIZET
ST PIERRE DE CHAILLOT
Pl. de Beyrouth
AMERICAN CATHEDRAL IN PARIS
Imp. du Dr. J. Berillon
Rue de Cerisoles
R. Robert Estienne
François 1er
Imp. Bourdin
CLIN. ÉLYSÉE-MONTAIGNE
ARTCURIAL
TH. MARIGNY-ROBERT HOSSEIN
THÉÂTRE DU ROND POINT
AVENUE DES CHAMPS ÉLYSÉES CLEMENCEAU
Sq. de Berlin
Av. de Selves
Eisenhower
Sq. J. Perrin
PALAIS DE LA DÉCOUVERTE
GRAND PALAIS
Trémoille
Renaissance
Chambiges
Boccador
Marot
AVENUE MONTAIGNE
Imp. d'Antin
CHURCH OF SCOTLAND
Goujon
Pl. François 1er
CLIN. ROOSEVELT
AVENUE FRANKLIN D. ROOSEVELT
Place Rochambeau
Bizet
Pierre 1er de Serbie
ST ÉTIENNE
R. Goethe
R. Léonce Reynaud
Pl. P. Brisson
PALAIS GALLIERA
Sqre Brignole Galliera
Freycinet
AVENUE GEORGE V
THÉÂTRE-STUDIO COMÉDIE DES CHAMPS ÉLYSÉES
CRAZY HORSE
Pl. de la Reine Astrid
ÉGLISE ARMÉNIENNE
N.D. DE CONSOLATION
Bayard
Cours Albert 1er
Pl. du Canada
Vallée Suisse
Cours
Jardin d'Érevan
d'Iéna
AVENUE DU PRÉSIDENT WILSON
Pl. de Tokyo
MUSÉE D'ART MODERNE
SITE DE CRÉATION CONTEMPORAINE
PALAIS DE TOKYO
ALMA-MARCEAU
Pl. de l'Alma
R. de la Manutention
Fresnel
NEW YORK
Debilly
Jardin de la Nouvelle France
Pont de l'Alma
Port de la Conférence
Pont des Invalides
Port des Champs
Archipel des berges de la Seine - Niki de Saint-Phalle
Port du Gros Caillou
André Gorz
24

8e
D 10
D 11
E 11
E 12
F 11
F 12
G 10
G 11
9
1ER
PL. Blanche
LYCÉE J. FERRY
PLACE DE CLICHY
BATIGNOLLES
ROME
DES
DESCENTE DU ST-ESPRIT ET ÉGLISE RÉFORMÉE DES BATIGNOLLES
INSTITUT UNIVERSITAIRE DE FORMATION DES MAITRES
Square Monceau
TH. HEBERTOT
LYCÉE CHAPTAL
ST ANDRÉ DE L'EUROPE
CLIN. TURIN
LIÈGE
Constantinople
Pl. de l'Europe
EUROPE
TH. TRISTAN BERNARD
LYCÉE FÉNELON STE MARIE
MAIRIE DU 8e ARR.
MALESHERBES
Imp. d'Amsterdam
Cour d'Amsterdam
GARE ST LAZARE
LYCÉE RACINE
ST AUGUSTIN
Pl. St Augustin
Sq.re M. Pagnol
Laborde
Cour de Rome
ST LAZARE
Pl. du Havre
Cour du Havre
HAUSSMANN-ST LAZARE
LYCÉE CONDORCET
ST LOUIS D'ANTIN
MAGASINS DU PRINTEMPS HAVRE
CAUMARTIN
GALERIES LAFAYETTE
Mogador
CHAUSSÉE
TH. MOGADOR
TH DE L'ŒUVRE
LYCÉE ST LOUIS
FÉDÉRATION PROTESTANTE DE FRANCE
DEUTSCHE EVANGELISCHE CHRISTUSKIRCHE
PETIT THÉATRE DE PARIS
CLIN. MILAN
CASINO DE PARIS
STE TRINITÉ
Sq. d'Estienne d'Orves
Pl. d'Estienne d'Orves
BOULEVARD
R. de la Pépinière
HAUSSMANN
MIROMESNIL
La Boétie
Sq.re Louis XVI
CHAPELLE EXPIATOIRE
TH. MICHEL
TH. DES MATHURINS
ST ESPRIT
TRONCHET
MINISTÈRE DE L'INTÉRIEUR
Pl. Beauvau
PALAIS DE L'ÉLYSÉE
PRÉSIDENCE DE LA RÉPUBLIQUE
ST MICHAEL'S ENGLISH CHURCH
TH. DE LA MADELEINE
Marché de la Madeleine
KIOSQUE-THÉATRE
STE MARIE MADELEINE
PINACOTHÈQUE DE PARIS
OLYMPIA
COMÉDIE CAUMARTIN
TH ATHÉNÉE L. JOUVET
PARIS-STORY
AUBER
OFFICE DU TOURISME
OPÉRA GARNIER
Pl. Ch. Garnier
Mée DE LA PARFUMERIE FRAGONARD
TH. ÉDOUARD VII
BD DE LA MADELEINE
DES CAPUCINES
l'Opéra
OPÉRA
THÉATRE-MUSÉE DES CAPUCINES
GALERIE DES TROIS QUARTIERS
CREDIT FONCIER DE FRANCE
TH. DAUNOU
TH. LA PÉPINIÈRE-OPÉRA
Rue de la Paix
AVENUE
MADELEINE
ROYALE
Faubourg St Honoré
MUSÉE DES LUNETTES ET LORGNETTES
MINISTÈRE DE LA JUSTICE
COUR DES COMPTES
HÔTEL CRILLON
HÔTEL DE LA MARINE
CONCORDE
PLACE DE LA CONCORDE
OBÉLISQUE
GALERIES NATIONALE DU JEU DE PAUME
AVENUE DE MARIGNY
DES CHAMPS ÉLYSÉES
ESPACE PIERRE CARDIN
PETIT PALAIS
Carré Champs-Élysées
Cours la Reine
Port de la Concorde
Pont de la Concorde
QUAI
MUSÉE DE L'ORANGERIE
JARDIN DES TUILERIES
Terrasse
ST ROCH
Pl. des Pyramides
MUSÉE DE LA MODE ET DU TEXTILE MUSÉE DES ARTS DÉCORATIFS
17
18
19
8
9
10
2
1
3
11
20
16
7
4
6
5
12
15
14
13
25

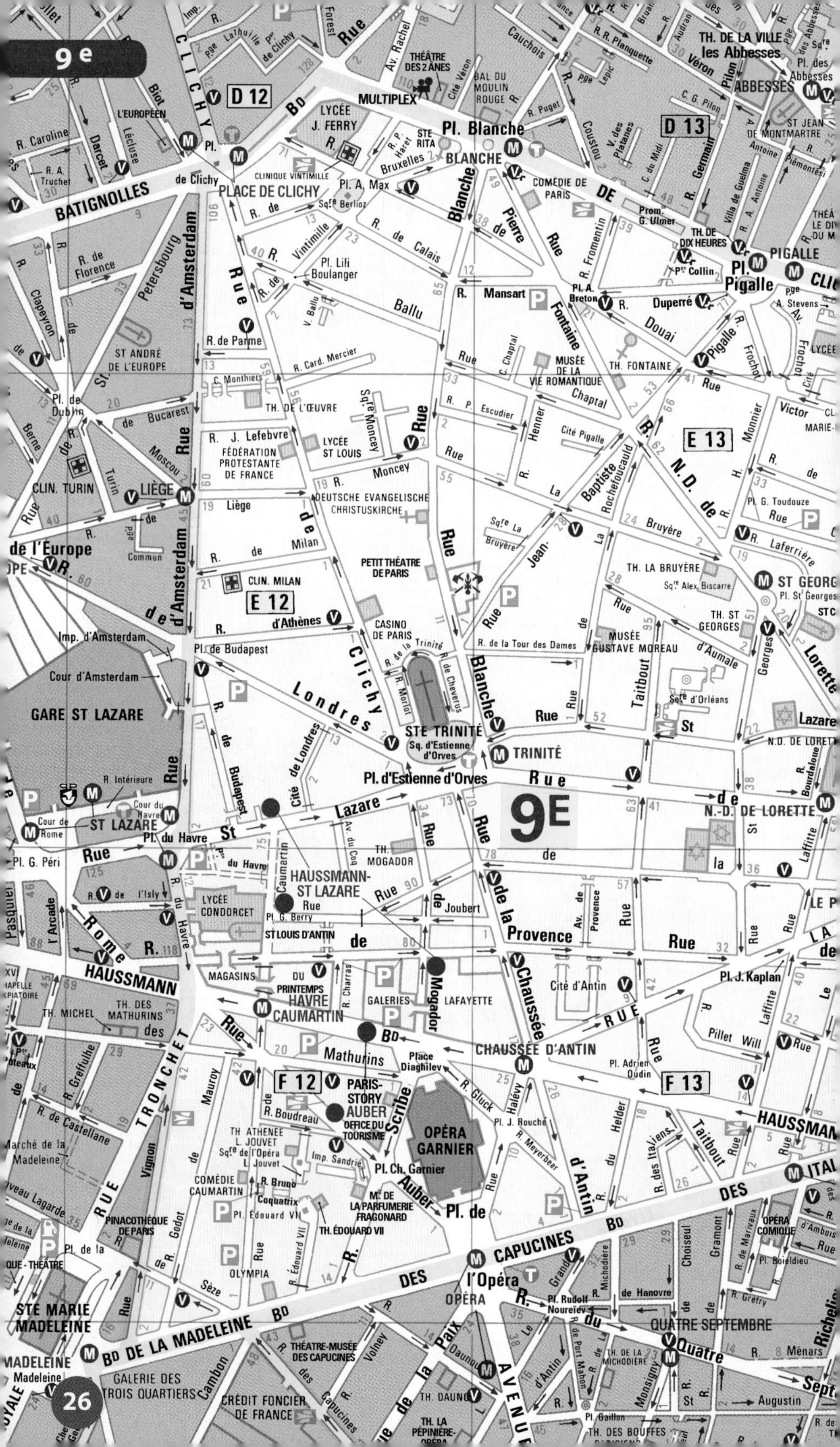
9E
D 12
D 13
E 12
E 13
F 12
F 13
BATIGNOLLES
PLACE DE CLICHY
Pl. Blanche
BLANCHE
MULTIPLEX
THÉATRE DES 2 ÂNES
BAL DU MOULIN ROUGE
TH. DE LA VILLE les Abbesses
ABBESSES
ST JEAN DE MONTMARTRE
LYCÉE J. FERRY
CLINIQUE VINTIMILLE
STE RITA
COMÉDIE DE PARIS
TH. DE DIX HEURES
PIGALLE
Pl. Pigalle
L'EUROPÉEN
Pl. Lili Boulanger
Sq. Berlioz
ST ANDRÉ DE L'EUROPE
TH. DE L'ŒUVRE
LYCÉE ST LOUIS
FÉDÉRATION PROTESTANTE DE FRANCE
DEUTSCHE EVANGELISCHE CHRISTUSKIRCHE
MUSÉE DE LA VIE ROMANTIQUE
TH. FONTAINE
TH. LA BRUYÈRE
Sq. Alex. Biscarre
TH. ST GEORGES
ST GEORGES
MUSÉE GUSTAVE MOREAU
CLIN. TURIN
LIÈGE
CLIN. MILAN
PETIT THÉATRE DE PARIS
CASINO DE PARIS
Pl. de Budapest
GARE ST LAZARE
Cour d'Amsterdam
Imp. d'Amsterdam
STE TRINITÉ
Sq. d'Estienne d'Orves
TRINITÉ
Pl. d'Estienne d'Orves
Sq. d'Orléans
N.D. DE LORETTE
ST LAZARE
Cour de Rome
Pl. du Havre
Pl. G. Péri
HAUSSMANN-ST LAZARE
LYCÉE CONDORCET
ST LOUIS D'ANTIN
TH. MOGADOR
MAGASINS DU PRINTEMPS
GALERIES LAFAYETTE
HAVRE CAUMARTIN
Cité d'Antin
Pl. J. Kaplan
CHAUSSÉE D'ANTIN
TH. DES MATHURINS
TH. MICHEL
Place Diaghilev
Pl. Adrien Oudin
PARIS-STORY
AUBER
OFFICE DU TOURISME
OPÉRA GARNIER
Pl. Ch. Garnier
Pl. J. Rouché
TH. ATHENÉE L. JOUVET
Sq. de l'Opéra L. Jouvet
COMÉDIE CAUMARTIN
Coquatrix
Pl. Édouard VII
TH. ÉDOUARD VII
PINACOTHÈQUE DE PARIS
Mée DE LA PARFUMERIE FRAGONARD
OLYMPIA
OPÉRA
BD DES CAPUCINES
BD DE LA MADELEINE
STE MARIE MADELEINE
MADELEINE
GALERIE DES TROIS QUARTIERS
CRÉDIT FONCIER DE FRANCE
THÉATRE-MUSÉE DES CAPUCINES
TH. DAUNOU
TH. LA PÉPINIÈRE-OPÉRA
OPÉRA COMIQUE
Pl. Boïeldieu
Pl. Rudolf Noureïev
TH. DE LA MICHODIÈRE
QUATRE SEPTEMBRE
Pl. Gaillon
TH. DES BOUFFES
HAUSSMANN
RUE TRONCHET
Rue de Londres
Rue de Clichy
Rue Blanche
Rue d'Amsterdam
Rue de Provence
Rue de Châteaudun
Chaussée d'Antin
Rue de la Rochefoucauld
Rue N.D. de Lorette
Rue St Lazare
Rue Taitbout
Rue Lafayette
Rue Caumartin
Rue Scribe
Rue Auber
Rue de Mogador
Rue Halévy
Rue Vignon
Rue des Mathurins
Rue Joubert
Rue de Rome
Rue du Havre
Rue de Budapest
Rue de Milan
Rue de Parme
Rue de Calais
Rue de Douai
Rue Chaptal
Rue Fontaine
Rue Pigalle
Rue Mansart
Rue Ballu
Rue Moncey
Rue de Liège
Rue de Vintimille
Rue Bruyère
Rue de la Tour des Dames
Rue d'Aumale
Rue de la Paix
Avenue de l'Opéra

MUSÉE D'ART NAÏF MAX FOURNY
HALLE ST PIERRE
R. A. Barsacq
R. P. Picard
R. de Sofia
BOUL
de la Goutte d'Or
R. des Islettes
Pl. de l'Assommoir
Caplat
R. de Fleury
FLEURY-GOUTTE D'OR
La Vieuville
Trois Frères
C. de la Mairie
Y. Le Tac
Foyatier
Pl. S. Valadon
Sq.re Willette
R. Tardieu
TH. DE L'ATELIER
Pl. Saint Pierre
d'Orsel
R. Livingstone
R. d'Orsel
STE ANNE
R. Belhomme
R. Boissieu
R. Bervic
BARBÈS ROCHECHOUART
BOULEVARD
D 14
D 15
Steinkerque
R. Briquet
P.ge Briquet
Seveste
Imp. du Cadran
Pl. Ch. Dullin
ÉLYSÉE MONTMARTRE
TH. LE TRIANON
R. A. Gill
R. Dancourt
V. Dancourt
LA CIGALE
BOULEVARD DE ROCHECHOUART
ANVERS
R. Gérando
Pl. du Delta
Villa Garance
R. du Delta
LARIBOISIÈRE
R. Ambroise Paré
R. G. Patin
LYCÉE J. DECOUR
Pl. d'Anvers
Sq.re d'Anvers
R. Bochart
R. Cretet
Lallier
R. V. le Duc
R. J. Baptiste Say
AVENUE TRUDAINE
Rochechouart
R. de Dunkerque
Poissonnière
BOULEVARD DE MAGENTA
Rue Rocroy
R. Vincent de Paul
Place Lino Ventura
Rue de Saron
Rodier
Rue Turgot
Sq.re Pétrelle
Rue Pétrelle
Rue Condorcet
R. Lentonnet
Thimonnier
Fg
Pl. De Roubaix
Place Napoléon III
R. de Compiègne
Massé
Martyrs
Imp. de La Tour d'Auvergne
Rue de La Tour d'Auvergne
Sq.re Trudaine
Cité Ch. Godon
Milton
Cité Condorcet
Cité Fénelon
Maubeuge
Rue de Maubeuge
Sq.re de Maubeuge
R. de Chantilly
Semard
Pierre
LYCÉE TECHN. JULES SIEGFRIED
E.I.V.P
ST VINCENT DE PAUL
R. Fénelon
R. Bossuet
Belzunce
B.d de Denain
Pl. de Valenciennes
R. de l'Agent Bailly
Imp. de l'École
E 14
R. Manuel
LYCÉE LAMARTINE
LYCÉE ROCROI ST LÉON
R. d'Abbeville
Sq.re Cavaillé-Coll
Pl. Franz Liszt
E 15
R. des Petits Hôtels
T.E.P.
Bellefond
Pl. du 8 Nov. 1942
Rue Choron
R. Rochambeau
Sq.re Montholon
R. Hippolyte Lebas
Passage Briare
Pl. J. Rizal
Rue Lamartine
R. Mayran
Montholon
POISSONNIÈRE
RUE LA FAYETTE
d'Hauteville
RENCONTRE
Rue de Chabrol
Cité de Chabrol
P.ge de la Ferme St
Cour de la Ferme
Buffault
L.E.C.
Cadet
CADET
Rue Ribouté
Trévise
Papillon
R. des Messageries
Pl. Kossuth
Châteaudun
Rue Saulnier
Rue Bleue
Rue Léon Schwartzenberg
UNIVERSITÉ PARIS VII DENIS DIDEROT
Victoire
Drouot
FAYETTE
P.ge des Deux Sœurs
MUSÉE DU GRAND ORIENT DE FRANCE
ÉGLISE ADVENTISTE DU 7E JOUR
Cité Paradis
Rue de Paradis
Cité de Trévise
R. A. Thomas
FOLIES BERGÈRE
Chauchat
Provence
Rue de Richer
Rue des Petites Écuries
Martel
RÉDEMPTION
Imp. de la Boule Rouge
Geoffroy Marie
R. de la Boule Rouge
Conservatoire
ST EUGÈNE
R. G. Laumain
R. Grange Batelière
P.ge Verdeau
P.ge Jouffroy
HÔTEL DES VENTES DROUOT-RICHELIEU
Rossini
R. de Montyon
Rue Ste Cécile
CONSERVATOIRE NAT. D'ART DRAMATIQUE
F 14
Montmartre
Rue Bergère
Cité Bergère
Cité Rougemont
MAIRIE DU 9E ARR.
GRÉVIN
Rougemont
BD MONTMARTRE
GRANDS BOULEVARDS
TH. DES NOUVEAUTÉS
TH. DES VARIÉTÉS
BD POISSONNIÈRE
LYCÉE EDGAR POE
TH. DU GYMNASE MARIE BELL
Vivienne
P.ge des Panoramas
Gal.ie des Variétés
Gal.ie St Marc
Gal.ie Montmartre
Gal.ie Feydeau
Rue d'Uzès
Fiacre
Sentier
BONNE NOUVELLE
BD DE BONNE NOUVELLE
R. de Mazagran
Imp. de Bonne Nouvelle
P.te ST DENIS
STRASBOURG ST DENIS
Feydeau
R. des Panoramas
LYCEE J.-B. LULLI
R. N.D. de Recouvrance
R. de la Ville Neuve
Thorel
R. N.D. de Bonne Nouvelle
Sq. J. Bidault
de la Lune
Beauregard
Cléry
d'Aboukir
N.D. DE BONNE NOUVELLE
R. des Degrés
R. St Philippe
550 m
LA BOURSE
BOURSE
Brongniart
Jeûneurs
R. du Croissant
R. L. Cladel
LA PENTECÔTE
Colonnes
BD ST DENIS
17
18
19
8
9
10
2
3
1
11
20
16
7
4
6
5
12
15
14
13

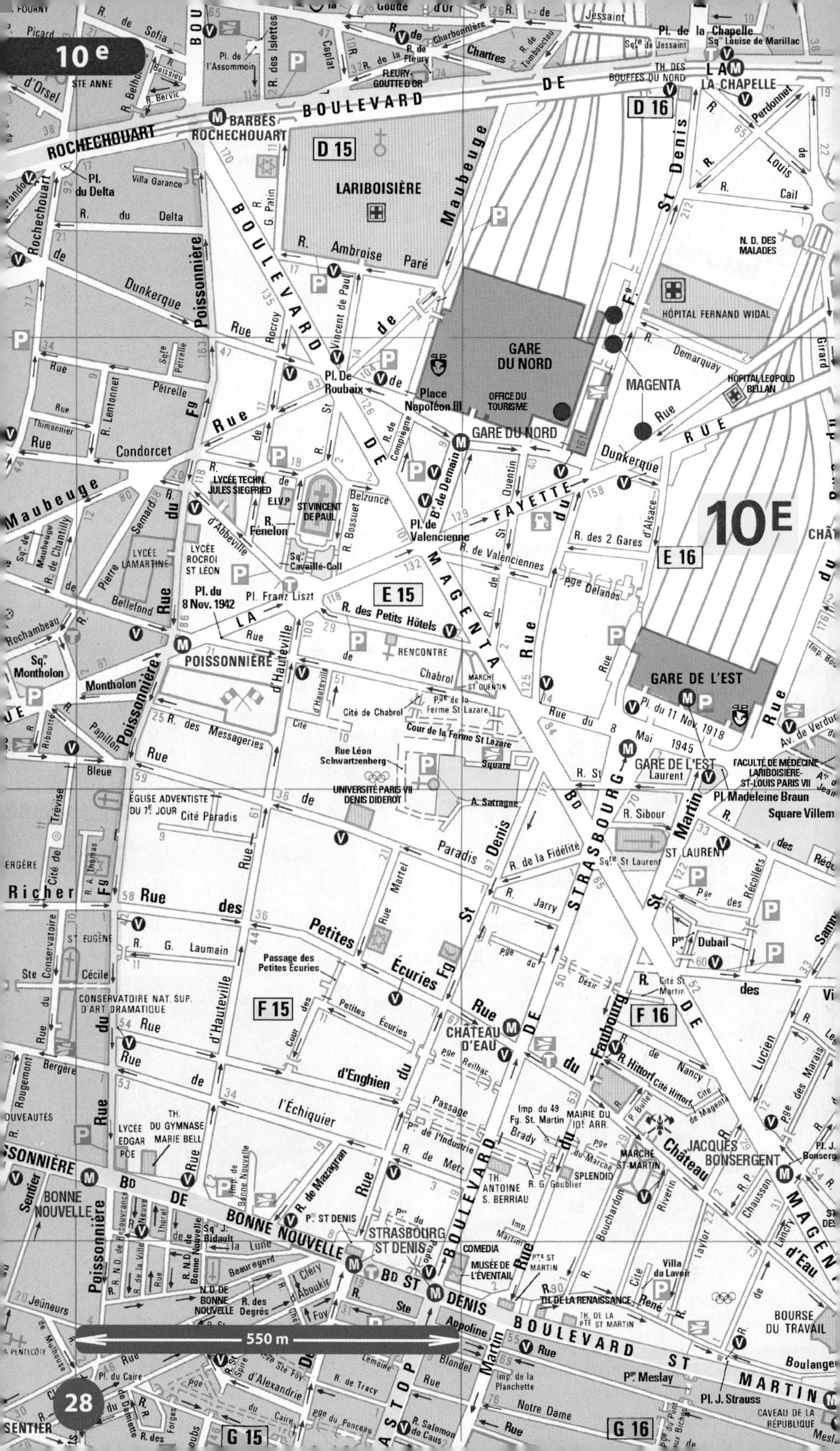
BOULEVARD DE ROCHECHOUART
BARBÈS ROCHECHOUART
Pl. de l'Assommoir
R. des Islettes
R. de Sofia
R. Bervic
STE ANNE
Pl. du Delta
Villa Garance
R. du Delta
R. de Dunkerque
R. Ambroise Paré
LARIBOISIÈRE
D 15
D 16
LA CHAPELLE
Pl. de la Chapelle
Sq^re de Jessaint
Sq^re Louise de Marillac
TH. DES BOUFFES DU NORD
R. de Chartres
R. de Tombouctou
FLEURY-GOUTTE D'OR
R. de Maubeuge
R. St Denis
R. Perdonnet
R. Louis Blanc
R. Cail
N. D. DES MALADES
HÔPITAL FERNAND WIDAL
R. Demarquay
HOPITAL LEOPOLD BELLAN
MAGENTA
GARE DU NORD
OFFICE DU TOURISME
Place Napoléon III
Pl. De Roubaix
R. Rocroy
R. Vincent de Paul
Sq^re Pétrelle
R. Pétrelle
R. Lentonnet
R. Thimonnier
Rue Condorcet
Rue de Maubeuge
LYCÉE TECHN. JULES SIEGFRIED
E.I.V.P
ST VINCENT DE PAUL
R. Fénelon
R. Belzunce
R. Bossuet
R. de Compiègne
B^d de Denain
Pl. de Valencienne
R. de Valenciennes
RUE LA FAYETTE
R. des 2 Gares
R. d'Alsace
10E
E 15
E 16
LYCÉE LAMARTINE
LYCÉE ROCROI ST LÉON
Sq. Cavaillé-Coll
Pl. Franz Liszt
Pl. du 8 Nov. 1942
R. Semard
R. de Bellefond
R. Rochambeau
Sq^re Montholon
POISSONNIÈRE
R. des Petits Hôtels
RENCONTRE
R. de Chabrol
MARCHE ST QUENTIN
P^ge Delanos
GARE DE L'EST
Pl. du 11 Nov. 1918
Rue du 8 Mai 1945
FACULTÉ DE MÉDECINE LARIBOISIÈRE-ST-LOUIS PARIS VII
Pl. Madeleine Braun
Square Villemin
Cité de Chabrol
P^ge de la Ferme St Lazare
Cour de la Ferme St Lazare
Rue Léon Schwartzenberg
UNIVERSITÉ PARIS VII DENIS DIDEROT
Square A. Satragne
R. des Messageries
R. Papillon
R. Bleue
R. de Trévise
ÉGLISE ADVENTISTE DU 7E JOUR
Cité Paradis
Rue de Paradis
R. de la Fidélité
R. Sibour
ST LAURENT
Sq^re St Laurent
BD DE STRASBOURG
R. Jarry
Rue Richer
Rue des Petites Écuries
R. G. Laumain
ST EUGÈNE
Ste Cécile
CONSERVATOIRE NAT. SUP. D'ART DRAMATIQUE
Passage des Petites Écuries
Cour des Petites Écuries
P^ge du Désir
R. Cité St Martin
R. Dubail
Rue des Récollets
F 15
F 16
CHÂTEAU D'EAU
P^ge Reilhac
Rue d'Enghien
Rue de l'Échiquier
Rue Bergère
R. Hittorf
Cité Hittorf
R. de Nancy
R. Lucien Sampaix
R. des Marais
TH. DU GYMNASE MARIE BELL
LYCÉE EDGAR POE
Passage Brady
P^ge de l'Industrie
R. de Metz
TH. ANTOINE S. BERRIAU
Imp. du 49 Fg. St. Martin
MAIRIE DU 10E ARR.
R. G. Goublier
SPLENDID
MARCHÉ ST-MARTIN
Rue du Château d'Eau
JACQUES BONSERGENT
R. de Mazagran
P^te ST DENIS
STRASBOURG ST DENIS
BD DE BONNE NOUVELLE
BONNE NOUVELLE
N.D. DE BONNE NOUVELLE
R. des Degrés
COMEDIA
MUSÉE DE L'ÉVENTAIL
P^TE ST MARTIN
TH. DE LA RENAISSANCE
TH. DE LA P^TE ST MARTIN
Villa du Lavoir
Cité Riverin
BOURSE DU TRAVAIL
BOULEVARD ST MARTIN
BD ST DENIS
P^ge Meslay
Pl. J. Strauss
CAVEAU DE LA RÉPUBLIQUE
R. de Tracy
R. Blondel
R. Sainte Apolline
Imp. de la Planchette
Rue Notre Dame de Nazareth
R. Salomon de Caus
Pl. du Caire
d'Alexandrie
SENTIER
Rue du Sentier
Rue Jeûneurs
G 15
G 16
550 m

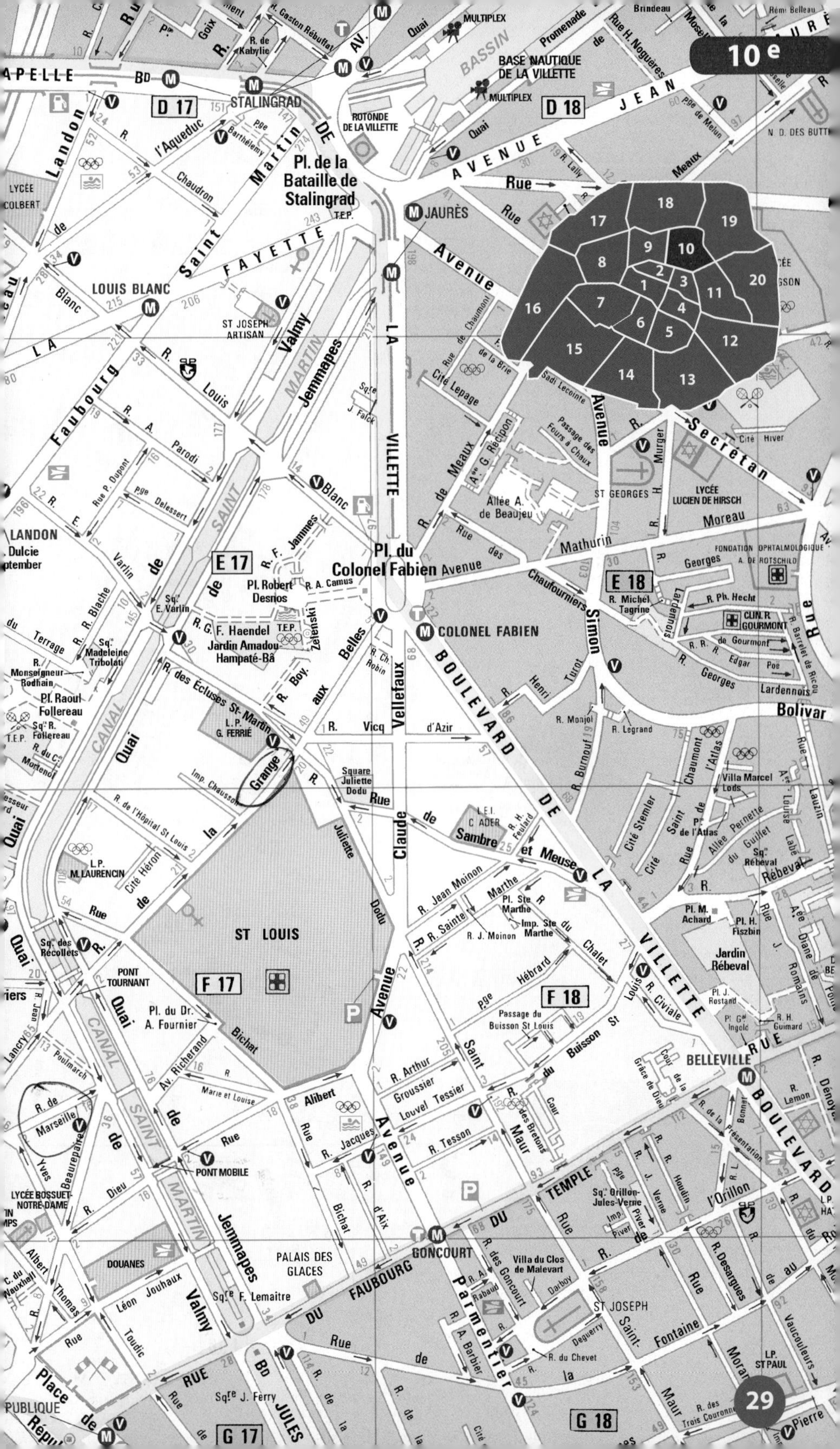
BD DE LA CHAPELLE
STALINGRAD
R. de Kabylie
R. Gaston Rébuffat
AV. DE
Quai
MULTIPLEX
BASSIN
BASE NAUTIQUE DE LA VILLETTE
Promenade
Rue H. Noguères
Brindeau
Rémi Belleau
D 17
D 18
ROTONDE DE LA VILLETTE
AVENUE JEAN JAURÈS
Pge de Melun
N. D. DES BUTTES
Pl. de la Bataille de Stalingrad
T.E.P.
Pge Barthélemy
R. de l'Aqueduc
Chaudron
Landon
LYCÉE COLBERT
Rue Lally
Meaux
Rue
JAURÈS
Avenue
LOUIS BLANC
FAYETTE
Blanc
LA
ST JOSEPH ARTISAN
Valmy
MARTIN
Jemmapes
LA
VILLETTE
Faubourg
Saint
Martin
R. Louis
R. A. Parodi
Rue P. Dupont
Pge Delessert
R. E. Varlin
Sq. J. Falck
Blanc
Rue de Chaumont
de la Brie
Cité Lepage
Passage des Fours à Chaux
Sadi Lecointe
Avenue
Secrétan
Cité Hiver
R. Murger
ST GEORGES
LYCÉE LUCIEN DE HIRSCH
Moreau
Mathurin
Allée A. de Beaujeu
Avenue G. Récipon
R. de Meaux
Rue des Chaufourniers
LANDON
Dulcie September
E 17
E 18
R. F. Jammes
Pl. Robert Desnos
R. A. Camus
Pl. du Colonel Fabien
Avenue
FONDATION OPHTALMOLOGIQUE A. DE ROTSCHILD
Georges
R. Michel Tagrine
Lardennois
R. Ph. Hecht
CLIN. R. GOURMONT
R. Barrelet de Ricou
de Gourmont
Edgar
Poë
Georges
Lardennois
Bolivar
Sq. E. Varlin
R. G. F. Haendel
Jardin Amadou-Hampaté-Bâ
T.E.P.
Zelenski
COLONEL FABIEN
BOULEVARD DE LA VILLETTE
Simon
Henri Turot
R. Monjol
R. Legrand
R. Burnouf
du Terrage
R. R. Blache
Sq. Madeleine Tribolati
R. Monseigneur Rodhain
Pl. Raoul Follereau
Sq. R. Follereau
T.E.P.
R. du Cdt Mortenol
R. des Écluses St-Martin
L.P. G. FERRIÉ
R. Boy.
Belles
aux
R. Ch. Robin
Vellefaux
R. Vicq d'Azir
Chaumont
l'Atlas
Villa Marcel Lods
Allée Louise Labé
Lauzin
CANAL
Quai
Grange
Imp. Chausson
R. de l'Hôpital St Louis
L.P. M. LAURENCIN
Cité Héron
Rue de la
Square Juliette Dodu
Rue de Sambre et Meuse
Claude
Juliette
L.E.I. C. ADER
R. H. Feuillard
Cité Stemler
Saint
Pl. de l'Atlas
Allée Pernette du Guillet
Sq. Rébeval
Rébeval
R. Jean Moinon
Marthe
Pl. Ste Marthe
Imp. Ste Marthe
R. Sainte
R. J. Moinon
du Chalet
Pl. M. Achard
Pl. H. Fiszbin
Jardin Rébeval
Allée Diane de Poitiers
Rue J. Romains
ST LOUIS
Sq. des Récollets
PONT TOURNANT
F 17
F 18
Pl. du Dr. A. Fournier
Avenue
Dodu
Pge Hébrard
Passage du Buisson St Louis
R. Civiale
Louis
Pl. J. Rostand
Pl. Gal Ingold
R. H. Guimard
BELLEVILLE
RUE
Bichat
Av. Richerand
Poulmarch
Lancry
R. Jean
R. de Marseille
Yves
Beaurepaire
Marie et Louise
Alibert
R. Arthur Groussier
Louvel Tessier
Saint Maur
Buisson St
du
Cour de la Grâce de Dieu
R. des Bretons
BOULEVARD DE
R. Lemon
R. Dénoyez
Quai de
CANAL SAINT MARTIN
Rue
PONT MOBILE
Rue Jacques
R. Tesson
Avenue
TEMPLE
Pge
Sq. Orillon-Jules-Verne
R. J. Verne
R. Houdin
Imp. Piver
Piver
R. de la Présentation
R. Bonnet
l'Orillon
R. de Dieu
LYCÉE BOSSUET-NOTRE-DAME
Albert Thomas
C. du Vauxhall
DOUANES
Léon Jouhaux
Valmy
Jemmapes
Sqre F. Lemaitre
PALAIS DES GLACES
R. Bichat
R. d'Aix
GONCOURT
DU FAUBOURG DU
R. des Goncourt
Villa du Clos de Malevart
Darboy
R. Rabaud
Parmentier
ST JOSEPH
Deguerry
R. du Chevet
Rue
Fontaine
Saint
R. Desargues
au
Roi
Vaucouleurs
Morand
L.P. ST PAUL
R. des Trois Couronnes
Pierre
Rue Toudic
Place de la République
PUBLIQUE
Rue de
Sqre J. Ferry
BD JULES
G 17
G 18
R. A. Barbier
la
Maur
10
1
2
3
4
5
6
7
8
9
11
12
13
14
15
16
17
18
19
20

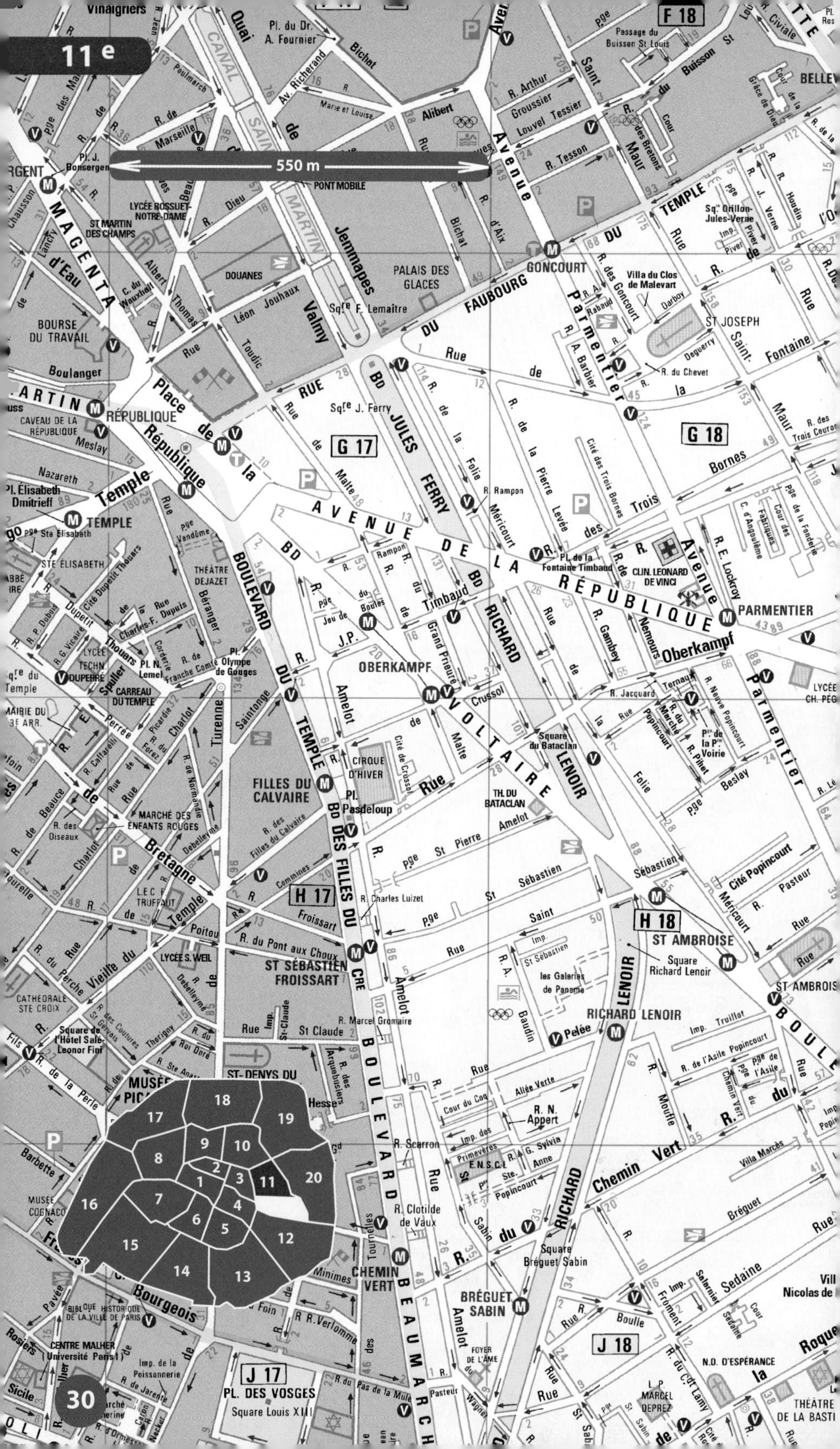
550 m
F 18
G 17
G 18
H 17
H 18
J 17
J 18
RÉPUBLIQUE
Place de la République
TEMPLE
GONCOURT
PARMENTIER
OBERKAMPF
FILLES DU CALVAIRE
ST SÉBASTIEN FROISSART
ST AMBROISE
RICHARD LENOIR
BRÉGUET SABIN
CHEMIN VERT
AVENUE DE LA RÉPUBLIQUE
BD JULES FERRY
BD RICHARD LENOIR
BOULEVARD DU TEMPLE
BD DES FILLES DU CALVAIRE
BOULEVARD BEAUMARCHAIS
BD VOLTAIRE
RUE DU FAUBOURG DU TEMPLE
Avenue Parmentier
Rue Oberkampf
Rue de la Folie Méricourt
Rue Amelot
Rue de Malte
Rue J.-P. Timbaud
Rue du Chemin Vert
Rue St Sébastien
Rue St Maur
Quai de Jemmapes
Quai de Valmy
CANAL SAINT MARTIN
MAGENTA
BOURSE DU TRAVAIL
DOUANES
PALAIS DES GLACES
CIRQUE D'HIVER
TH. DU BATACLAN
CLIN. LEONARD DE VINCI
ST JOSEPH
LYCÉE TECHN. DUPERRÉ
CARREAU DU TEMPLE
MARCHÉ DES ENFANTS ROUGES
LYCÉE S. WEIL
CATHÉDRALE STE CROIX
ST-DENYS DU ST-SACREMENT
PL. DES VOSGES
Square Louis XIII
CENTRE MALHER (Université Paris I)
BIBL. HISTORIQUE DE LA VILLE DE PARIS
N.D. D'ESPÉRANCE
THÉATRE DE LA BASTILLE
Square Richard Lenoir
Square Bréguet Sabin
Square du Bataclan
les Galeries de Paname
18
17
19
9
10
8
2
1
3
11
20
16
7
4
6
5
12
15
14
13

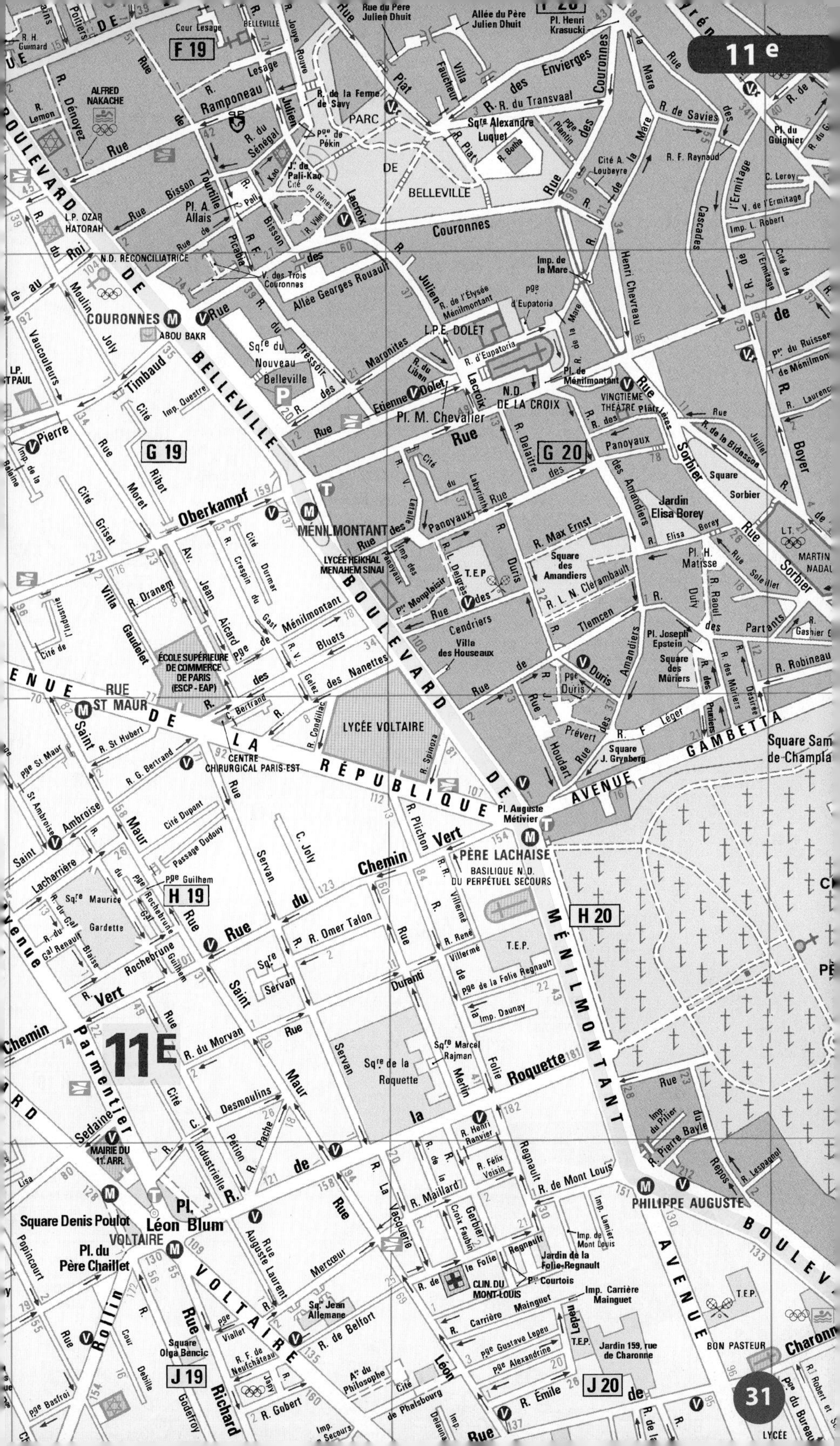

11e
F 19
G 19
G 20
H 19
H 20
J 19
J 20
11E
BOULEVARD DE BELLEVILLE
BOULEVARD DE MÉNILMONTANT
AVENUE DE LA RÉPUBLIQUE
AVENUE GAMBETTA
AVENUE PARMENTIER
AVENUE PHILIPPE AUGUSTE
BOULEVARD DE CHARONNE
PARC DE BELLEVILLE
Rue Ramponeau
Rue Dénoyez
Rue Bisson
Rue de Tourtille
Rue Lesage
Rue Julien Lacroix
Rue Piat
Rue des Envierges
Rue des Couronnes
Rue de la Mare
Rue de Savies
R. du Transvaal
Sq^re Alexandre Luquet
Rue Jouye Rouve
Rue du Père Julien Dhuit
Allée du Père Julien Dhuit
Pl. Henri Krasucki
Villa Faucheur
Cour Lesage
R. H. Guimard
R. Lemon
ALFRED NAKACHE
R. de la Ferme de Savy
R. du Sénégal
P^ge de Pékin
J^t de Pali-Kao
Cité de Gênes
Pl. A. Allais
Rue de Pali Kao
R. F. Picabia
L.P. OZAR HATORAH
Rue du Moulin Joly
N.D. RÉCONCILIATRICE
V. des Trois Couronnes
Allée Georges Rouault
R. de l'Élysée Ménilmontant
P^ge d'Eupatoria
R. d'Eupatoria
Imp. de la Mare
Rue Henri Chevreau
Cité A. Loubeyre
R. F. Raynaud
Rue des Cascades
Rue de l'Ermitage
V. de l'Ermitage
Imp. L. Robert
C. Leroy
Pl. du Guignier
Cité de l'Ermitage
COURONNES
ABOU BAKR
Sq^re du Nouveau Belleville
Rue du Pressoir
Rue des Maronites
R. du Liban
Rue Étienne Dolet
L.P.E. DOLET
Pl. M. Chevalier
N.D. DE LA CROIX
Pl. de Ménilmontant
VINGTIÈME THÉÂTRE
Rue des Plâtrières
Rue Sorbier
Square Sorbier
R. de la Bidassoa
Rue Boyer
Rue de Ménilmontant
P^ce du Ruisseau
Rue Juillet
R. Laurence
Rue Timbaud
Cité Imp. Questre
Rue Vaucouleurs
L.P. ST PAUL
Rue Pierre
Imp. de la Baleine
Rue Moret
Cité Ribot
Cité Griset
Rue Oberkampf
MÉNILMONTANT
Rue des Panoyaux
Rue du Labyrinthe
R. V. Letalle
R. Delaitre
Rue des Amandiers
Jardin Elisa Borey
R. Elisa Borey
R. Max Ernst
Square des Amandiers
R. L. N. Clérambault
Pl. H. Matisse
Rue Soleillet
L.T. MARTIN NADAUD
LYCÉE HEIKHAL MENAHEM SINAÏ
Imp. des Panoyaux
P^ce Montplaisir
R. L. Delgrès
T.E.P.
Rue des Cendriers
Villa des Houseaux
Rue Duris
P^ge Duris
Rue de Tlemcen
Pl. Joseph Epstein
Square des Mûriers
R. des Mûriers
Rue des Partants
R. Robineau
R. Gasnier Guy
R. Raoul Dufy
R. Désirée
R. F. Léger
Rue des Prairies
Rue Houdart
Rue J. Prévert
Square J. Grynberg
Square Samuel de Champlain
Villa Gaudelet
R. Dranem
Av. Jean Aicard
R. Crespin du Gast
Cité Durmer
Rue de Ménilmontant
Rue des Bluets
R. V. Gelez
Rue des Nanettes
Cité de l'Industrie
ÉCOLE SUPÉRIEURE DE COMMERCE DE PARIS (ESCP - EAP)
C. Bertrand
LYCÉE VOLTAIRE
R. Condillac
R. Spinoza
RUE ST MAUR
R. St Hubert
R. G. Bertrand
CENTRE CHIRURGICAL PARIS-EST
P^ge St Maur
Rue Saint Ambroise
Cité Dupont
Passage Dudouy
Rue Servan
C. Joly
R. Plichon
Pl. Auguste Métivier
PÈRE LACHAISE
BASILIQUE N.D. DU PERPÉTUEL SECOURS
Rue du Chemin Vert
Rue Lacharrière
Sq^re Maurice Gardette
R. du Gal Blaise
Gal Renault
P^ge Guilhem
Rue Rochebrune
R. Omer Talon
Sq^re Servan
Rue Duranti
R. Villermé
R. René Villermé
T.E.P.
P^ge de la Folie Regnault
Imp. Daunay
Rue de la Folie Regnault
Rue Merlin
Sq^re Marcel Rajman
Sq^re de la Roquette
Rue de la Roquette
R. du Morvan
Cité Parmentier
Rue Desmoulins
R. Pache
Rue Pétion
R. de l'Industrielle
Rue Saint Maur
R. Henri Ranvier
R. de la Roquette
R. Félix Voisin
R. de Mont Louis
Imp. du Pilier
Rue Pierre Bayle
Rue du Repos
R. Lespagnol
PHILIPPE AUGUSTE
Rue Sedaine
MAIRIE DU 11e ARR.
Square Denis Poulot
Pl. Léon Blum
VOLTAIRE
Pl. du Père Chaillet
Rue Popincourt
Rue Auguste Laurent
Rue Mercœur
R. de la Vacquerie
R. Maillard
Gerbier
Croix Faubin
Regnault
Imp. Lamier
Imp. de Mont Louis
Jardin de la Folie-Regnault
P^ce Courtois
R. de la Folie Regnault
CLIN. DU MONT-LOUIS
Imp. Carrière Mainguet
R. Carrière Mainguet
P^ge Gustave Lepeu
P^ge Alexandrine
T.E.P.
Jardin 159, rue de Charonne
R. Émile Lepeu
BON PASTEUR
T.E.P.
Rue Rollin
Cour Debille
Square Olga Bancic
Rue Richard Lenoir
R. Godefroy Cavaignac
R. F. de Neufchâteau
Sq^re Jean Allemane
R. de Belfort
A^ce du Philosophe
Cité Léon
de Phalsbourg
R. Gobert
Imp. Secours
P^ge Basfroi
Rue Viallet
Jápy
Imp. Delaunay
R. Robert et Sonia Delaunay
P^ce du Bureau
LYCÉE
31

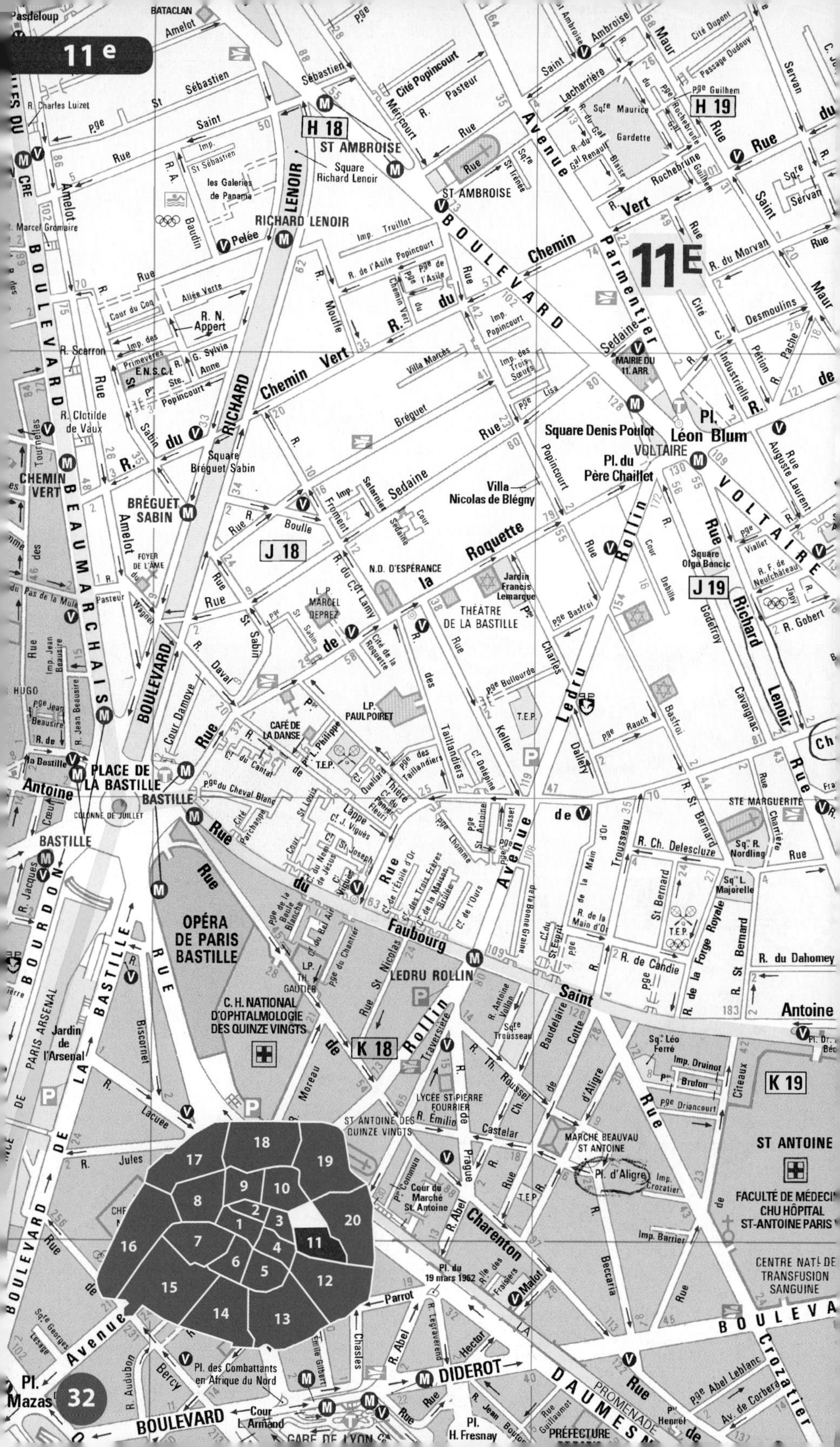

11E
H 18
H 19
J 18
J 19
K 18
K 19
BATACLAN
Pasdeloup
ST AMBROISE
Square Richard Lenoir
RICHARD LENOIR
les Galeries de Panama
Cité Popincourt
Boulevard Voltaire
Avenue Parmentier
Chemin Vert
Sq. Maurice Gardette
MAIRIE DU 11e ARR.
Pl. Léon Blum
VOLTAIRE
Square Denis Poulot
Pl. du Père Chaillet
Villa Nicolas de Blégny
Rue de la Roquette
N.D. D'ESPÉRANCE
Jardin Francis Lemarque
THÉATRE DE LA BASTILLE
Square Olga Bancic
Rue Richard Lenoir
Square Bréguet Sabin
BRÉGUET SABIN
Boulevard Beaumarchais
CHEMIN VERT
E.N.S.C.I.
FOYER DE L'ÂME
L.P. MARCEL DEPREZ
L.P. PAUL POIRET
CAFÉ DE LA DANSE
PLACE DE LA BASTILLE
BASTILLE
COLONNE DE JUILLET
OPÉRA DE PARIS BASTILLE
C.H. NATIONAL D'OPHTALMOLOGIE DES QUINZE VINGTS
Jardin de l'Arsenal
Boulevard Bourdon
Rue de Lyon
Rue du Faubourg Saint Antoine
LEDRU ROLLIN
Avenue Ledru Rollin
STE MARGUERITE
Sq. R. Nordling
Sq. L. Majorelle
Sq. Léo Ferré
Sq. Trousseau
LYCÉE ST-PIERRE FOURRIER
MARCHÉ BEAUVAU ST ANTOINE
Pl. d'Aligre
ST ANTOINE
FACULTÉ DE MÉDECINE CHU HÔPITAL ST-ANTOINE PARIS
CENTRE NATL DE TRANSFUSION SANGUINE
Rue de Charenton
Pl. du 19 mars 1962
Boulevard Diderot
DIDEROT
Avenue Daumesnil
PROMENADE
PRÉFECTURE
Pl. Mazas
Pl. des Combattants en Afrique du Nord
Cour L. Armand
GARE DE LYON
Pl. H. Fresnay
18
17
19
9
10
8
2
3
20
1
11
16
7
4
6
5
12
15
14
13

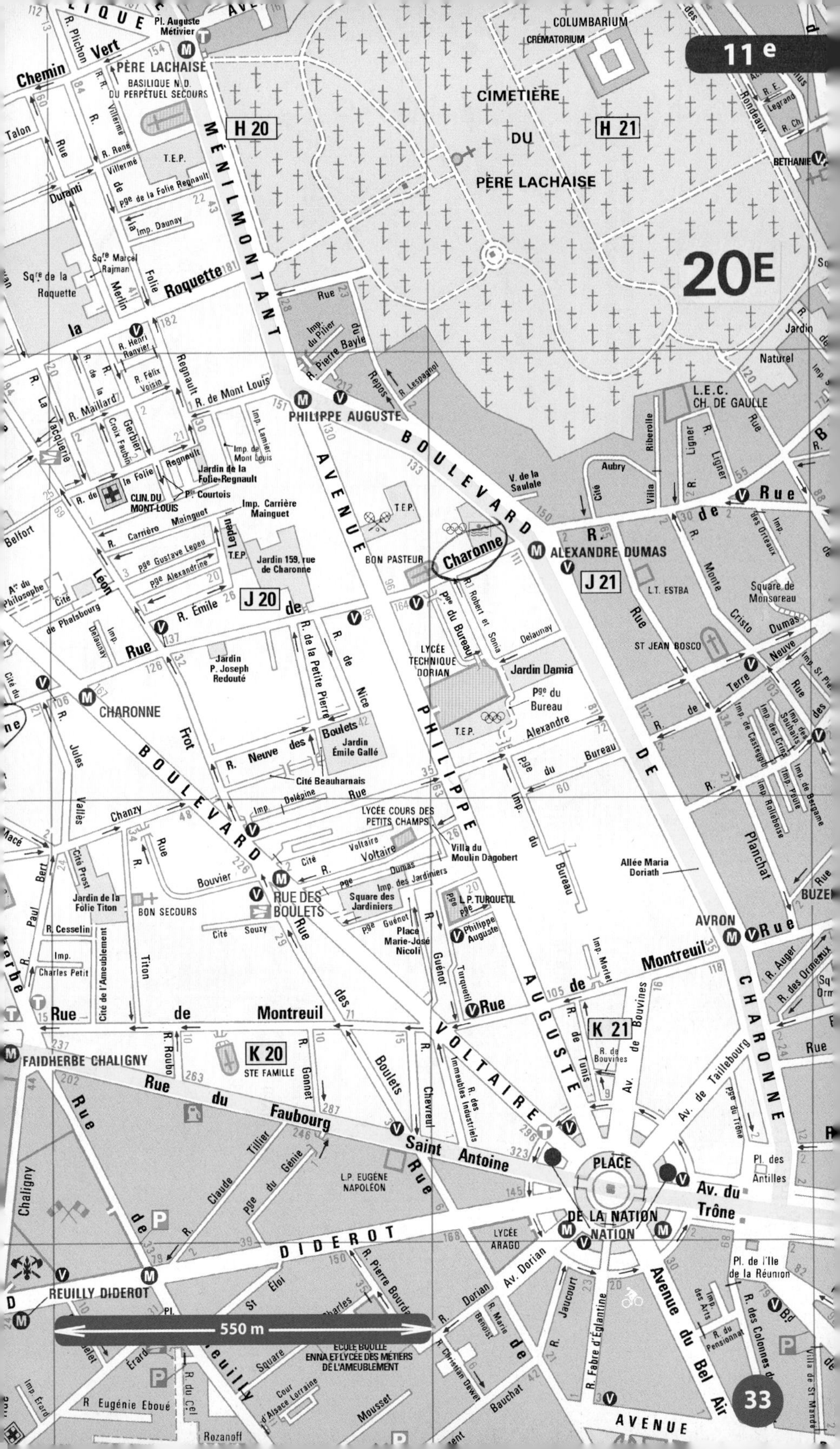
CIMETIÈRE DU PÈRE LACHAISE
COLUMBARIUM
CRÉMATORIUM
20E
H 20
H 21
J 20
J 21
K 20
K 21
PÈRE LACHAISE
Pl. Auguste Métivier
BASILIQUE N.D. DU PERPÉTUEL SECOURS
MÉNILMONTANT
Chemin Vert
Rue de la Roquette
Sq.re de la Roquette
Sq.re Marcel Rajman
R. Duranti
Rue Villermé
R. Plichon
Rue Talon
Folie Merlin
pge de la Folie Regnault
Imp. Daunay
T.E.P.
R. Henri Ranvier
R. Félix Voisin
R. Regnault
R. de Mont Louis
R. Maillard
Gerbier
Croix Faubin
R. de la Folie Regnault
Jardin de la Folie-Regnault
Pt. Courtois
CLIN. DU MONT-LOUIS
Imp. Carrière Mainguet
R. Carrière Mainguet
pge Gustave Lepeu
pge Alexandrine
R. Émile Lepeu
Jardin 159, rue de Charonne
Rue de Charonne
Cité Léon
A.re du Philosophe
Cité de Phalsbourg
R. La Vacquerie
Belfort
PHILIPPE AUGUSTE
AVENUE PHILIPPE AUGUSTE
BOULEVARD DE CHARONNE
R. Pierre Bayle
Imp. du Pilier
Rue du Repos
R. Lespagnol
T.E.P.
BON PASTEUR
Charonne
ALEXANDRE DUMAS
L.E.C. CH. DE GAULLE
Riberolle
Ligner
Aubry
V. de la Saulaie
Rue de Bagnolet
Rue de la Réunion
R. des Orteaux
R. de Monte Cristo
Square de Monsoreau
L.T. ESTBA
ST JEAN BOSCO
R. Robert et Sonia Delaunay
pge du Bureau
LYCÉE TECHNIQUE DORIAN
Jardin Damia
Pge du Bureau
Alexandre Dumas
Rue de Terre Neuve
Imp. de Castéggio
Imp. des Souhaits
Imp. des Crins
Imp. Poule
Imp. Rolleboise
Imp. de Bergame
R. des Vignoles
R. de Nice
R. de la Petite Pierre
Jardin P. Joseph Redouté
Jardin Émile Gallé
R. Neuve des Boulets
Cité Beauharnais
Imp. Delépine
CHARONNE
Rue Frot
R. Jules Vallès
Chanzy
LYCÉE COURS DES PETITS CHAMPS
Villa du Moulin Dagobert
Cité Voltaire
R. Voltaire
Pge Dumas
Imp. des Jardiniers
Square des Jardiniers
L.P. TURQUETIL
pge Guénot
Place Marie-José Nicoli
Philippe Auguste
Allée Maria Doriath
Imp. du Bureau
Rue Planchat
AVRON
Rue d'Avron
Rue de Montreuil
R. Auger
R. des Ormeaux
Imp. Mortier
Rue Bouvier
RUE DES BOULETS
BON SECOURS
Cité Prost
Jardin de la Folie Titon
R. Cesselin
Imp. Charles Petit
Cité de l'Ameublement
Titon
Cité Souzy
R. Paul Bert
FAIDHERBE CHALIGNY
R. Roubo
STE FAMILLE
R. Gonnet
Rue des Boulets
R. Chevreul
R. des Immeubles Industriels
Guénot
Turquetil
BOULEVARD VOLTAIRE
AUGUSTE
R. de Tunis
R. de Bouvines
Av. de Bouvines
Av. de Taillebourg
Pge du Trône
Pl. des Antilles
Rue du Faubourg Saint Antoine
L.P. EUGÈNE NAPOLÉON
R. Claude Tillier
Pge du Génie
PLACE DE LA NATION
NATION
Av. du Trône
LYCÉE ARAGO
Av. Dorian
Rue de Chaligny
Rue de Reuilly
DIDEROT
REUILLY DIDEROT
R. Pierre Bourdan
St Éloi
Charles
R. Dorian
R. Marie Benoist
R. Jaucourt
R. Fabre d'Églantine
Avenue du Bel Air
Pl. de l'Ile de la Réunion
Imp. des Arts
R. du Pensionnat
R. des Colonnes du Trône
Villa de St Mandé
550 m
ÉCOLE BOULLE ENNA ET LYCÉE DES MÉTIERS DE L'AMEUBLEMENT
Square
Cour d'Alsace Lorraine
Érard
Imp. Érard
R. Eugénie Eboué
R. du Cel
Rozanoff
R. Christian Dewet
Mousset
Bauchat
AVENUE

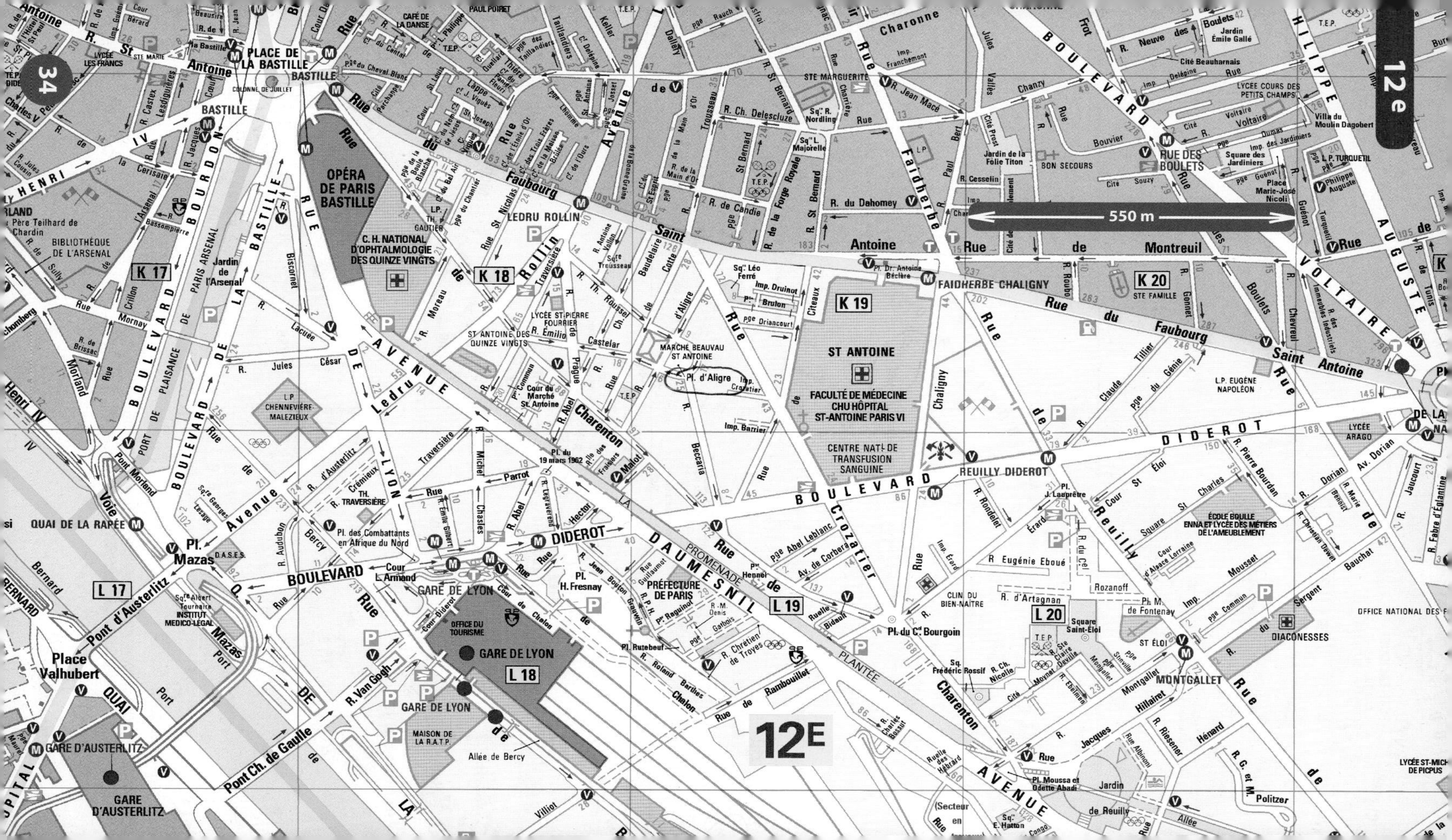

550 m
12E
K 17
K 18
K 19
K 20
L 17
L 18
L 19
L 20
PLACE DE LA BASTILLE
COLONNE DE JUILLET
OPÉRA DE PARIS BASTILLE
C.H. NATIONAL D'OPHTALMOLOGIE DES QUINZE VINGTS
BIBLIOTHÈQUE DE L'ARSENAL
Jardin de l'Arsenal
PARIS ARSENAL
PORT DE PLAISANCE
LEDRU ROLLIN
LYCÉE ST-PIERRE FOURRIER
ST ANTOINE DES QUINZE VINGTS
MARCHÉ BEAUVAU ST ANTOINE
Pl. d'Aligre
ST ANTOINE
FACULTÉ DE MÉDECINE CHU HÔPITAL ST-ANTOINE PARIS VI
CENTRE NATL DE TRANSFUSION SANGUINE
FAIDHERBE CHALIGNY
REUILLY DIDEROT
L.P. EUGÈNE NAPOLÉON
LYCÉE ARAGO
ÉCOLE BOULLE ENNA ET LYCÉE DES MÉTIERS DE L'AMEUBLEMENT
DIACONESSES
OFFICE NATIONAL DES F
MONTGALLET
CLIN DU BIEN-NAÎTRE
PRÉFECTURE DE PARIS
GARE DE LYON
OFFICE DU TOURISME
MAISON DE LA R.A.T.P.
Allée de Bercy
GARE D'AUSTERLITZ
INSTITUT MÉDICO-LÉGAL
D.A.S.E.S.
L.P. CHENNEVIÈRE-MALEZIEUX
Place Valhubert
Pont d'Austerlitz
Pont Ch. de Gaulle
Pont Morland
QUAI DE LA RAPÉE
Pl. Mazas
Pl. des Combattants en Afrique du Nord
Pl. du 19 mars 1962
Pl. du Cl. Bourgoin
Sq. Frédéric Rossif
Square Saint-Éloi
Pl. Moussa et Odette Abadi
LYCÉE ST-MICHEL DE PICPUS
STE MARGUERITE
BON SECOURS
STE FAMILLE
LYCÉE COURS DES PETITS CHAMPS
L.P. TURQUETIL
Jardin Émile Gallé
Jardin de la Folie Titon
RUE DES BOULETS
Rue du Faubourg Saint Antoine
BOULEVARD VOLTAIRE
BOULEVARD DIDEROT
BOULEVARD DE LA BASTILLE
BOULEVARD BOURDON
BOULEVARD HENRI IV
AVENUE LEDRU ROLLIN
AVENUE DE LYON
AVENUE DAUMESNIL
PROMENADE PLANTÉE
Rue de Charenton
Rue de Reuilly
Rue Crozatier
Rue de Montreuil
Rue Faidherbe
Rue de Charonne
Rue de Bercy
Rue de Chalon
Rue de Rambouillet
Rue Traversière
Rue Beccaria
Rue d'Aligre
Rue Moreau
Rue Jules César
Rue Biscornet
Rue Lacuée
Rue Morland
Rue Chaligny
Rue Hector Malot
Rue Michel Chasles
Rue Parrot
Rue Abel
Rue Claude Tillier
Rue Pierre Bourdan
Rue Montgallet
Rue Jacques Hillairet
Rue Hénard
Rue Riesener
Av. Dorian
Rue Jaucourt
Rue Érard
Rue Rondelet
Rue Eugénie Éboué
Rue Roland Barthes
Rue Van Gogh
Rue Villiot
Quai Saint-Bernard

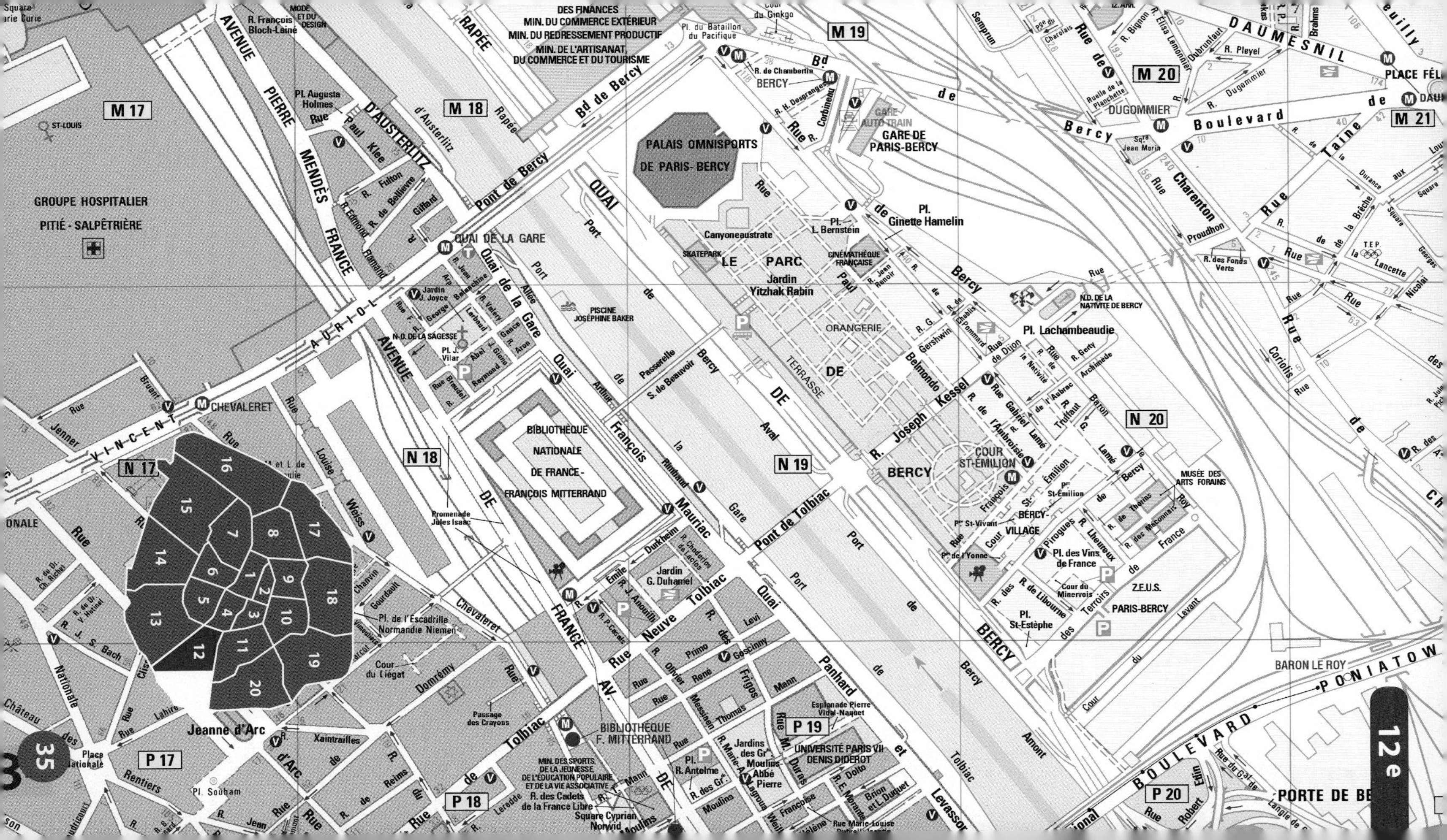
PALAIS OMNISPORTS DE PARIS - BERCY
GARE DE PARIS-BERCY
GARE AUTO-TRAIN
CINÉMATHÈQUE FRANÇAISE
LE PARC DE BERCY
Jardin Yitzhak Rabin
Canyoneaustrate
SKATEPARK
ORANGERIE
TERRASSE
COUR ST-ÉMILION
BERCY-VILLAGE
MUSÉE DES ARTS FORAINS
N.D. DE LA NATIVITÉ DE BERCY
PARIS-BERCY
Z.E.U.S.
QUAI DE BERCY
Port de Bercy
Pont de Tolbiac
Pont de Bercy
Passerelle S. de Beauvoir
PISCINE JOSÉPHINE BAKER
Quai François Mauriac
Port de la Gare
BIBLIOTHÈQUE NATIONALE DE FRANCE - FRANÇOIS MITTERRAND
BIBLIOTHÈQUE F. MITTERRAND
UNIVERSITÉ PARIS VII DENIS DIDEROT
Promenade Jules Isaac
Jardin G. Duhamel
AV. DE FRANCE
AVENUE PIERRE MENDÈS FRANCE
QUAI D'AUSTERLITZ
QUAI DE LA GARE
RAPÉE
DES FINANCES
MIN. DU COMMERCE EXTÉRIEUR
MIN. DU REDRESSEMENT PRODUCTIF
MIN. DE L'ARTISANAT, DU COMMERCE ET DU TOURISME
MIN. DES SPORTS, DE LA JEUNESSE, DE L'ÉDUCATION POPULAIRE ET DE LA VIE ASSOCIATIVE
GROUPE HOSPITALIER PITIÉ - SALPÊTRIÈRE
ST-LOUIS
VINCENT AURIOL
BOULEVARD PONIATOWSKI
PORTE DE BE
BARON LE ROY
Rue de Charenton
Boulevard de Bercy
DAUMESNIL
DUGOMMIER
PLACE FÉL
BERCY
CHEVALERET
Rue de Tolbiac
Rue Neuve Tolbiac
Rue Joseph Kessel
Rue Paul Belmondo
Rue Gabriel Lamé
Pl. Lachambeaudie
Pl. Ginette Hamelin
Pl. L. Bernstein
R. de Chambertin
Rue Corbineau
Rue Jeanne d'Arc
Place Nationale
Rue Domrémy
Rue Louise Weiss
Pl. de l'Escadrille Normandie Niemen
Cour du Liégat
Passage des Crayons
Esplanade Pierre Vidal-Naquet
Rue Coriolis
M 17
M 18
M 19
M 20
M 21
N 17
N 18
N 19
N 20
P 17
P 18
P 19
P 20
1
2
3
4
5
6
7
8
9
10
11
12
13
14
15
16
17
18
19
20

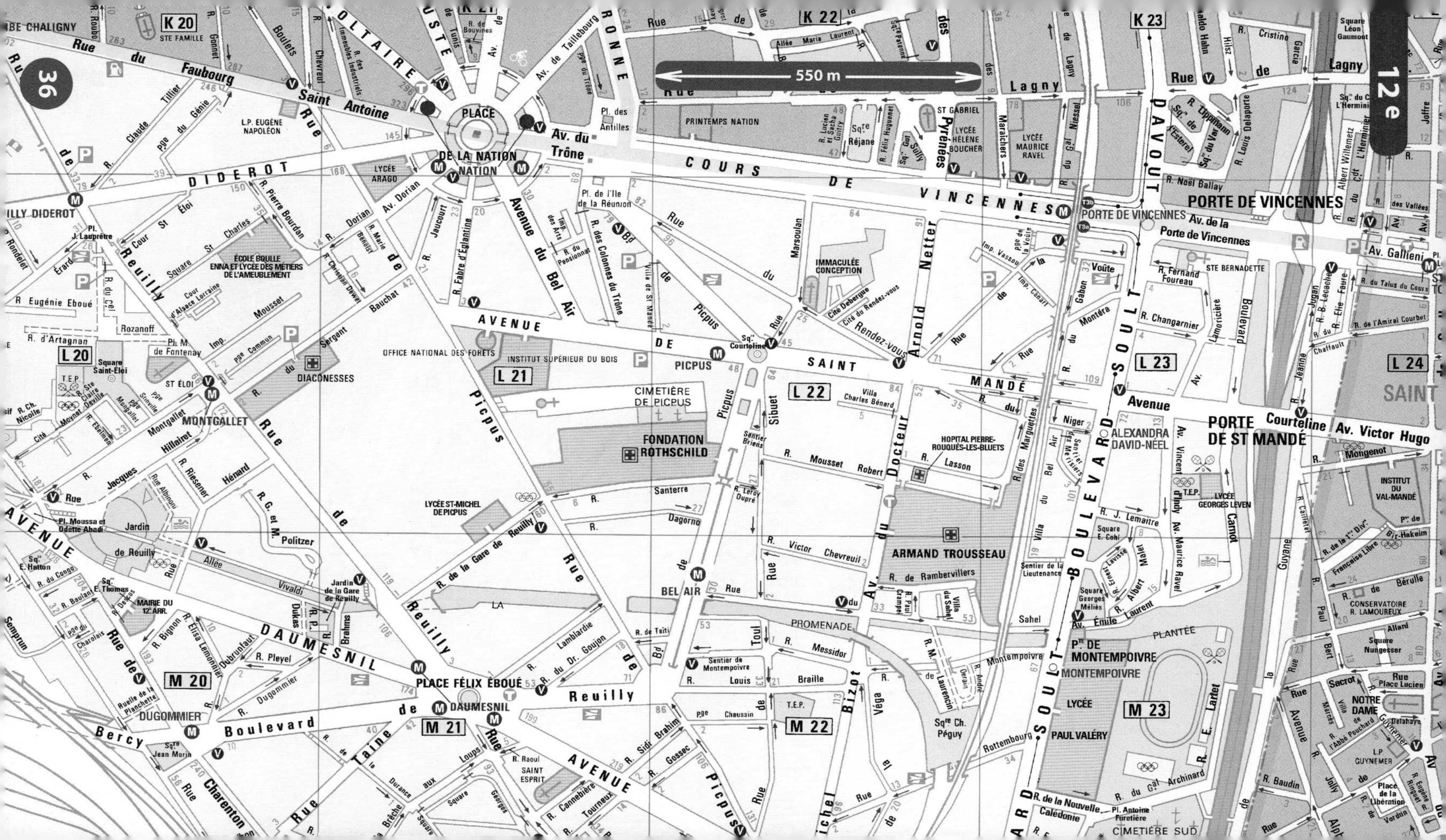

PORTE DE VINCENNES
Av. de la Porte de Vincennes
PORTE DE ST MANDÉ
Av. Victor Hugo
Avenue Courteline
BOULEVARD SOULT
DAVOUT
COURS DE VINCENNES
Av. du Trône
PLACE DE LA NATION
NATION
Rue du Faubourg Saint Antoine
DIDEROT
Avenue du Bel Air
AVENUE DE SAINT MANDÉ
PICPUS
Rue de Picpus
Arnold Netter
Av. du Docteur
Rue du Rendez-vous
IMMACULÉE CONCEPTION
Marsoulan
L 20
L 21
L 22
L 23
L 24
M 20
M 21
M 22
M 23
K 20
K 22
K 23
550 m
PRINTEMPS NATION
LYCÉE HÉLÈNE BOUCHER
LYCÉE MAURICE RAVEL
Pyrénées
Lagny
LYCÉE ARAGO
L.P. EUGÈNE NAPOLÉON
ÉCOLE BOULLE
DIACONESSES
OFFICE NATIONAL DES FORÊTS
INSTITUT SUPÉRIEUR DU BOIS
CIMETIÈRE DE PICPUS
FONDATION ROTHSCHILD
HOPITAL PIERRE-ROUQUES-LES-BLUETS
ARMAND TROUSSEAU
LYCÉE ST-MICHEL DE PICPUS
Rue de Reuilly
R. de la Gare de Reuilly
BEL AIR
PROMENADE PLANTÉE
PLACE FÉLIX ÉBOUÉ
DAUMESNIL
Boulevard de Reuilly
MONTGALLET
R. Riesener
Allée Vivaldi
Jardin de Reuilly
MAIRIE DU 12e ARR.
DUGOMMIER
Rue de Charenton
Bercy
P.te DE MONTEMPOIVRE
LYCÉE PAUL VALÉRY
ALEXANDRA DAVID-NÉEL
Av. Vincent d'Indy
Av. Maurice Ravel
Carnot
LYCÉE GEORGES LEVEN
INSTITUT DU VAL-MANDÉ
CIMETIÈRE SUD
R. de la Nouvelle Calédonie
Bizot
Av. Émile Laurent

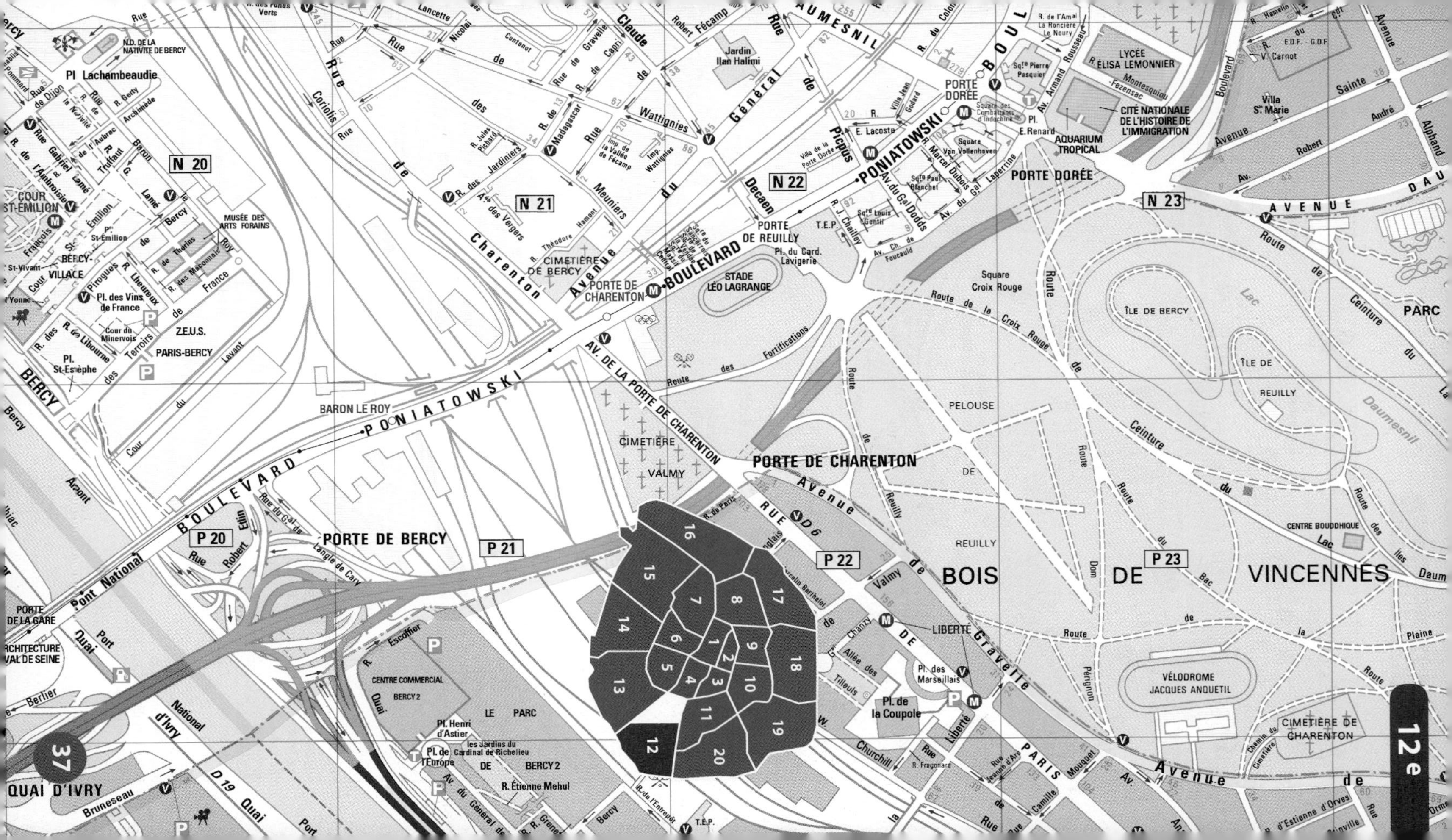
BOIS DE VINCENNES
PORTE DORÉE
PORTE DE CHARENTON
PORTE DE REUILLY
PORTE DE BERCY
BOULEVARD PONIATOWSKI
AV. DE LA PORTE DE CHARENTON
Avenue Daumesnil
Rue de Charenton
Picpus
Lac Daumesnil
ÎLE DE BERCY
ÎLE DE REUILLY
STADE LÉO LAGRANGE
CIMETIÈRE DE BERCY
CIMETIÈRE VALMY
CIMETIÈRE DE CHARENTON
VÉLODROME JACQUES ANQUETIL
CENTRE BOUDDHIQUE
CITÉ NATIONALE DE L'HISTOIRE DE L'IMMIGRATION
AQUARIUM TROPICAL
LYCÉE ÉLISA LEMONNIER
PELOUSE DE REUILLY
Square Croix Rouge
CENTRE COMMERCIAL BERCY 2
LE PARC DE BERCY 2
MUSÉE DES ARTS FORAINS
BERCY-VILLAGE
COUR ST-ÉMILION
Pl. Lachambeaudie
QUAI D'IVRY
N 20
N 21
N 22
N 23
P 20
P 21
P 22
P 23
16
15
7
8
17
14
6
1
9
18
5
4
2
3
10
13
11
19
12
20

Bois de Vincennes

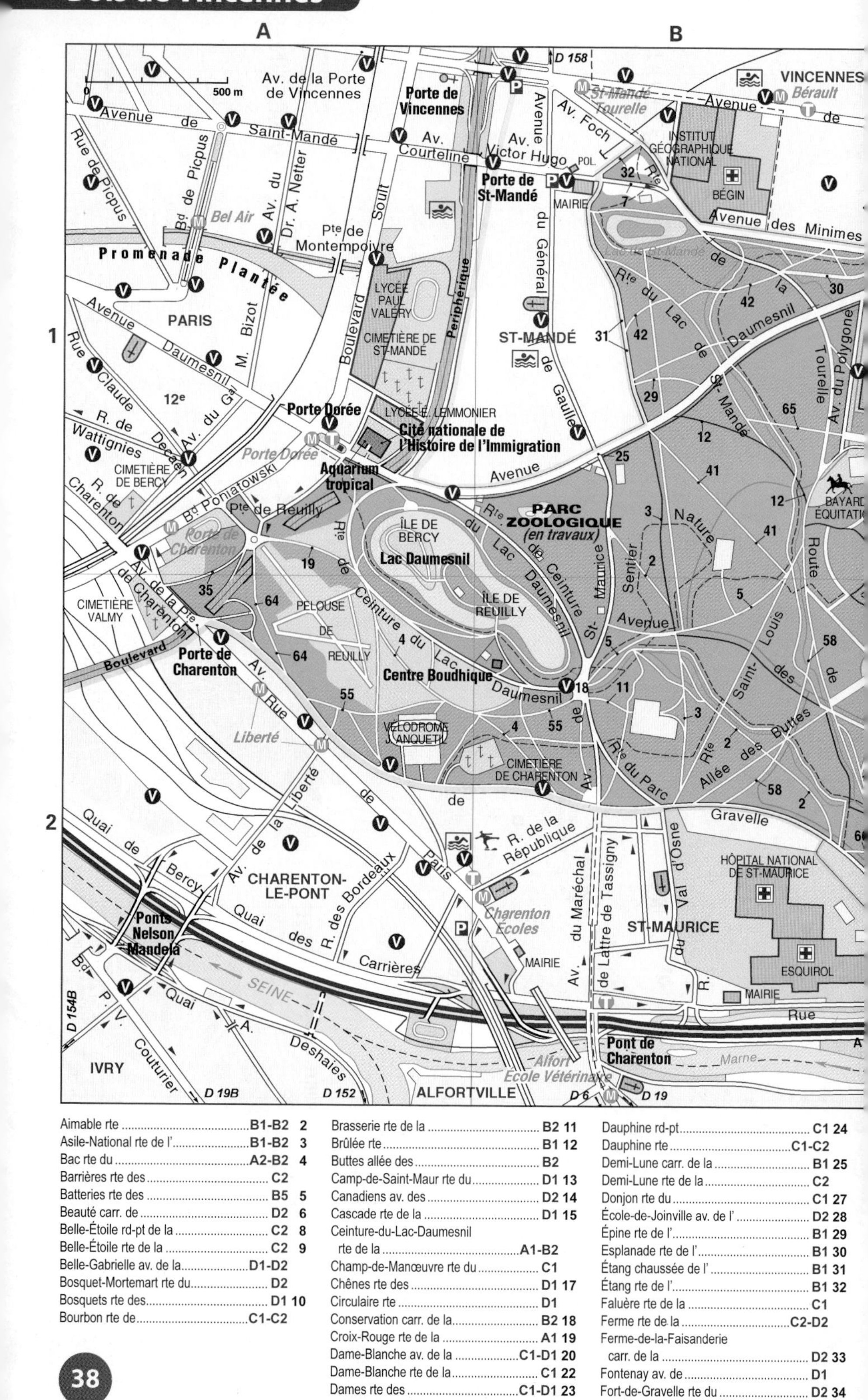

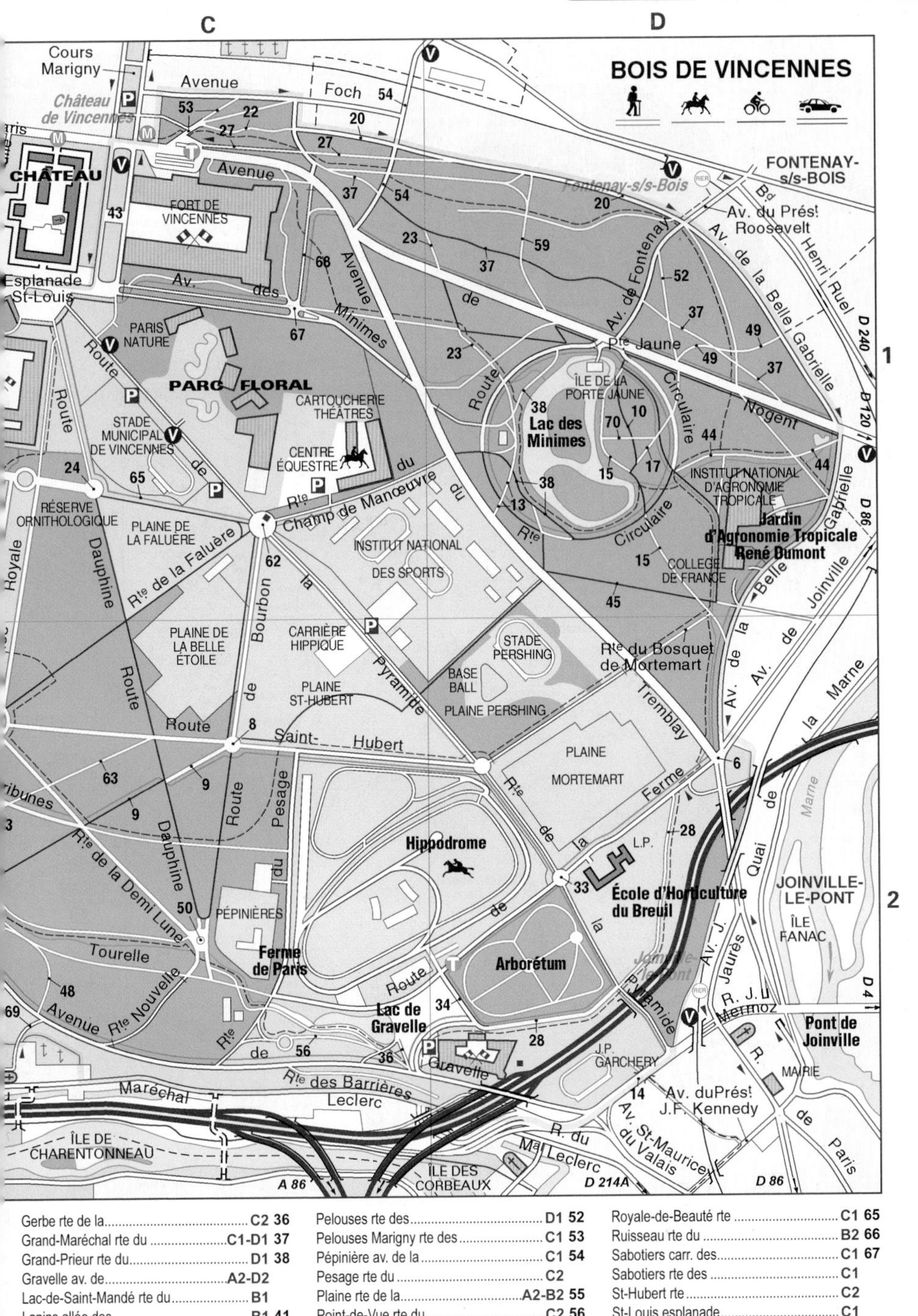

Gerbe rte de la C2 36
Grand-Maréchal rte du C1-D1 37
Grand-Prieur rte du D1 38
Gravelle av. de A2-D2
Lac-de-Saint-Mandé rte du B1
Lapins allée des B1 41
Lemoine rte B1 42
Maréchaux cours des C1 43
Ménagerie rte de la D1 44
Merisiers rte des D1 45
Minimes av. des B1-C1
Moulin-Rouge rte du C2 48
Nogent av. de C1-D1
Nouvelle rte C2
Odette rte D1 49
Parc rte du B2
Patte-d'Oie carr. de la C2 50
Pelouses rte des D1 52
Pelouses Marigny rte des C1 53
Pépinière av. de la C1 54
Pesage rte du C2
Plaine rte de la A2-B2 55
Point-de-Vue rte du C2 56
Politkovskaïa av. Anna B1 7
Polygone av. du B1
Pompadour rte de la B2 58
Porte de Charenton av. de la A1-A2
Porte-Jaune D1
Porte-Jaune rte de la C1 59
Pyramide carr. de la C1
Pyramide rte de la C1-D2
Quatre-Carrefours allée des C2 63
Reuilly rte de A2 64
Royale allée C1-C2
Royale-de-Beauté rte C1 65
Ruisseau rte du B2 66
Sabotiers carr. des C1 67
Sabotiers rte des C1
St-Hubert rte C2
St-Louis esplanade C1
St-Louis rte B2
St-Maurice av. de B1-B2
Terrasse rte de la C2 69
Tilleuls av. des D1 70
Tourelle rte de la B1-C2
Tremblay av. du C1-D2
Tribunes av. des B2-C2

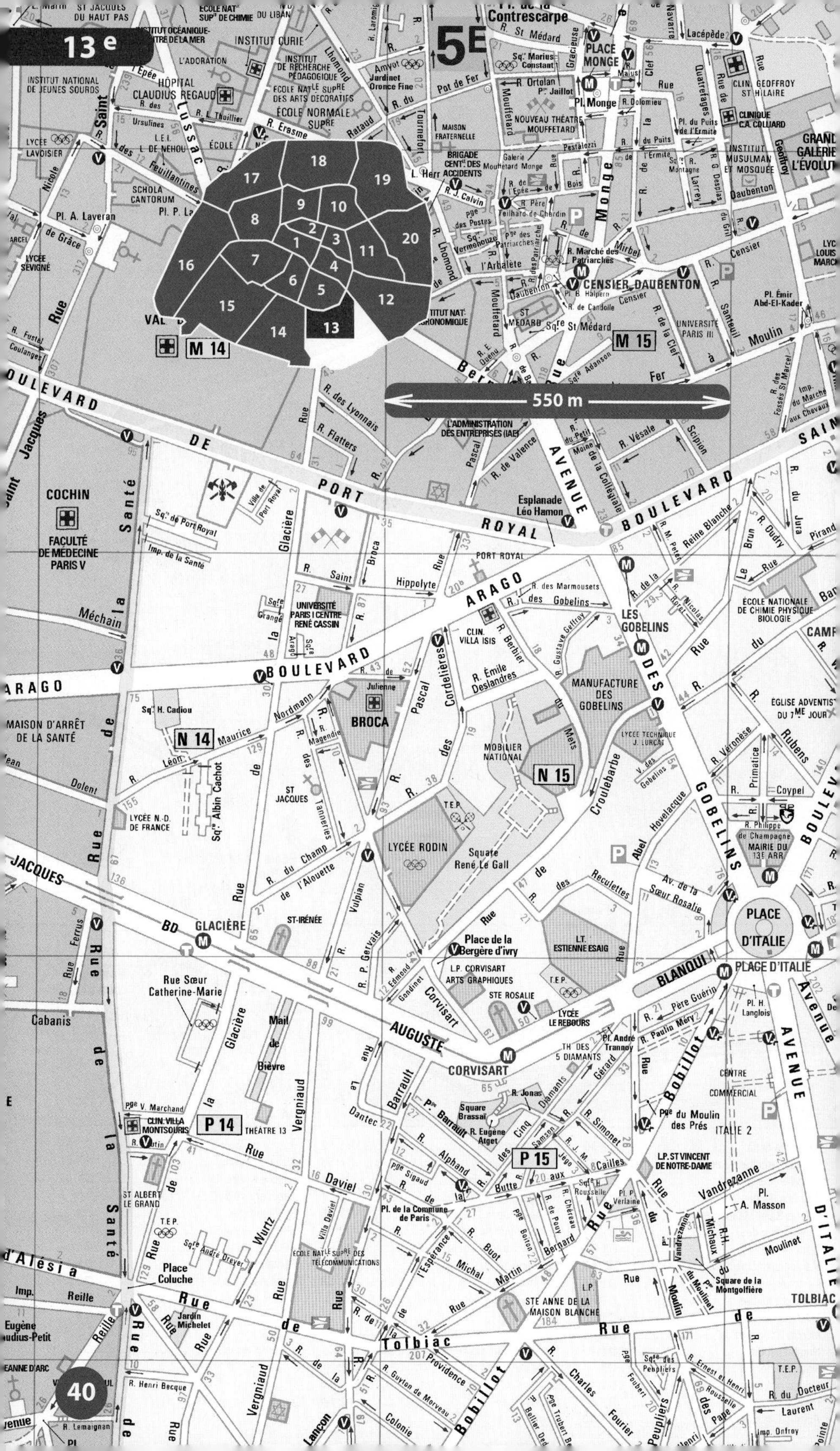
5E
550 m
Contrescarpe
R. St Médard
PLACE MONGE
Pl. Monge
Lacépède
INSTITUT CURIE
L'ADORATION
INSTITUT NATIONAL DE JEUNES SOURDS
HÔPITAL CLAUDIUS REGAUD
INSTITUT DE RECHERCHE PÉDAGOGIQUE
ÉCOLE NORMALE SUPRE
Jardinet Oronce Fine
Pot de Fer
Sq. Marius Constant
NOUVEAU THÉÂTRE MOUFFETARD
MAISON FRATERNELLE
BRIGADE CENTLE DES ACCIDENTS
CLIN. GEOFFROY ST HILAIRE
CLINIQUE C.A. COLLIARD
INSTITUT MUSULMAN ET MOSQUÉE
GRANDE GALERIE L'ÉVOLUT
Daubenton
Censier
CENSIER DAUBENTON
R. Marché des Patriarches
l'Arbalète
Mouffetard
UNIVERSITÉ PARIS III
Pl. Émir Abd-El-Kader
M 14
M 15
SCHOLA CANTORUM
Pl. A. Laveran
LYCÉE LAVOISIER
LYCÉE SÉVIGNÉ
BOULEVARD DE PORT ROYAL
R. des Lyonnais
R. Flatters
L'ADMINISTRATION DES ENTREPRISES (IAE)
R. de Valence
AVENUE
R. Vésale
Scipion
COCHIN
FACULTÉ DE MÉDECINE PARIS V
Esplanade Léo Hamon
PORT ROYAL
BOULEVARD ARAGO
R. des Marmousets
des Gobelins
UNIVERSITÉ PARIS I CENTRE RENÉ CASSIN
Hippolyte
CLIN. VILLA ISIS
R. Émile Deslandres
MANUFACTURE DES GOBELINS
LES GOBELINS
AVENUE DES GOBELINS
ÉCOLE NATIONALE DE CHIMIE PHYSIQUE BIOLOGIE
ÉGLISE ADVENTISTE DU 7ME JOUR
MAISON D'ARRÊT DE LA SANTÉ
Rue de la Santé
N 14
N 15
Sq. H. Cadiou
BROCA
MOBILIER NATIONAL
LYCÉE TECHNIQUE J. LURÇAT
LYCÉE N.D. DE FRANCE
ST JACQUES
LYCÉE RODIN
Square René Le Gall
Croulebarbe
MAIRIE DU 13E ARR.
PLACE D'ITALIE
Rue des Reculettes
Av. de la Sœur Rosalie
BD AUGUSTE BLANQUI
GLACIÈRE
ST-IRÉNÉE
Place de la Bergère d'Ivry
L.P. CORVISART ARTS GRAPHIQUES
LT. ESTIENNE ESAIG
STE ROSALIE
LYCÉE LE REBOURS
CORVISART
TH DES 5 DIAMANTS
Rue Sœur Catherine-Marie
Mail de Bièvre
CENTRE COMMERCIAL
ITALIE 2
Square Brassaï
CLIN. VILLA MONTSOURIS
P 14
P 15
THÉÂTRE 13
Rue Daviel
Butte aux Cailles
L.P. ST VINCENT DE NOTRE-DAME
ST ALBERT LE GRAND
Pl. de la Commune de Paris
ÉCOLE NATLE SUPRE DES TÉLÉCOMMUNICATIONS
Place Coluche
Jardin Michelet
STE ANNE DE LA MAISON BLANCHE
Square de la Montgolfière
Rue de Tolbiac
Rue Bobillot
Charles Fourier
R. du Docteur Laurent
Imp. Onfroy
R. Henri Becque
R. Lemaignan

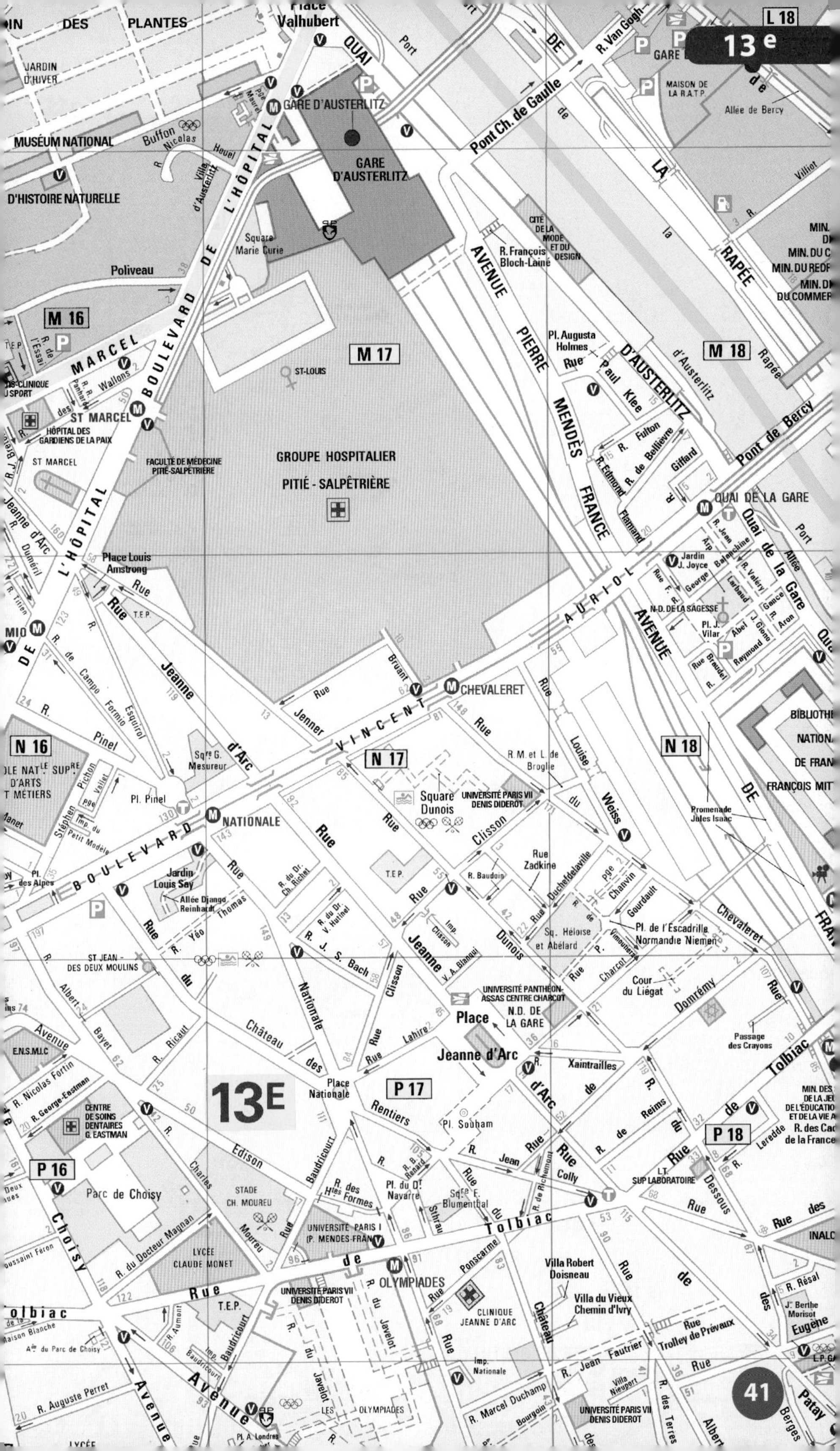
L 18
JARDIN DES PLANTES
Place Valhubert
JARDIN D'HIVER
MUSÉUM NATIONAL D'HISTOIRE NATURELLE
Buffon
R. Nicolas Houel
Villa d'Austerlitz
GARE D'AUSTERLITZ
QUAI D'AUSTERLITZ
Port
Pont Ch. de Gaulle
R. Van Gogh
GARE
MAISON DE LA R.A.T.P.
Allée de Bercy
QUAI DE LA RAPÉE
R. Villiot
Square Marie Curie
Poliveau
M 16
M 17
M 18
BOULEVARD DE L'HÔPITAL
BOULEVARD MARCEL
ST-LOUIS
CITÉ DE LA MODE ET DU DESIGN
R. François Bloch-Lainé
AVENUE PIERRE MENDÈS FRANCE
Pl. Augusta Holmes
Rue Paul Klee
MIN. DU C
MIN. DU REDF
MIN. D
DU COMMER
Pont de Bercy
ST MARCEL
HÔPITAL DES GARDIENS DE LA PAIX
R. Wallons
FACULTÉ DE MÉDECINE PITIÉ-SALPÊTRIÈRE
GROUPE HOSPITALIER PITIÉ - SALPÊTRIÈRE
R. Fulton
R. de Bellièvre
R. Edmond Flamand
R. Giffard
QUAI DE LA GARE
Port
Jardin J. Joyce
R. George Balanchine
R. Jean Arp
R. Valéry Larbaud
N.-D. DE LA SAGESSE
Pl. J. Vilar
R. Abel Gance
R. Jean Giono
R. Aron
R. Raymond Aron
Rue Bruant
Place Louis Armstrong
Rue Jeanne d'Arc
R. de Campo Formio
R. Esquirol
R. Pinel
Rue Jenner
BOULEVARD VINCENT AURIOL
CHEVALERET
AVENUE DE FRANCE
Rue Louise Weiss
N 16
N 17
N 18
Sq. G. Mesureur
Pl. Pinel
NATIONALE
Square Dunois
UNIVERSITÉ PARIS VII DENIS DIDEROT
R. M. et L. de Broglie
BIBLIOTHE NATIONA DE FRAN FRANÇOIS MIT
Promenade Jules Isaac
Rue Clisson
Rue Zadkine
R. Baudoin
Rue Duchefdelaville
Pge Chanvin
Gourdault
Pl. de l'Escadrille Normandie Niemen
Rue Dunois
Sq. Héloïse et Abélard
Rue du Chevaleret
Jardin Louis Say
Allée Django Reinhardt
Rue Thomas
R. Yéo
Rue du Dr. Ch. Richet
R. du Dr. V. Hutinel
R. J. S. Bach
Imp. Clisson
Rue Jeanne d'Arc
ST JEAN - DES DEUX MOULINS
UNIVERSITÉ PANTHÉON-ASSAS CENTRE CHARCOT
N.D. DE LA GARE
Rue Charcot
Cour du Liégat
Rue Domrémy
Passage des Crayons
Place Jeanne d'Arc
R. Xaintrailles
Rue de Tolbiac
R. de Reims
R. Albert
R. Bayet
R. Ricaut
Avenue
E.N.S.M.I.C.
Rue du Château des Rentiers
Rue Nationale
Rue Lahire
P 17
Place Nationale
Pl. Souham
13E
R. Nicolas Fortin
R. George-Eastman
CENTRE DE SOINS DENTAIRES G. EASTMAN
Rue Edison
R. Charles Moureu
STADE CH. MOUREU
Rue Baudricourt
R. des Hles Formes
R. B. Renard
Pl. du Dr Navarre
Sq. E. Blumenthal
R. Jean Colly
R. de Richemont
Rue Sthrau
MIN. DES DE LA JEU DE L'ÉDUCATIO ET DE LA VIE A
R. des Cad de la France
P 18
Rue Leredde
L.T. SUP LABORATOIRE
Rue Dessous des Berges
INALC
P 16
Parc de Choisy
Avenue de Choisy
R. du Docteur Magnan
LYCÉE CLAUDE MONET
UNIVERSITÉ PARIS I (P. MENDES-FRAN
OLYMPIADES
UNIVERSITÉ PARIS VII DENIS DIDEROT
Rue du Javelot
R. Ponscarme
CLINIQUE JEANNE D'ARC
Villa Robert Doisneau
Villa du Vieux Chemin d'Ivry
Rue du Château
Rue Trolley de Prévaux
R. Résal
J. Berthe Morisot
Eugène
L.P. G
T.E.P.
R. Aumont
Imp. Baudricourt
Avenue de Choisy
Maison Blanche
Av. du Parc de Choisy
R. Auguste Perret
LES OLYMPIADES
Pl. A. Londres
Imp. Nationale
R. Marcel Duchamp
Bourgoin
R. Jean Fautrier
Villa Nieuport
R. des Terres
UNIVERSITÉ PARIS VII DENIS DIDEROT
Patay

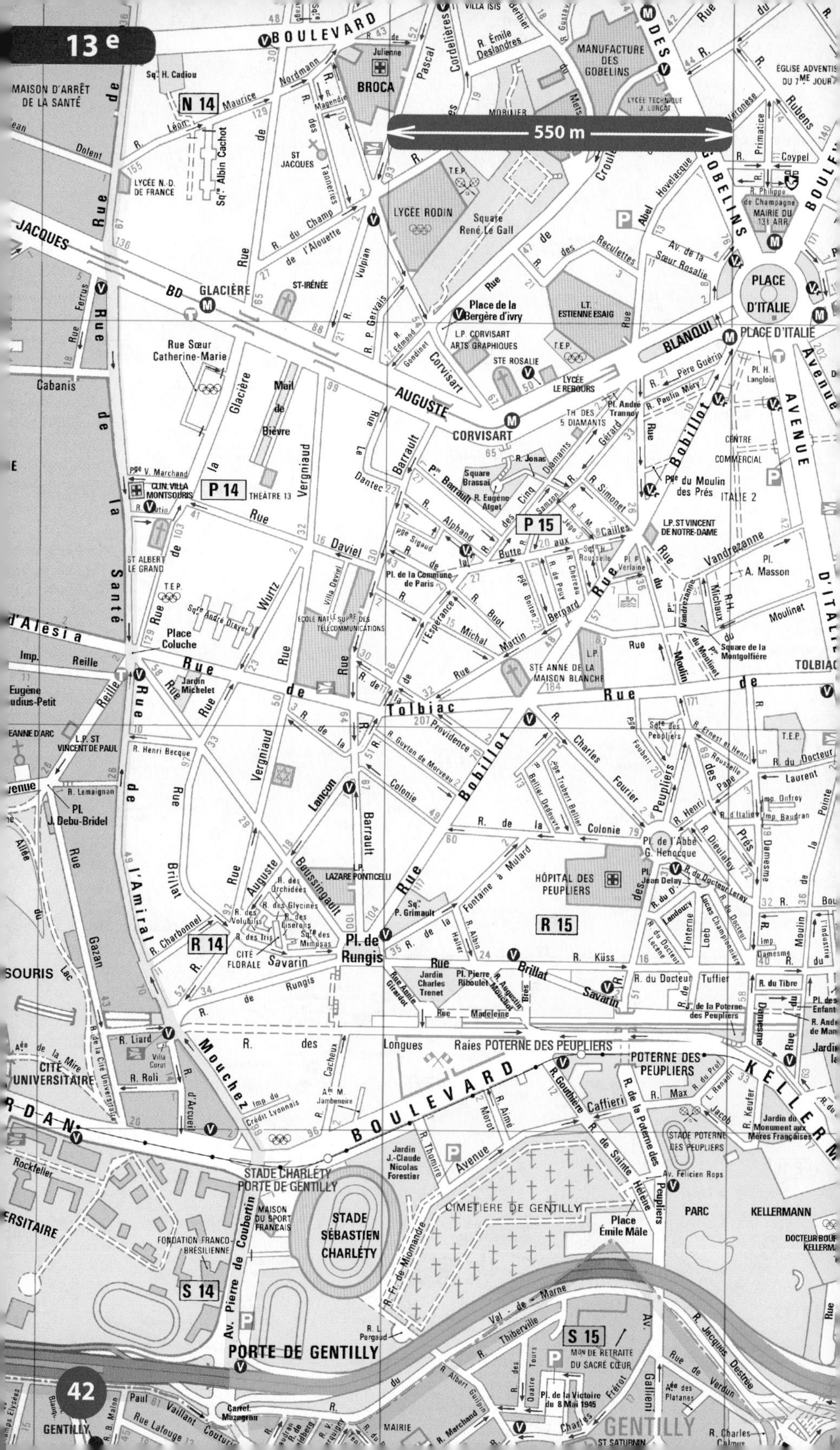

N 14
P 14
P 15
R 14
R 15
S 14
S 15
550 m
MAISON D'ARRÊT DE LA SANTÉ
Sq.re H. Cadiou
BOULEVARD
Julienne
BROCA
MANUFACTURE DES GOBELINS
LYCÉE TECHNIQUE J. LURÇAT
R. Émile Deslandres
Sq.re Albin Cachot
LYCÉE N.-D. DE FRANCE
ST JACQUES
LYCÉE RODIN
Square René Le Gall
T.E.P.
R. Philippe de Champagne
MAIRIE DU 13E ARR.
ÉGLISE ADVENTISTE DU 7ME JOUR
PLACE D'ITALIE
Av. de la Sœur Rosalie
BD AUGUSTE BLANQUI
GLACIÈRE
JACQUES
ST-IRÉNÉE
Place de la Bergère d'Ivry
L.P. CORVISART ARTS GRAPHIQUES
STE ROSALIE
LT. ESTIENNE ESAIG
LYCÉE LE REBOURS
CORVISART
Rue Sœur Catherine-Marie
Mail de Bièvre
Cabanis
TH DES 5 DIAMANTS
Pl. André Trannoy
Square Brassaï
R. Eugène Atget
CENTRE COMMERCIAL
ITALIE 2
Pge du Moulin des Prés
CLIN. VILLA MONTSOURIS
THÉATRE 13
ST ALBERT LE GRAND
L.P. ST VINCENT DE NOTRE-DAME
Pl. de la Commune de Paris
Butte aux Cailles
Pl. P. Verlaine
Pl. A. Masson
Sq.re André Dreyer
Place Coluche
ÉCOLE NAT.LE SUP.RE DES TÉLÉCOMMUNICATIONS
STE ANNE DE LA MAISON BLANCHE
Square de la Montgolfière
d'Alésia
Jardin Michelet
Rue de Tolbiac
L.P. ST VINCENT DE PAUL
Pl. J. Debu-Bridel
Rue de l'Amiral
Rue Bobillot
Rue Brillat Savarin
L.P. LAZARE PONTICELLI
Sq.re P. Grimault
HÔPITAL DES PEUPLIERS
Pl. de l'Abbé G. Henocque
Pl. Jean Delay
CITÉ FLORALE
Pl. de Rungis
Jardin Charles Trenet
Pl. Pierre Riboulet
SOURIS
CITÉ UNIVERSITAIRE
R. Liard
R. Roli
Villa Corot
Mouchez
POTERNE DES PEUPLIERS
BOULEVARD KELLERMANN
Jardin du Monument aux Mères Françaises
STADE POTERNE DES PEUPLIERS
STADE CHARLÉTY PORTE DE GENTILLY
MAISON DU SPORT FRANÇAIS
STADE SÉBASTIEN CHARLÉTY
Jardin J.-Claude Nicolas Forestier
CIMETIÈRE DE GENTILLY
Place Émile Mâle
PARC KELLERMANN
FONDATION FRANCO-BRÉSILIENNE
Av. Pierre de Coubertin
PORTE DE GENTILLY
MON DE RETRAITE DU SACRÉ CŒUR
Pl. de la Victoire du 8 Mai 1945
Val-de-Marne
GENTILLY
ST SATURNIN
MAIRIE
Carref. Mazagran

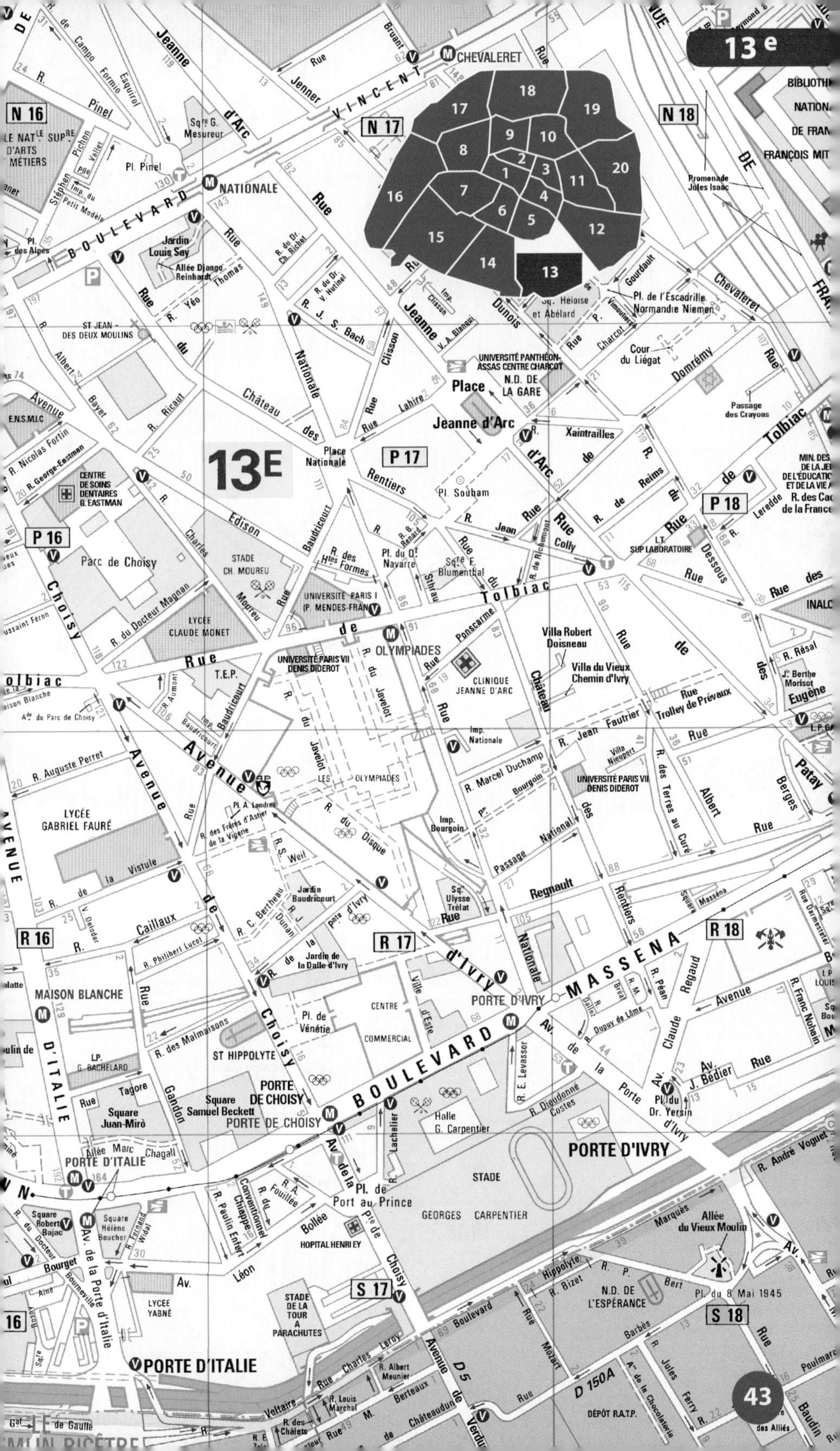
13E
CHEVALERET
NATIONALE
OLYMPIADES
PORTE D'IVRY
PORTE DE CHOISY
PORTE D'ITALIE
MAISON BLANCHE
N 16
N 17
N 18
P 16
P 17
P 18
R 16
R 17
R 18
S 17
S 18
BOULEVARD VINCENT
BOULEVARD MASSENA
BOULEVARD
Rue Jeanne d'Arc
Rue Jenner
Rue Bruant
R. de Campo Formio
Esquirol
R. Pinel
Pl. Pinel
Sq^re G. Mesureur
Jardin Louis Say
Allée Django Reinhardt
Rue du Château des Rentiers
Rue Nationale
R. J. S. Bach
Rue Clisson
Rue Lahire
Place Jeanne d'Arc
Place Nationale
Pl. Souham
Rue Dunois
Sq. Héloïse et Abélard
Pl. de l'Escadrille Normandie Niemen
Rue Chevaleret
Cour du Liégat
Rue Domrémy
Rue de Tolbiac
R. de Reims
Rue du Dessous des Berges
Rue Xaintrailles
N.D. DE LA GARE
UNIVERSITÉ PANTHÉON-ASSAS CENTRE CHARCOT
ST JEAN-DES DEUX MOULINS
Avenue de Choisy
Parc de Choisy
CENTRE DE SOINS DENTAIRES G. EASTMAN
R. Edison
STADE CH. MOUREU
LYCÉE CLAUDE MONET
R. du Docteur Magnan
UNIVERSITÉ PARIS I (P. MENDES-FRANCE)
Rue Baudricourt
R. Jean Colly
Sq^re F. Blumenthal
UNIVERSITÉ PARIS VII DENIS DIDEROT
Rue Ponscarme
CLINIQUE JEANNE D'ARC
Villa Robert Doisneau
Villa du Vieux Chemin d'Ivry
Rue Trolley de Prévaux
R. Jean Fautrier
Rue Albert
Rue Patay
Avenue d'Ivry
R. du Javelot
LES OLYMPIADES
R. du Disque
R. Marcel Duchamp
Passage National
Rue Regnault
Sq. Ulysse Trélat
R. Auguste Perret
LYCÉE GABRIEL FAURÉ
R. de la Vistule
Jardin Baudricourt
Jardin de la Dalle d'Ivry
R. Caillaux
Pl. de Vénétie
CENTRE COMMERCIAL
ST HIPPOLYTE
Square Samuel Beckett
Square Juan-Miró
Allée Marc Chagall
Av. de la Porte d'Italie
LYCÉE YABNÉ
Halle G. Carpentier
STADE GEORGES CARPENTIER
Pl. de Port au Prince
HOPITAL HENRI EY
STADE DE LA TOUR A PARACHUTES
Av. de la Porte d'Ivry
Avenue Claude Regaud
Av. J. Bédier
Pl. du Dr. Yersin
R. André Voguet
Allée du Vieux Moulin
N.D. DE L'ESPÉRANCE
Pl. du 8 Mai 1945
DÉPÔT R.A.T.P.
D 150A
D 5
Avenue de Verdun

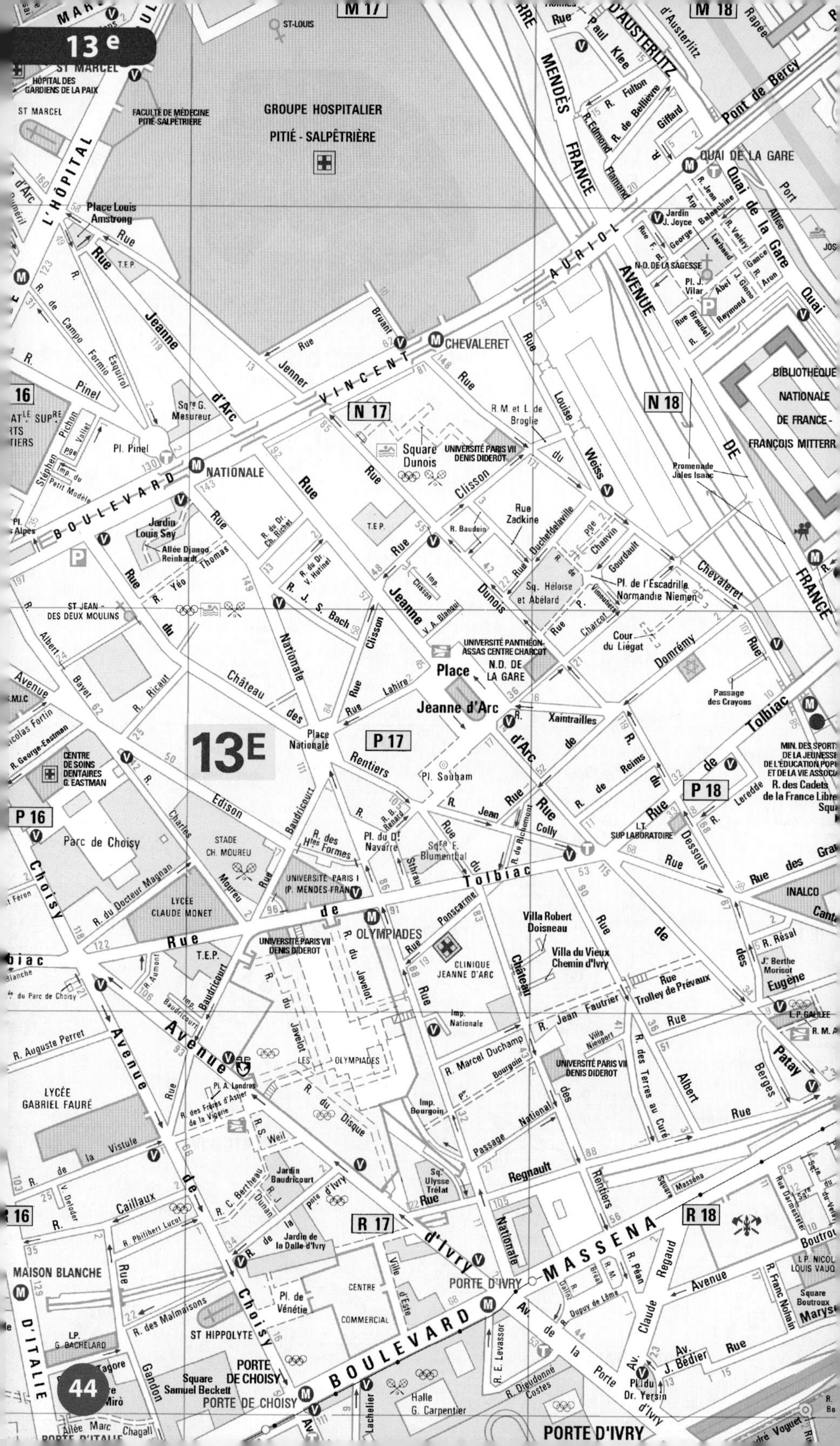
M 17
M 18
ST-LOUIS
ST MARCEL
HÔPITAL DES GARDIENS DE LA PAIX
FACULTÉ DE MÉDECINE PITIÉ-SALPÊTRIÈRE
GROUPE HOSPITALIER
PITIÉ - SALPÊTRIÈRE
L'HÔPITAL
Place Louis Armstrong
Rue Jeanne d'Arc
R. de Campo Formio
Esquirol
Pinel
Sq re G. Mesureur
Pl. Pinel
BOULEVARD VINCENT AURIOL
NATIONALE
CHEVALERET
Rue Jenner
Bruant
MENDÈS FRANCE
Rue Paul Klee
D'AUSTERLITZ
R. Fulton
R. de Bellièvre
Giffard
R. Edmond Flamand
Pont de Bercy
QUAI DE LA GARE
Quai de la Gare
Port
Jardin J. Joyce
Rue George Balanchine
N.-D. DE LA SAGESSE
Pl. J. Vilar
Abel Gance
Raymond Aron
Rue Braudel
AVENUE
BIBLIOTHÈQUE NATIONALE DE FRANCE - FRANÇOIS MITTERR
N 18
N 17
DE FRANCE
Promenade Jules Isaac
Chevaleret
Rue Louise Weiss
R. M. et L. de Broglie
Square Dunois
UNIVERSITÉ PARIS VII DENIS DIDEROT
Rue Clisson
Rue Dunois
Rue Zadkine
R. Baudoin
Rue Duchefdelaville
Pge Chanvin
Gourdault
Sq. Héloïse et Abélard
Pl. de l'Escadrille Normandie Niemen
Rue Charcot
Cour du Liégat
Domrémy
Passage des Crayons
Tolbiac
Jardin Louis Say
Allée Django Reinhardt
Rue Thomas
R. Yéo
R. du Dr. Ch. Richet
R. du Dr. V. Hutinel
R. J. S. Bach
Imp. Clisson
V. A. Blanqui
ST JEAN - DES DEUX MOULINS
Rue du Château des Rentiers
Rue Nationale
Rue Lahire
UNIVERSITÉ PANTHÉON-ASSAS CENTRE CHARCOT
N.D. DE LA GARE
Place Jeanne d'Arc
Xaintrailles
Rue de Reims
Place Nationale
P 17
Pl. Souham
R. Jean Colly
R. de Richemont
LT. SUP LABORATOIRE
Rue du Dessous des Berges
Rue des Grands Moulins
INALCO
MIN. DES SPORTS DE LA JEUNESSE DE L'ÉDUCATION POPU ET DE LA VIE ASSOCI
R. des Cadets de la France Libre
P 18
Leredde
Albert Bayet
R. Ricaut
Avenue
Nicolas Fortin
R. George-Eastman
CENTRE DE SOINS DENTAIRES G. EASTMAN
13E
R. Edison
R. Charles Moureu
STADE CH. MOUREU
Baudricourt
R. des Htes Formes
Pl. du Dr Navarre
Sq re F. Blumenthal
Sthrau
P 16
Parc de Choisy
Choisy
R. du Docteur Magnan
LYCÉE CLAUDE MONET
UNIVERSITÉ PARIS I (P. MENDES-FRANCE)
Rue de Tolbiac
OLYMPIADES
Ponscarme
CLINIQUE JEANNE D'ARC
Villa Robert Doisneau
Villa du Vieux Chemin d'Ivry
Rue Trolley de Préveaux
Rue Eugène
R. Résal
Jd Berthe Morisot
L.P. GALILEE
Patay
UNIVERSITÉ PARIS VII DENIS DIDEROT
T.E.P.
R. du Javelot
Imp. Nationale
R. Jean Fautrier
Villa Nieuport
R. des Terres au Curé
Rue Albert
R. Marcel Duchamp
Bourgoin
Imp. Bourgoin
Passage National
Regnault
Rentiers
Square Masséna
R. Auguste Perret
LYCÉE GABRIEL FAURÉ
Avenue de Choisy
Pl. A. Londres
R. des Frères d'Astier de la Vigerie
R. S. Weil
LES OLYMPIADES
R. du Disque
Rue de la Vistule
Rue des Caillaux
R. Philibert Lucot
R. C. Bertheau
Jardin Baudricourt
Porte d'Ivry
Sq. Ulysse Trélat
Rue d'Ivry
R 17
R 18
Jardin de la Dalle d'Ivry
MASSENA
R. Péan
Regaud
R. Darmesteter
L.P. NICOL LOUIS VAUQ
Avenue Claude Regaud
R. Franc Nohain
Square Boutroux
MAISON BLANCHE
D'ITALIE
LP. G. BACHELARD
ST HIPPOLYTE
R. des Malmaisons
Pl. de Vénétie
CENTRE COMMERCIAL
Villa d'Este
PORTE D'IVRY
BOULEVARD
R. Dupuy de Lôme
Av. de la Porte d'Ivry
Av. J. Bédier
Pl. du Dr. Yersin
R. E. Levassor
R. Dieudonné Costes
Halle G. Carpentier
Lachelier
Square Samuel Beckett
PORTE DE CHOISY
Tagore
Gandon
Allée Marc Chagall
PORTE D'IVRY

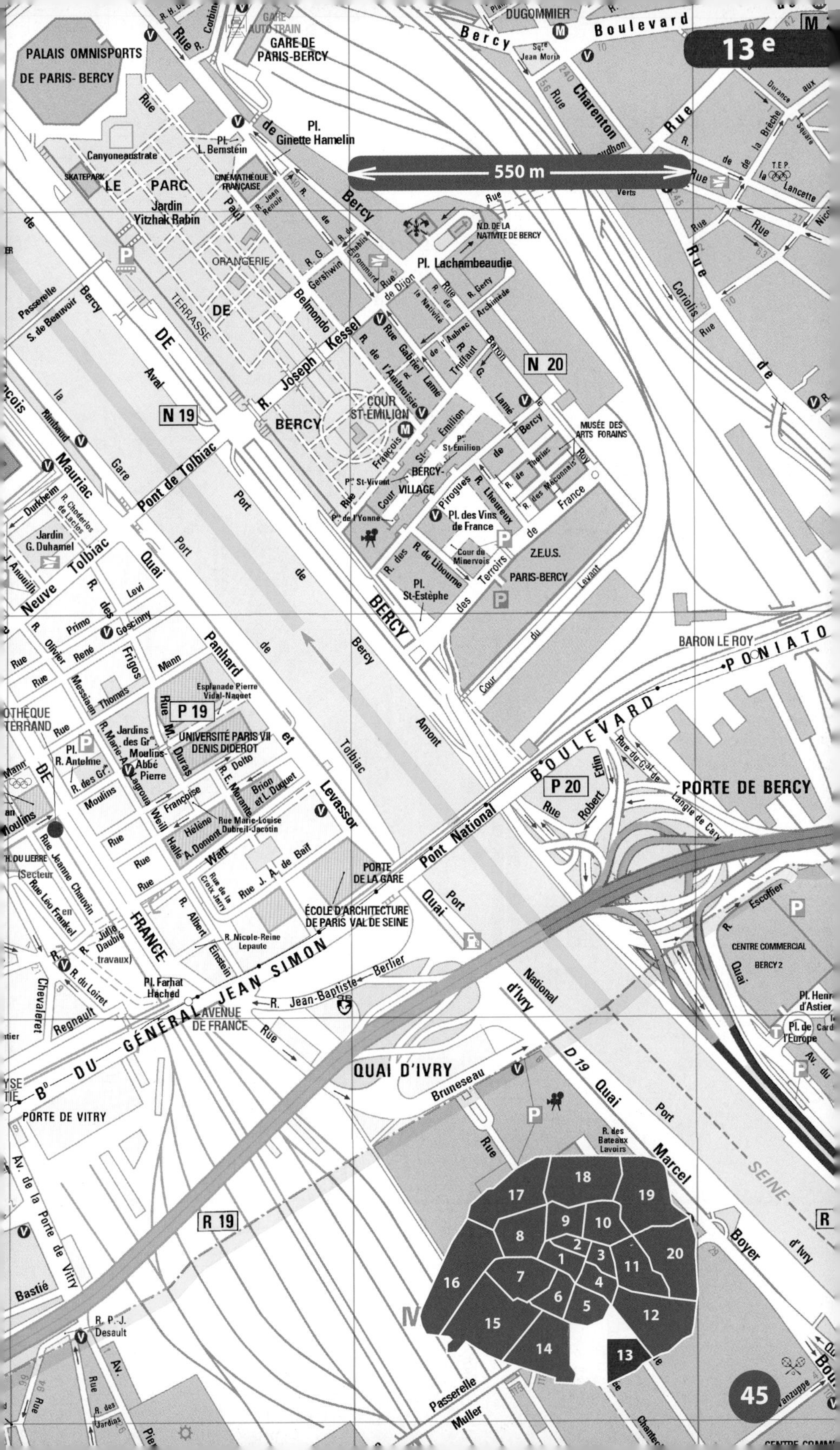
13e
550 m
PALAIS OMNISPORTS DE PARIS-BERCY
GARE AUTO TRAIN
GARE DE PARIS-BERCY
DUGOMMIER
Boulevard
Bercy
Sq. Jean Morin
Rue Charenton
Pl. Ginette Hamelin
Pl. L. Bernstein
Canyoneaustrate
SKATEPARK
LE PARC DE BERCY
Jardin Yitzhak Rabin
CINÉMATHÈQUE FRANÇAISE
R. Jean Renoir
Rue Paul Belmondo
ORANGERIE
TERRASSE
R. G. Gershwin
R. de Chablis
R. de Pommard
Pl. Lachambeaudie
N.D. DE LA NATIVITÉ DE BERCY
Rue de Dijon
Rue de la Nativité
R. Gerty Archimède
R. de l'Aubrac
R. Truffaut
Rue Baron
G. Lamé
Rue Gabriel Lamé
R. de l'Ambroisie
R. Joseph Kessel
N 20
N 19
COUR ST-EMILION
BERCY
Rue François Truffaut
Pl. St-Emilion
Pl. St-Vivant
BERCY-VILLAGE
Cour St-Emilion
Pl. de l'Yonne
Pirogues
R. Lheureux
Pl. des Vins de France
R. des Pirogues
R. de Libourne
Cour du Minervois
Pl. St-Estèphe
Terroirs de France
Z.E.U.S.
PARIS-BERCY
Cour du Levant
Bercy
Rue de Thorins
R. des Mâconnais
MUSÉE DES ARTS FORAINS
Roy
BARON LE ROY
PONIATO
Passerelle S. de Beauvoir
Bercy
Aval
Gare
Port de Bercy Aval
la Rimbaud
Mauriac
Pont de Tolbiac
Port de la Gare
Quai de Bercy
Port de Bercy Amont
Tolbiac
Port de Tolbiac
Durkheim
R. Choderlos de Laclos
Jardin G. Duhamel
Neuve Tolbiac
J. Anouilh
R. des Primo Levi
Goscinny
R. Olivier Messiaen
René Thomas
Frigos
Mann
Panhard et Levassor
Esplanade Pierre Vidal-Naquet
P 19
Rue M. Duras
UNIVERSITÉ PARIS VII DENIS DIDEROT
Jardins des Grs Moulins-Abbé Pierre
R. Marie-A. Lagroua
Dolto
R. E. Morante
Brion et L. Duquet
Françoise Weill
Hélène Halle
A. Domont
Rue Marie-Louise Dubreil-Jacotin
Watt
Pl. R. Antelme
R. des Grs Moulins
Rue Jeanne Chauvin
Rue Léo Frenkel
Rue de la Croix Jarry
Rue J. A. de Baïf
PORTE DE LA GARE
ÉCOLE D'ARCHITECTURE DE PARIS VAL DE SEINE
R. Albert Einstein
R. Nicole-Reine Lepaute
Julie Daubié
AVENUE DE FRANCE
R. du Loiret
Chevaleret
Regnault
Pl. Farhat Hached
Bd DU GÉNÉRAL JEAN SIMON
BOULEVARD
Pont National
P 20
Rue Robert Etlin
Rue du Gal de Langle de Cary
PORTE DE BERCY
Quai Port
R. Jean-Baptiste Berlier
National d'Ivry
QUAI D'IVRY
Bruneseau
D 19 Quai Port Marcel Boyer
SEINE
d'Ivry
R. des Bateaux Lavoirs
PORTE DE VITRY
Av. de la Porte de Vitry
R 19
Bastié
R. P.-J. Desault
Passerelle
Muller
Escoffier
CENTRE COMMERCIAL BERCY 2
Quai
Pl. Henri d'Astier
Pl. de l'Europe
Rue Coriolis
Rue de la Brèche aux Loups
la Lancette
T.E.P.
Verts
Durance
Square
45

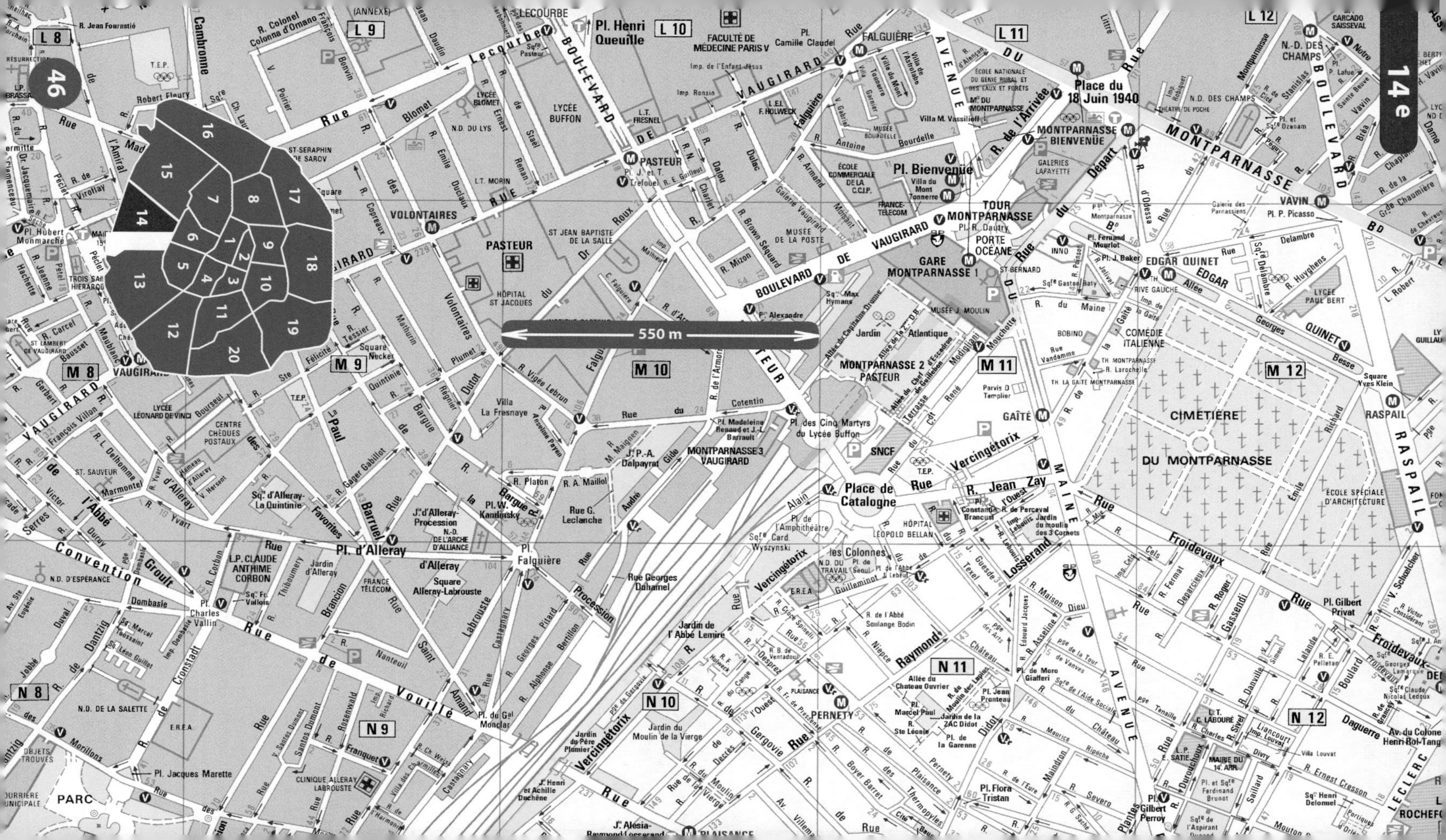

CIMETIÈRE DU MONTPARNASSE
GARE MONTPARNASSE 1
TOUR MONTPARNASSE
BOULEVARD MONTPARNASSE
RASPAIL
AVENUE DU MAINE
BOULEVARD DE VAUGIRARD
BOULEVARD PASTEUR
Rue de Vaugirard
Vercingétorix
Losserand
Froidevaux
Rue du Départ
d'Odessa
Rue Falguière
Rue de Vouillé
Procession
Dantzig
Convention
Lecourbe
Cambronne
Blomet
Dutot
Pernety
Didot
Gergovie
Castagnary
Brancion
Labrouste
Alain
Daguerre
Gassendi
Boulard
Liancourt
R. Jean Zay
Rue Georges Duhamel
Place du 18 Juin 1940
Place de Catalogne
Pl. Bienvenüe
Pl. d'Alleray
Pl. Henri Queuille
Pl. Falguière
Pl. Gilbert Perroy
Pl. Gilbert Privat
Pl. Flora Tristan
Pl. Jacques Marette
Pl. Charles Vallin
Pl. Hubert Monmarché
MONTPARNASSE BIENVENÜE
GAITÉ
EDGAR QUINET
VAVIN
PERNETY
PLAISANCE
FALGUIÈRE
PASTEUR
VOLONTAIRES
VAUGIRARD
GALERIES LAFAYETTE
COMÉDIE ITALIENNE
BOBINO
HÔPITAL LEOPOLD BELLAN
HÔPITAL ST JACQUES
LYCÉE BUFFON
LYCÉE PAUL BERT
MUSÉE BOURDELLE
MUSÉE DE LA POSTE
MUSÉE J. MOULIN
Jardin Atlantique
MONTPARNASSE 2 PASTEUR
MONTPARNASSE 3 VAUGIRARD
SNCF
MAIRIE DU 14e ARR.
ÉCOLE SPÉCIALE D'ARCHITECTURE
FACULTÉ DE MÉDECINE PARIS V
ST JEAN BAPTISTE DE LA SALLE
Jardin du Moulin de la Vierge
Square Alleray-Labrouste
CLINIQUE ALLERAY LABROUSTE
CENTRE CHÈQUES POSTAUX
LYCEE LÉONARD DE VINCI
N.D. DE LA SALETTE
PARC
550 m
L 8
L 9
L 10
L 11
L 12
M 8
M 9
M 10
M 11
M 12
N 8
N 9
N 10
N 11
N 12
1
2
3
4
5
6
7
8
9
10
11
12
13
14
15
16
17
18
19
20

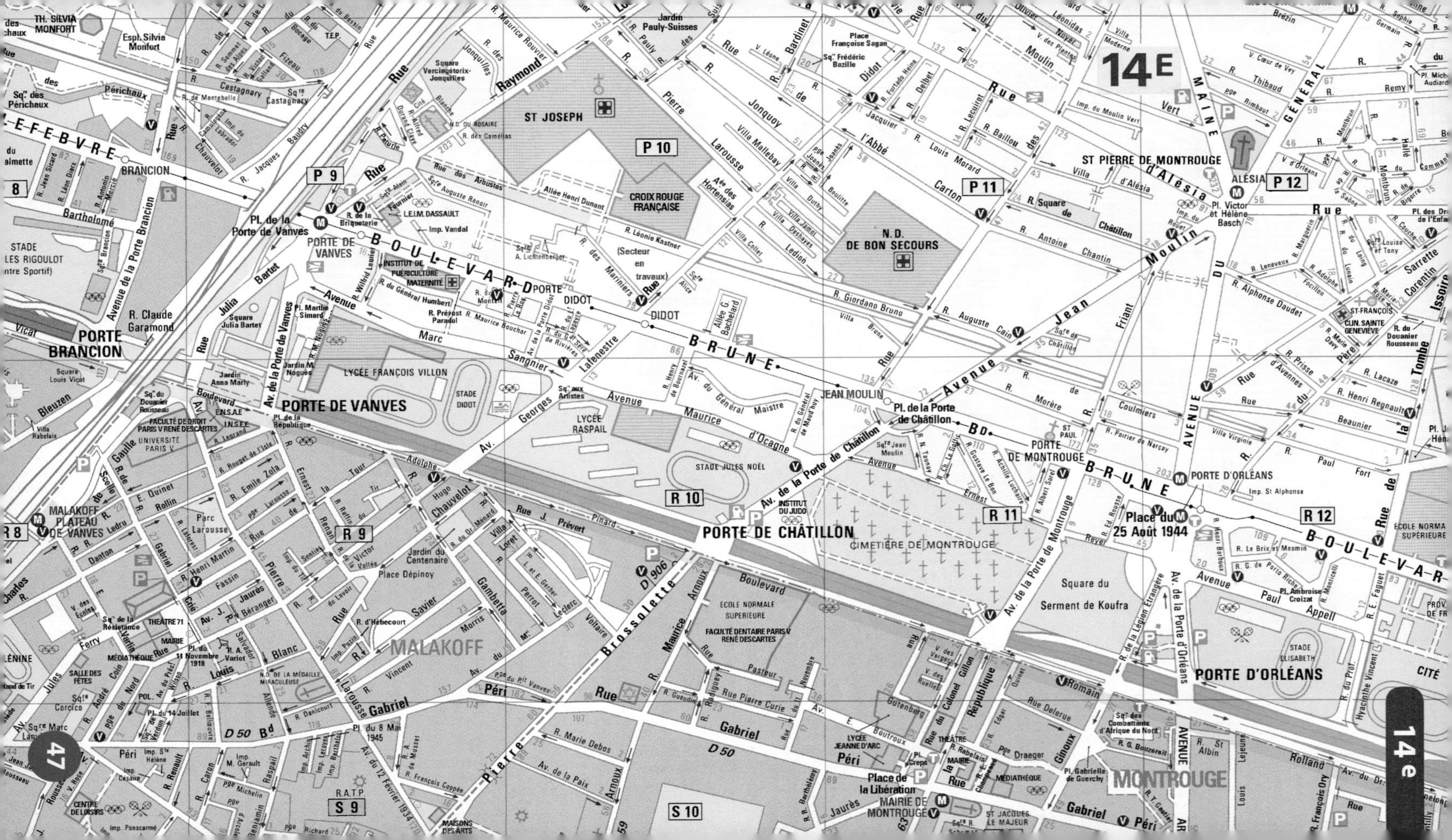

14E
PORTE D'ORLÉANS
PORTE DE CHÂTILLON
PORTE DE VANVES
PORTE BRANCION
MONTROUGE
MALAKOFF
CIMETIÈRE DE MONTROUGE
N.D. DE BON SECOURS
ST JOSEPH
CROIX ROUGE FRANÇAISE
LYCÉE FRANÇOIS VILLON
LYCÉE RASPAIL
STADE JULES NOËL
STADE DIDOT
ST PIERRE DE MONTROUGE
Place du 25 Août 1944
Square du Serment de Koufra
Av. de la Porte de Montrouge
Avenue de la Porte Brancion

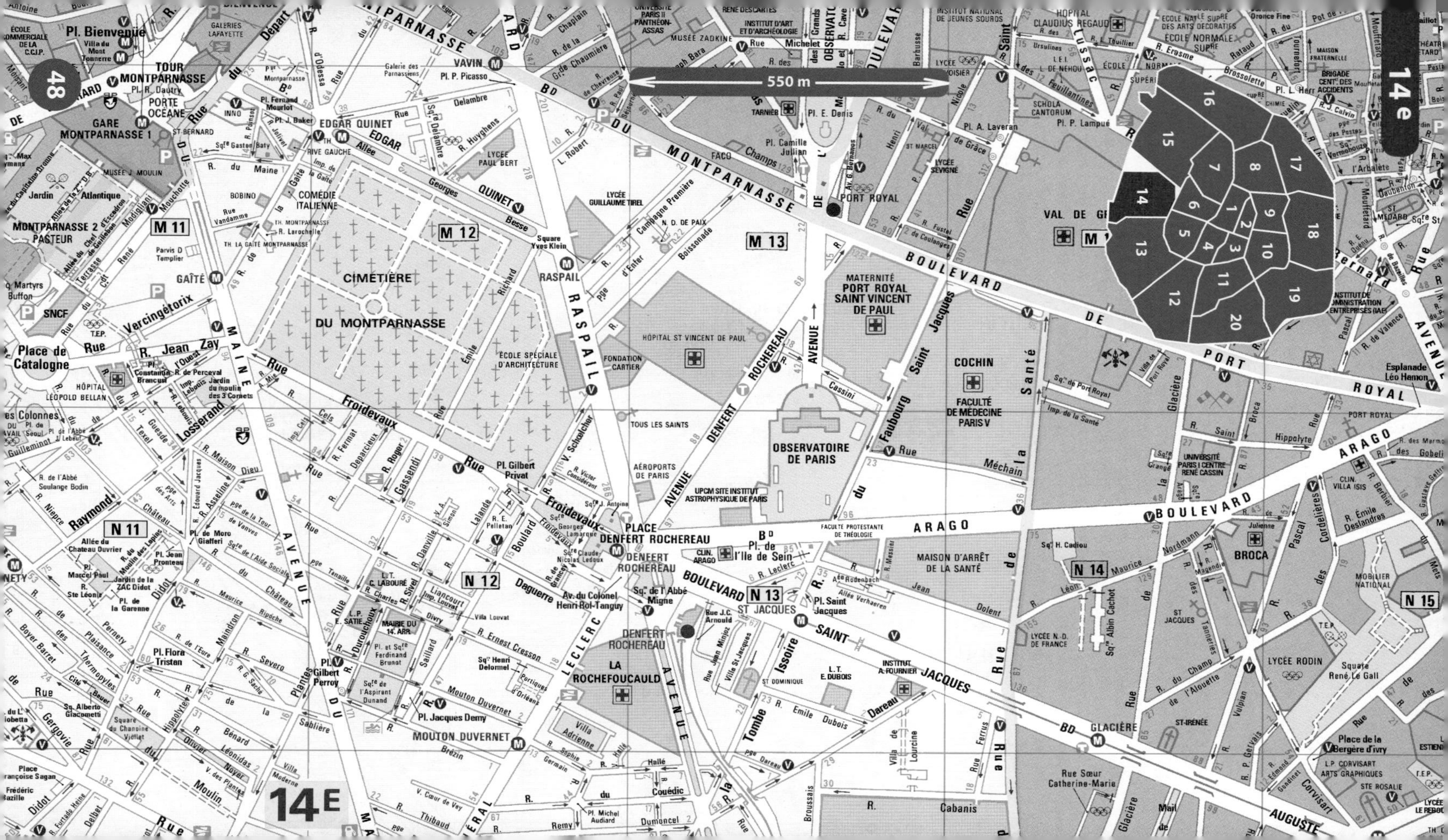

14e
48
14E
550 m
BOULEVARD DE PORT ROYAL
BOULEVARD ARAGO
BOULEVARD DU MONTPARNASSE
RASPAIL
AVENUE DENFERT ROCHEREAU
AVENUE DU MAINE
Rue du Faubourg Saint Jacques
Rue de la Santé
Rue Froidevaux
Daguerre
Rue Raymond Losserand
Vercingétorix
Gassendi
Didot
Mouton Duvernet
Cabanis
Dareau
Tombe Issoire
SAINT JACQUES
OBSERVATOIRE DE PARIS
CIMETIÈRE DU MONTPARNASSE
MAISON D'ARRÊT DE LA SANTÉ
HÔPITAL ST VINCENT DE PAUL
MATERNITÉ PORT ROYAL SAINT VINCENT DE PAUL
COCHIN
FACULTÉ DE MÉDECINE PARIS V
INSTITUT A. FOURNIER
LA ROCHEFOUCAULD
FONDATION CARTIER
TOUS LES SAINTS
ÉCOLE SPÉCIALE D'ARCHITECTURE
LYCÉE PAUL BERT
LYCÉE GUILLAUME TIREL
LYCÉE RODIN
VAL DE GR
PLACE DENFERT ROCHEREAU
GARE MONTPARNASSE 1
MONTPARNASSE 2 PASTEUR
TOUR MONTPARNASSE
Place de Catalogne
COMÉDIE ITALIENNE
BOBINO
MAIRIE DU 14e ARR.
HÔPITAL LÉOPOLD BELLAN
M 11
M 12
M 13
N 11
N 12
N 13
N 14
N 15

PARC MONTSOURIS
CITÉ UNIVERSITAIRE
CITÉ INTERNATIONALE UNIVERSITAIRE DE PARIS
MAISON INTERNATIONALE
FONDATION DEUTSCH DE LA MEURTHE
FONDATION AVICENNE
FONDATION FRANCO-BRÉSILIENNE
MAISON DU SPORT FRANÇAIS
STADE SÉBASTIEN CHARLÉTY
STADE CHARLÉTY PORTE DE GENTILLY
PORTE DE GENTILLY
CIMETIÈRE DE GENTILLY
BOULEVARD JOURDAN
BD BRUNE
PORTE D'ORLÉANS
STADE ELISABETH
PORTE D'ARCUEIL
PORTE DE MONTROUGE
Pl. de la Porte de Châtillon
MONTSOURIS
RÉSERVOIRS DE MONTSOURIS
INSTITUT MUTUALISTE MONTSOURIS
ÉCOLE NORMALE SUPÉRIEURE
PROVINCES DE FRANCE
CITÉ DU SOUVENIR
STE ANNE
N.D. DE BON SECOURS
ST PIERRE DE MONTROUGE
ALÉSIA
Rue d'Alésia
Rue de la Santé
Rue de l'Amiral Mouchez
Rue de Tolbiac
Rue Bobillot
Pl. de Rungis
Place du 25 Août 1944
Av. de la Porte d'Orléans
Av. de la Porte de Montrouge
Avenue Reille
Rue de la Tombe Issoire
Rue Gazan
Allée du Lac
René Coty
Rue du Moulin Vert
Avenue Jean Moulin
Square du Serment de Koufra
CIMETIÈRE DE MONTROUGE
MONTROUGE
AVENUE ARISTIDE BRIAND
Rue Gabriel Péri
MAIRIE DE MONTROUGE
Place de la Libération
P 11
P 12
P 13
P 14
P 15
R 11
R 12
R 13
R 14
R 15
S 11
S 12
S 13
S 14
D 920
D 50
D 128

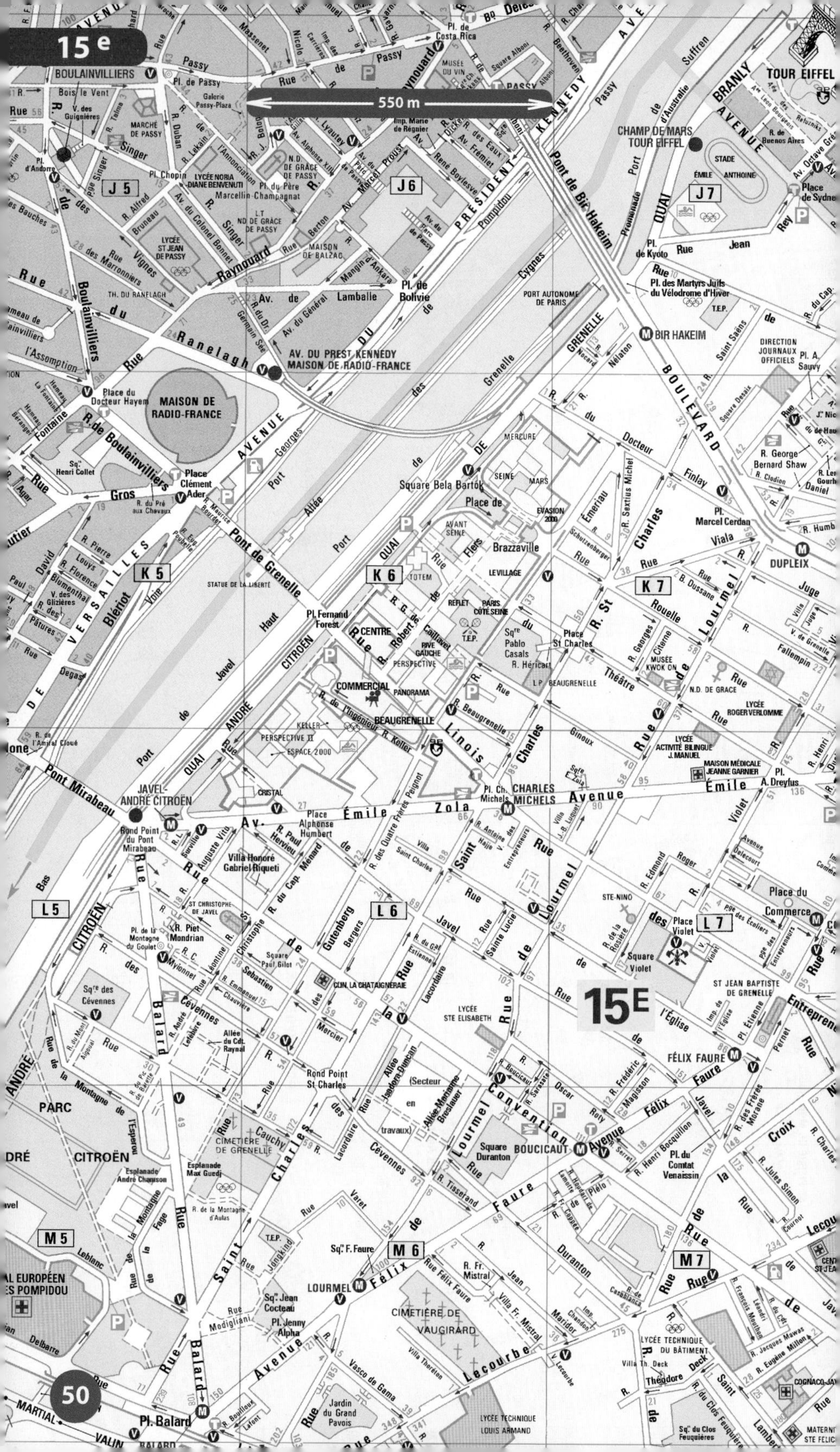
550 m
TOUR EIFFEL
CHAMP DE MARS TOUR EIFFEL
MAISON DE RADIO-FRANCE
AV. DU PREST KENNEDY MAISON DE RADIO-FRANCE
BIR HAKEIM
Pont de Bir Hakeim
Pont de Grenelle
Pont Mirabeau
JAVEL-ANDRÉ CITROËN
CHARLES MICHELS
DUPLEIX
FÉLIX FAURE
BOUCICAUT
LOURMEL
Pl. Balard
PARC ANDRÉ CITROËN
CIMETIÈRE DE VAUGIRARD
CIMETIÈRE DE GRENELLE
15E

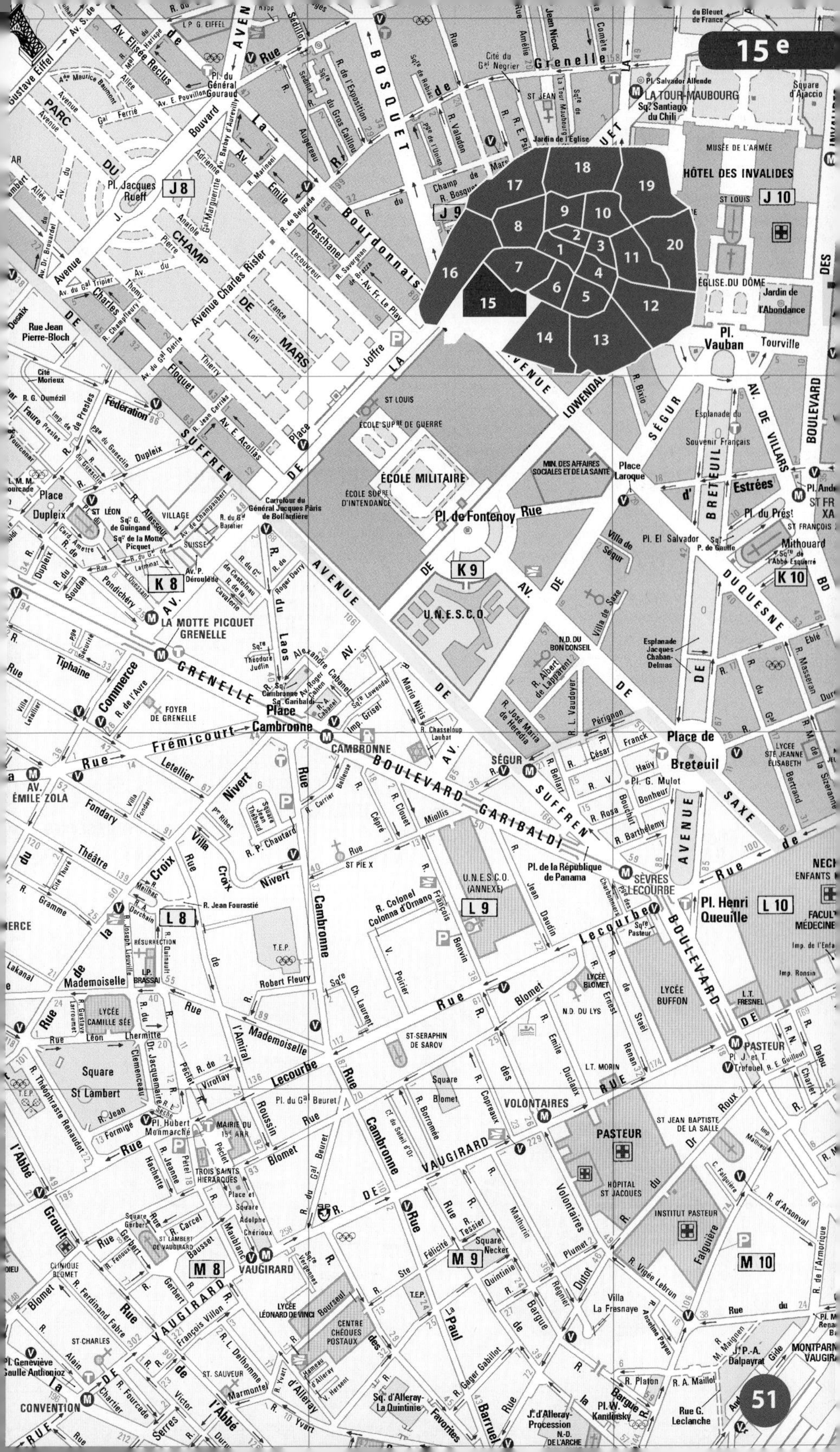
Av. Gustave Eiffel
L.P. G. EIFFEL
Av. Elisée Reclus
Pl. du Général Gouraud
Av. E. Pouvillon
Bouvard
Rue de Grenelle
Cité du Gal Negrier
Rue Jean Nicot
Rue Amélie
Rue Cler
Rue de l'Exposition
R. Sédillot
Rue Augereau
Rue du Gros Caillou
R. Valadon
R. Bosquet
Jardin de l'Eglise
Pl. Salvador Allende
LA TOUR-MAUBOURG
Sq. Santiago du Chili
du Bleuet de France
Square d'Ajaccio
MUSÉE DE L'ARMÉE
HÔTEL DES INVALIDES
ST LOUIS
J 10
ÉGLISE DU DÔME
Jardin de l'Abondance
PARC DU CHAMP DE MARS
Pl. Jacques Rueff
J 8
J 9
Allée Thomy Thierry
Avenue Charles Risler
Av. Émile Deschanel
R. de Belgrade
Av. Fr. Le Play
Av. Joffre
Avenue de Suffren
R. Jean Carriès
Av. E. Acollas
Av. Charles Floquet
Av. du Gal Détrie
Av. du Gal Tripier
Rue Jean Pierre-Bloch
Cité Morieux
R. G. Dumézil
Fédération
R. de Presles
Dupleix
Place Dupleix
ST LÉON
Sq. G. de Guingand
Sq. de la Motte Picquet
VILLAGE SUISSE
Av. de Champaubert
Av. P. Déroulède
K 8
LA MOTTE PICQUET GRENELLE
Avenue de la Motte Picquet
ST LOUIS
ÉCOLE SUPRE DE GUERRE
ÉCOLE MILITAIRE
ÉCOLE SUPRE D'INTENDANCE
Carrefour du Général Jacques Pâris de Bollardière
Pl. de Fontenoy
K 9
U.N.E.S.C.O.
Avenue de Lowendal
R. Bixio
Avenue de Ségur
Place Vauban
Tourville
Esplanade du Souvenir Français
Av. de Villars
Boulevard des Invalides
Avenue de Breteuil
Pl. du Président Mithouard
Pl. El Salvador
Av. Duquesne
K 10
MIN. DES AFFAIRES SOCIALES ET DE LA SANTÉ
Place Laroque
Villa de Ségur
Villa de Saxe
N.D. DU BON CONSEIL
R. Albert de Lapparent
R. José Maria de Heredia
R. L. Vaudoyer
Pérignon
Esplanade Jacques Chaban-Delmas
Avenue de Saxe
Place de Breteuil
LYCÉE STE JEANNE ÉLISABETH
R. Masseran
R. Bertrand
Boulevard de Grenelle
Place Cambronne
CAMBRONNE
FOYER DE GRENELLE
Rue du Commerce
Rue Tiphaine
Rue Frémicourt
Rue Letellier
Rue Nivert
AV. ÉMILE ZOLA
Rue Fondary
Rue du Théâtre
Boulevard Garibaldi
R. du Laos
Alexandre Cabanel
Sq. Garibaldi
Mario Nikis
R. Chasseloup Laubat
SÉGUR
Avenue de Suffren
R. Bellart
R. César Franck
R. Valentin Haüy
Pl. G. Mulot
R. Bonheur
R. Rosa Bonheur
R. Barthélemy
Pl. de la République de Panama
SÈVRES LECOURBE
Pl. Henri Queuille
L 10
Rue Miollis
R. Cépré
R. Clouet
Rue St Pie X
Rue Cambronne
U.N.E.S.C.O. (ANNEXE)
L 9
R. Colonel Colonna d'Ornano
R. François Bonvin
R. Jean Daudin
Rue Lecourbe
Villa Croix Nivert
Rue de la Croix Nivert
R. Jean Fourastié
L 8
T.E.P.
Robert Fleury
Ch. Laurent
V. Poirier
Rue de Mademoiselle
L.P. BRASSAI
LYCÉE CAMILLE SÉE
Rue Blomet
LYCÉE BLOMET
N.D. DU LYS
R. Ernest Renan
R. de Staël
LYCÉE BUFFON
Boulevard Pasteur
L.T. FRESNEL
PASTEUR
Pl. J. et T. Tréfouël
ST-SERAPHIN DE SAROV
Square St Lambert
Rue Léon Lhermitte
R. Théophraste Renaudot
R. Jean Formigé
Pl. Hubert Monmarché
MAIRIE DU 15e ARR
Rue Péclet
Rue de l'Amiral Roussin
Rue des Volontaires
VOLONTAIRES
L.T. MORIN
R. Émile Duclaux
Square Blomet
R. Borromée
Rue de Vaugirard
PASTEUR
HÔPITAL ST JACQUES
ST JEAN BAPTISTE DE LA SALLE
Rue du Dr Roux
INSTITUT PASTEUR
R. Falguière
R. d'Arsonval
M 10
TROIS SAINTS HIÉRARCHES
Place et Square Adolphe Chérioux
VAUGIRARD
M 8
M 9
Square Necker
R. Tessier
R. Félicité
Rue Ste Félicité
Rue Mathurin Régnier
R. Quintinie
R. Plumet
R. Dutot
Villa La Fresnaye
R. Vigée Lebrun
Rue Rue Falguière
R. Anselme Payen
LYCÉE LÉONARD DE VINCI
CENTRE CHÈQUES POSTAUX
Rue Bourseul
Rue des Favorites
Rue Paul Barruel
R. Gager Gabillot
R. de la Procession
Rue Barque
R. Platon
R. A. Maillol
J.P.-A. Dalpayrat
Gide
MONTPARNASSE VAUGIRARD
Rue G. Leclanche
Pl. W. Kandinsky
Jd d'Alleray-Procession
N.-D. DE L'ARCHE
Sq. d'Alleray-La Quintinie
Rue d'Alleray
Hameau d'Alleray
R. Yvart
Rue de l'Abbé Groult
CLINIQUE BLOMET
R. Ferdinand Fabre
ST LAMBERT DE VAUGIRARD
Square Gerbert
R. Carcel
R. Maublanc
Rue Bausset
ST-CHARLES
Pl. Geneviève Gaulle Anthonioz
R. Alain Chartier
CONVENTION
Rue de la Convention
R. Fourcade
ST. SAUVEUR
R. L. Delhomme
François Villon
Rue de Vaugirard
Victor Marmontel
Rue des Serres
Rue de l'Abbé

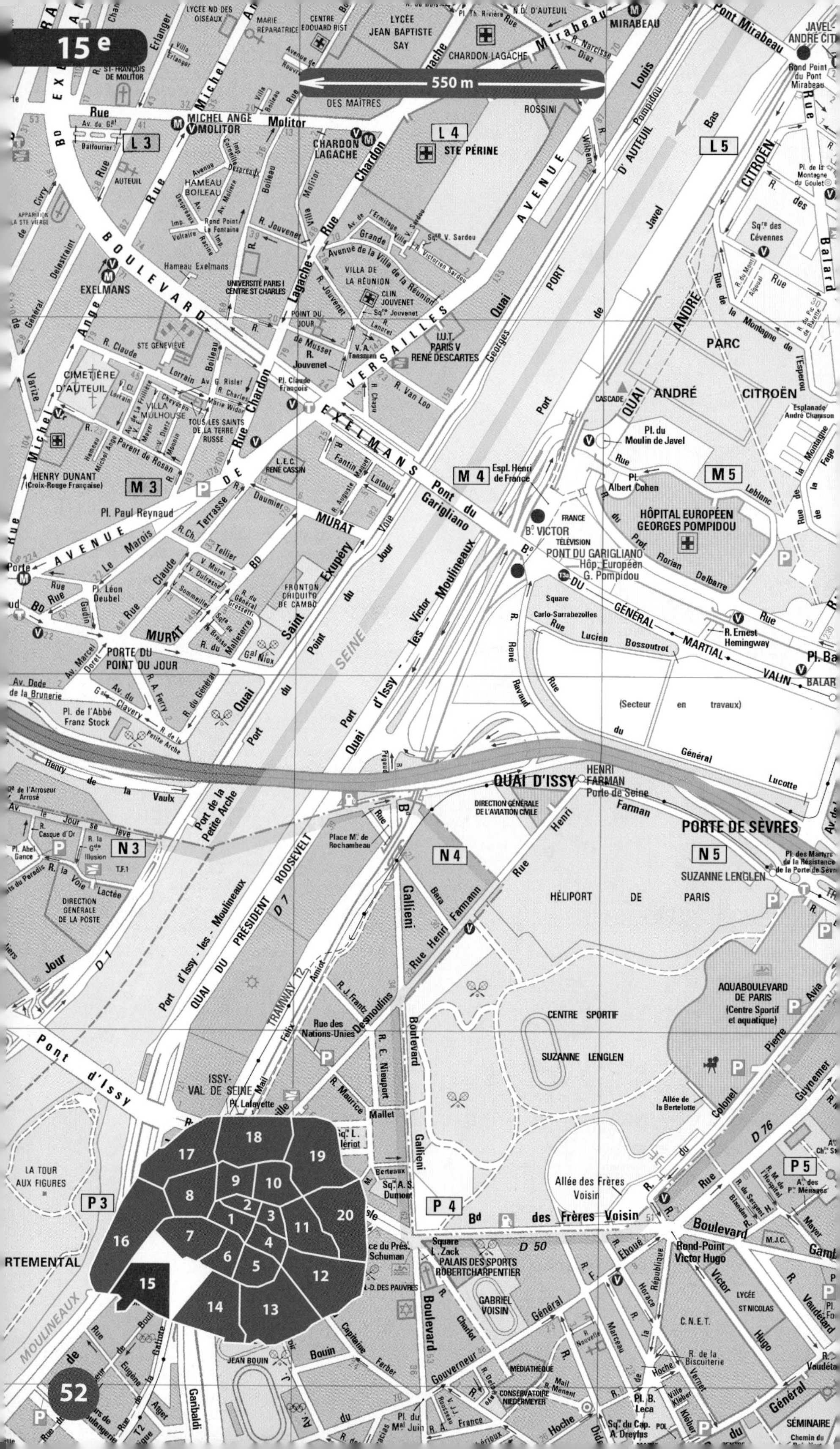
550 m
L 3
L 4
L 5
M 3
M 4
M 5
N 3
N 4
N 5
P 3
P 4
P 5
BOULEVARD EXELMANS
AVENUE DE VERSAILLES
Quai Louis Blériot
Port d'Auteuil
Pont Mirabeau
Rue Michel Ange
Rue Molitor
MICHEL ANGE MOLITOR
CHARDON LAGACHE
STE PÉRINE
VILLA DE LA RÉUNION
CLIN. JOUVENET
EXELMANS
CIMETIÈRE D'AUTEUIL
HENRY DUNANT (Croix-Rouge Française)
Pl. Paul Reynaud
BD MURAT
PORTE DU POINT DU JOUR
I.U.T. PARIS V RENÉ DESCARTES
Pont du Garigliano
SEINE
Quai d'Issy - les - Moulineaux
Quai Georges Pompidou
Port de Javel
QUAI ANDRÉ CITROËN
PARC ANDRÉ CITROËN
HÔPITAL EUROPÉEN GEORGES POMPIDOU
Bd VICTOR
FRANCE TÉLÉVISION
PONT DU GARIGLIANO
BD DU GÉNÉRAL MARTIAL VALIN
Rue du Général Lucotte
(Secteur en travaux)
QUAI D'ISSY
HENRI FARMAN
Porte de Seine
DIRECTION GÉNÉRALE DE L'AVIATION CIVILE
PORTE DE SÈVRES
SUZANNE LENGLEN
HÉLIPORT DE PARIS
CENTRE SPORTIF SUZANNE LENGLEN
AQUABOULEVARD DE PARIS (Centre Sportif et aquatique)
QUAI DU PRÉSIDENT ROOSEVELT
ISSY-VAL DE SEINE
Pont d'Issy
LA TOUR AUX FIGURES
Bd des Frères Voisin
Allée des Frères Voisin
Boulevard Gallieni
PALAIS DES SPORTS ROBERT CHARPENTIER
GABRIEL VOISIN
Rond-Point Victor Hugo
LYCÉE ST NICOLAS
C.N.E.T.
JEAN BOUIN
MÉDIATHÈQUE
CONSERVATOIRE NIEDERMEYER
SÉMINAIRE
18
17
19
9
10
8
2
3
1
11
20
16
7
4
6
5
12
15
14
13

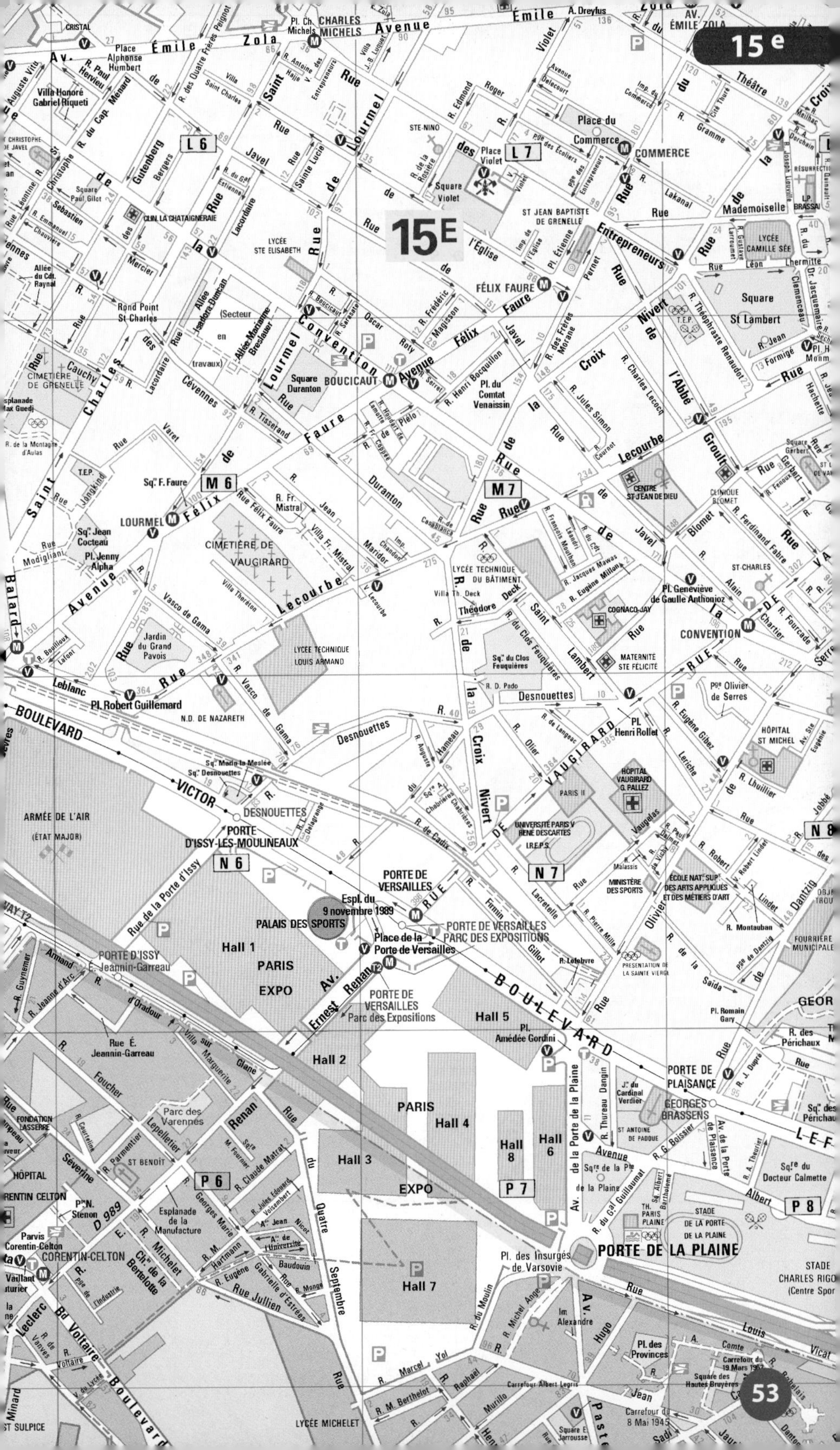
15E
Avenue Émile Zola
Place Alphonse Humbert
CHARLES MICHELS
Villa Honoré Gabriel Riqueti
Rue Saint Charles
Rue de Javel
Rue de Lourmel
STE-NINO
Square Violet
Place Violet
Place du Commerce
COMMERCE
Rue du Commerce
Rue du Théâtre
Rue de la Croix Nivert
Rue Mademoiselle
ST JEAN BAPTISTE DE GRENELLE
Rue de l'Église
Rue des Entrepreneurs
LYCÉE STE ELISABETH
CLIN. LA CHATAIGNERAIE
Rue Gutenberg
Rue Sébastien Mercier
Rond Point St Charles
Allée Isadora Duncan
Allée Marianne Breslauer
(Secteur en travaux)
FÉLIX FAURE
Avenue Félix Faure
Rue Lecourbe
LYCÉE CAMILLE SÉE
Square St Lambert
Rue Léon Lhermitte
Rue Théophraste Renaudot
Rue de l'Abbé Groult
Rue de la Convention
BOUCICAUT
Square Duranton
Rue Duranton
Rue des Cévennes
CIMETIÈRE DE GRENELLE
Esplanade Max Guedj
R. de la Montagne d'Aulas
Rue de Cauchy
Pl. du Comtat Venaissin
CENTRE ST JEAN DE DIEU
CLINIQUE BLOMET
Rue Blomet
Rue Ferdinand Fabre
Sq. F. Faure
LOURMEL
Sq. Jean Cocteau
Pl. Jenny Alpha
Rue Modigliani
CIMETIÈRE DE VAUGIRARD
Villa Fr. Mistral
LYCÉE TECHNIQUE DU BÂTIMENT
Villa Th. Deck
Rue Théodore Deck
COGNACQ-JAY
Pl. Geneviève de Gaulle Anthonioz
CONVENTION
ST CHARLES
Avenue Félix Faure
Jardin du Grand Pavois
Rue Vasco de Gama
LYCEE TECHNIQUE LOUIS ARMAND
Sq. du Clos Feuquières
MATERNITÉ STE FÉLICITÉ
Rue Desnouettes
Pl. Robert Guillemard
N.D. DE NAZARETH
Rue Leblanc
Balard
BOULEVARD VICTOR
Pl. Henri Rollet
Pge Olivier de Serres
HÔPITAL ST MICHEL
HÔPITAL VAUGIRARD G. PALLEZ
PARIS II
UNIVERSITÉ PARIS V RENÉ DESCARTES
I.R.E.P.S.
Rue de Vaugirard
Rue Vaugelas
Rue Lhuillier
ARMÉE DE L'AIR (ÉTAT MAJOR)
Sq. Marin la Meslée
Sq. Desnouettes
DESNOUETTES
PORTE D'ISSY-LES-MOULINEAUX
R. de Cadix
Rue Lacretelle
MINISTÈRE DES SPORTS
ÉCOLE NATle SUPre DES ARTS APPLIQUÉS ET DES MÉTIERS D'ART
Rue Robert Lindet
R. Montauban
FOURRIÈRE MUNICIPALE
Rue de Dantzig
PORTE DE VERSAILLES
Espl. du 9 novembre 1989
PALAIS DES SPORTS
Place de la Porte de Versailles
PORTE DE VERSAILLES PARC DES EXPOSITIONS
Rue de la Porte d'Issy
PORTE D'ISSY É. Jeannin-Garreau
Hall 1
PARIS EXPO
Av. Ernest Renan
PORTE DE VERSAILLES Parc des Expositions
Hall 5
Pl. Amédée Gordini
PRÉSENTATION DE LA SAINTE VIERGE
Rue de la Saïda
Pl. Romain Gary
R. des Périchaux
BOULEVARD LEFEBVRE
PORTE DE PLAISANCE
Jdin du Cardinal Verdier
GEORGES BRASSENS
ST ANTOINE DE PADOUE
Av. de la Porte de Plaisance
Sq. du Docteur Calmette
Rue Albert
Rue Guynemer
Rue d'Oradour sur Glane
Rue É. Jeannin-Garreau
Rue Foucher
Villa Marguerite
Parc des Varennes
Rue Lepelletier
Hall 2
PARIS
Hall 4
Hall 8
Hall 6
Hall 3
EXPO
Av. de la Porte de la Plaine
Sq. de la Pte de la Plaine
TH. PARIS PLAINE
STADE DE LA PORTE DE LA PLAINE
PORTE DE LA PLAINE
STADE CHARLES RIGOULOT (Centre Sportif)
FONDATION LASSERRE
HÔPITAL CORENTIN CELTON
Pl. N. Sténon
Parvis Corentin-Celton
CORENTIN-CELTON
ST BENOÎT
Esplanade de la Manufacture
Rue Georges Marie
Rue Claude Matrat
Rue Michelet
Ch. de la Bertelotte
Rue Jullien
Rue du Quatre Septembre
Hall 7
Pl. des Insurgés de Varsovie
Av. Victor Hugo
Rue Louis Vicat
Pl. des Provinces
Carrefour du 19 Mars 1962
Square des Hautes Bruyères
Carrefour Albert Legris
Carrefour du 8 Mai 1945
R. Marcel Yol
R. M. Berthelot
Bd Voltaire
Bd Leclerc
LYCÉE MICHELET
ST SULPICE
D 989
L 6
L 7
M 6
M 7
N 6
N 7
N 8
P 6
P 7
P 8

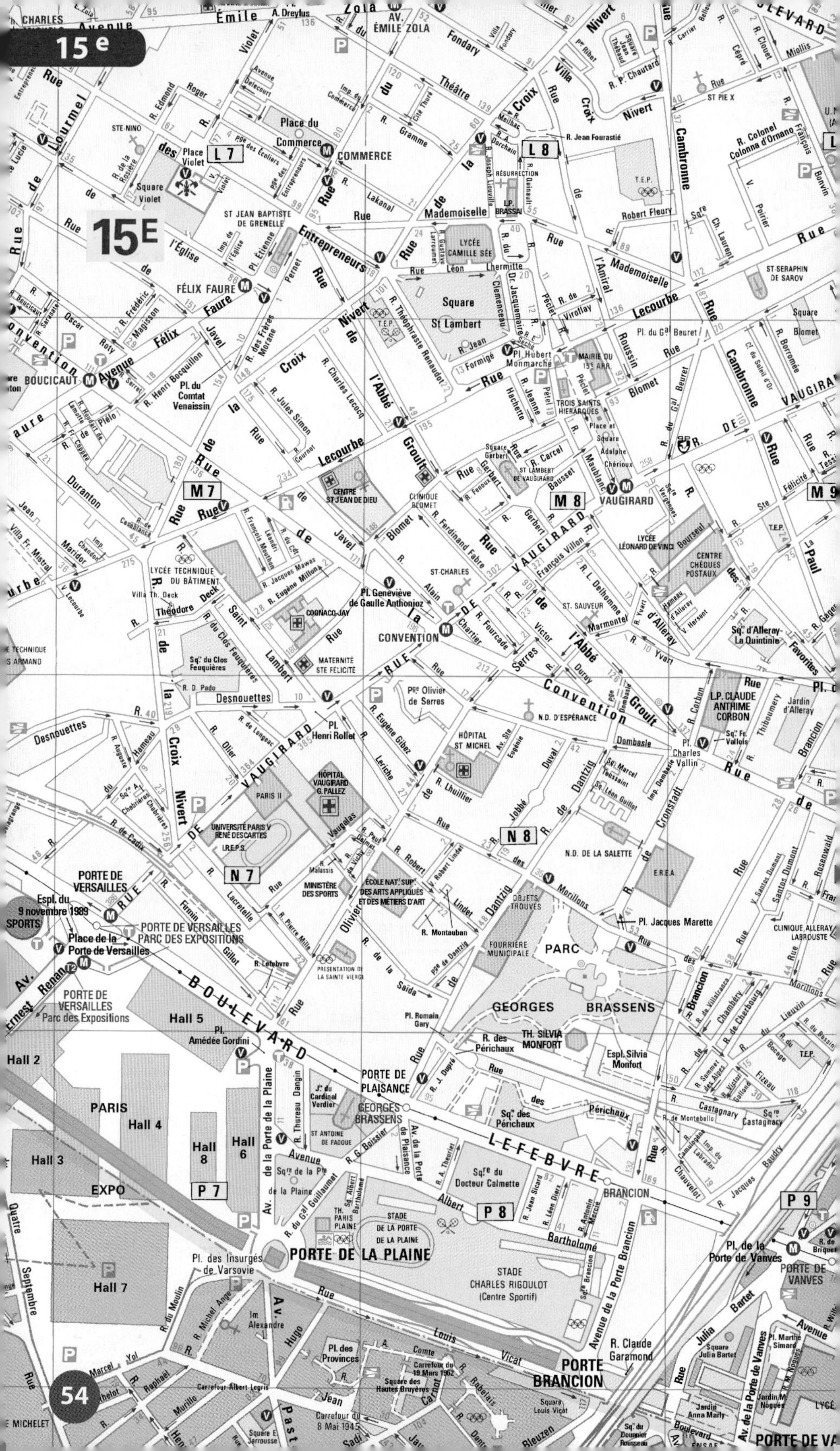
15E
L 7
L 8
M 7
M 8
M 9
N 7
N 8
P 7
P 8
P 9
Place du Commerce
COMMERCE
Place Violet
Square Violet
STE-NINO
ST JEAN BAPTISTE DE GRENELLE
FÉLIX FAURE
BOUCICAUT
Pl. du Comtat Venaissin
LYCÉE CAMILLE SÉE
Square St Lambert
RÉSURRECTION
L.P. BRASSAI
T.E.P.
ST PIE X
ST SERAPHIN DE SAROV
Pl. Hubert Monmarché
MAIRIE DU 15e ARR.
TROIS SAINTS HIÉRARQUES
Pl. du Gal Beuret
Square Blomet
CENTRE ST JEAN DE DIEU
CLINIQUE BLOMET
ST LAMBERT DE VAUGIRARD
Place et Square Adolphe Chérioux
VAUGIRARD
LYCÉE LÉONARD DE VINCI
CENTRE CHÈQUES POSTAUX
LYCÉE TECHNIQUE DU BÂTIMENT
Villa Th. Deck
COGNACQ-JAY
Pl. Geneviève de Gaulle Anthonioz
ST-CHARLES
CONVENTION
ST. SAUVEUR
Sqre d'Alleray-La Quintinie
Sqre du Clos Feuquières
MATERNITÉ STE FÉLICITÉ
Pge Olivier de Serres
N.D. D'ESPÉRANCE
L.P. CLAUDE ANTHIME CORBON
Jardin d'Alleray
Pl. Henri Rollet
HÔPITAL ST MICHEL
Pl. Charles Vallin
HÔPITAL VAUGIRARD G. PALLEZ
PARIS II
UNIVERSITÉ PARIS V RENÉ DESCARTES
I.R.E.P.S.
N.D. DE LA SALETTE
E.R.E.A.
PORTE DE VERSAILLES
Espl. du 9 novembre 1989
SPORTS
PORTE DE VERSAILLES PARC DES EXPOSITIONS
Place de la Porte de Versailles
MINISTÈRE DES SPORTS
ÉCOLE NAT. SUP. DES ARTS APPLIQUÉS ET DES MÉTIERS D'ART
OBJETS TROUVÉS
FOURRIÈRE MUNICIPALE
PARC GEORGES BRASSENS
Pl. Jacques Marette
CLINIQUE ALLERAY LABROUSTE
PRÉSENTATION DE LA SAINTE VIERGE
PORTE DE VERSAILLES Parc des Expositions
Hall 5
Pl. Amédée Gordini
Pl. Romain Gary
TH. SILVIA MONFORT
Espl. Silvia Monfort
Hall 2
PARIS
Hall 4
Hall 3
Hall 8
Hall 6
EXPO
Hall 7
PORTE DE PLAISANCE
GEORGES BRASSENS
Jn du Cardinal Verdier
ST ANTOINE DE PADOUE
Sqre des Périchaux
Sqre de la Pte de la Plaine
Sqre du Docteur Calmette
Sqre Castagnary
BRANCION
TH. PARIS PLAINE
STADE DE LA PORTE DE LA PLAINE
PORTE DE LA PLAINE
Pl. des Insurgés de Varsovie
STADE CHARLES RIGOULOT (Centre Sportif)
Pl. de la Porte de Vanves
PORTE DE VANVES
R. Claude Garamond
PORTE BRANCION
Pl. des Provinces
Carrefour du 19 Mars 1962
Square des Hautes Bruyères
Carrefour Albert Legris
Carrefour du 8 Mai 1945
Square Louis Vicat
Square Julia Bartet
Jardin Anna Marly
Jardin M. Nogues
PORTE DE VA
BOULEVARD LEFEBVRE
RUE DE VAUGIRARD
RUE DE LA CONVENTION
Rue Lecourbe
Rue Cambronne
Rue de la Croix Nivert
Rue de l'Abbé Groult
Rue de Dantzig
Rue des Morillons
Rue Brancion
Avenue Félix Faure
Rue Blomet
Rue de Javel
Rue Olivier de Serres
Rue Saint Lambert
Rue des Entrepreneurs
Rue du Théâtre
Rue Mademoiselle
Avenue Émile Zola
Av. Ernest Renan

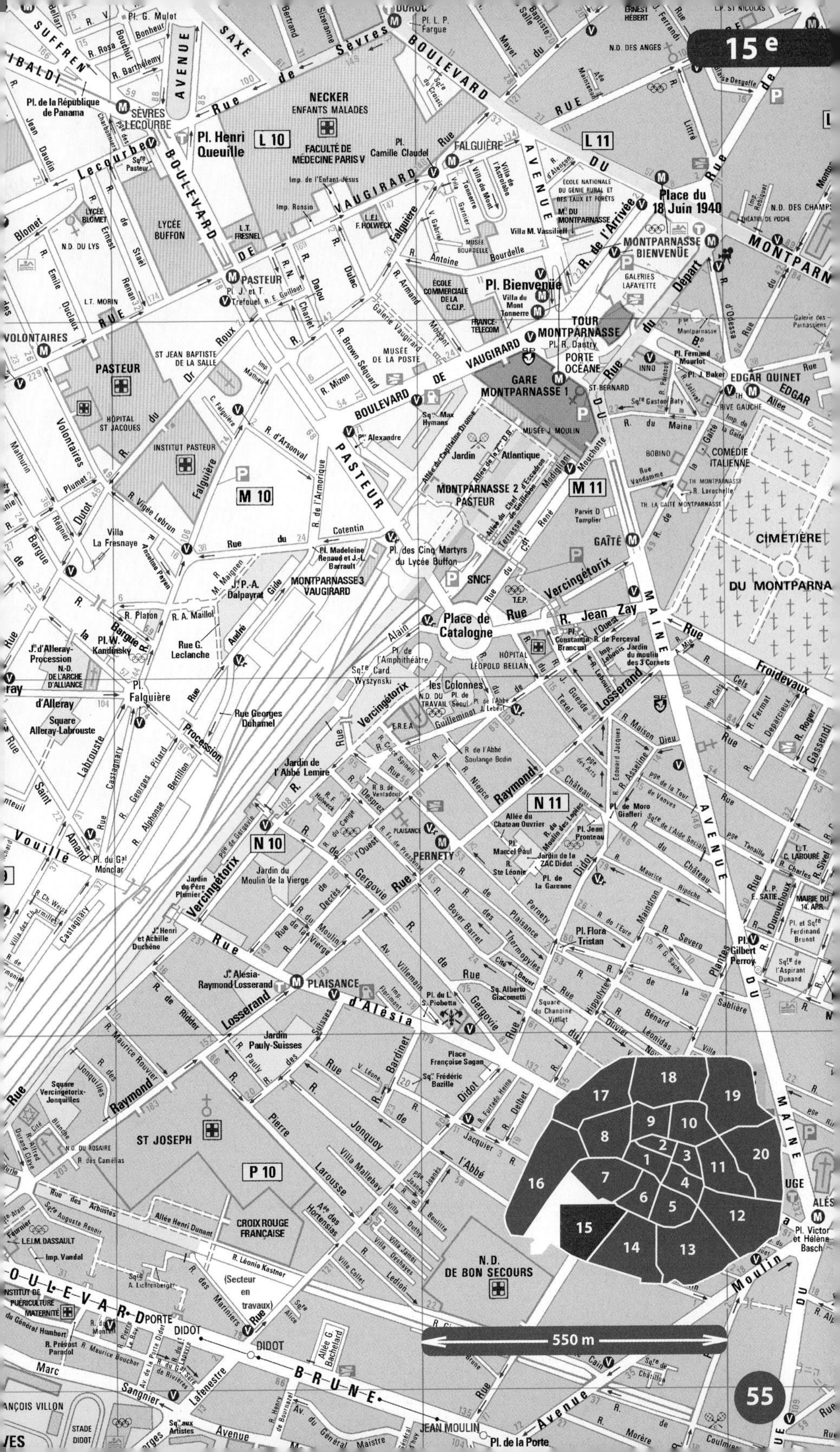

Rue de Sèvres
Boulevard du Montparnasse
Avenue de Saxe
Avenue de Suffren
Pl. de la République de Panama
Sèvres Lecourbe
Pl. Henri Queuille
L 10
L 11
Necker Enfants Malades
Faculté de Médecine Paris V
Pl. Camille Claudel
Falguière
Rue de Vaugirard
Boulevard Pasteur
Rue Lecourbe
Lycée Buffon
Lycée Blomet
N.D. du Lys
L.T. Fresnel
L.E.I. F. Holweck
Musée Bourdelle
Villa M. Vassilieff
Place du 18 Juin 1940
Montparnasse Bienvenüe
Galeries Lafayette
Pl. Bienvenüe
Tour Montparnasse
Pl. R. Dautry
Porte Océane
Gare Montparnasse 1
Musée J. Moulin
Jardin Atlantique
Montparnasse 2 Pasteur
M 10
M 11
Pasteur
Hôpital St Jacques
Institut Pasteur
Volontaires
St Jean Baptiste de la Salle
Musée de la Poste
Boulevard de Vaugirard
Sq. Max Hymans
Pl. Alexandre
Edgar Quinet
Rue de la Gaîté
Comédie Italienne
Bobino
Gaîté
Cimetière du Montparnasse
Pl. des Cinq Martyrs du Lycée Buffon
Montparnasse 3 Vaugirard
Place de Catalogne
Rue Vercingétorix
Rue Jean Zay
Hôpital Léopold Bellan
Rue Froidevaux
Avenue du Maine
Rue Raymond Losserand
Pl. Falguière
Square Alleray-Labrouste
Rue de la Procession
Jardin de l'Abbé Lemire
N 10
N 11
Pernety
Plaisance
Rue d'Alésia
Rue de Gergovie
Pl. Flora Tristan
Pl. Gilbert Perroy
Mairie du 14. Arr.
Jardin Pauly-Suisses
St Joseph
P 10
Croix Rouge Française
N.D. de Bon Secours
Boulevard Brune
Porte Didot
Didot
Jean Moulin
Pl. de la Porte
Pl. Victor et Hélène Basch
Alésia
550 m
15
14
13
12
11
20
19
18
17
16
9
10
8
7
6
5
4
3
2
1

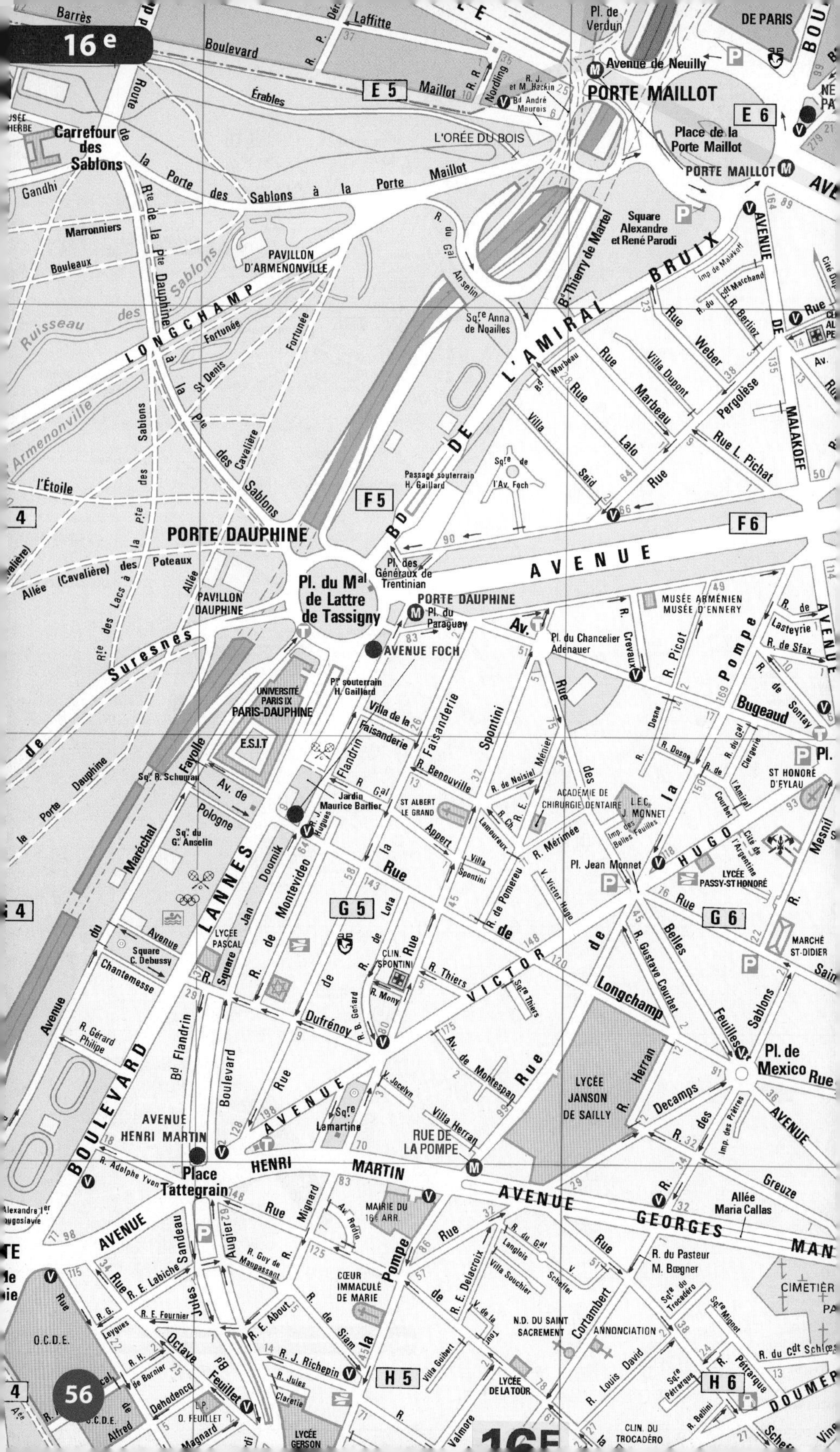
16e
PORTE MAILLOT
Place de la Porte Maillot
Avenue de Neuilly
Pl. de Verdun
DE PARIS
E 5
E 6
Boulevard
Érables
Maillot
Laffitte
Nordling
R. J. et M. Hackin
Bd André Maurois
L'ORÉE DU BOIS
Carrefour des Sablons
Route de la Porte des Sablons à la Porte Maillot
Gandhi
Marronniers
Bouleaux
PAVILLON D'ARMENONVILLE
Ruisseau des Sablons
LONGCHAMP
Rte de la Pte Dauphine
Fortunée
St Denis
Cavalière
des Sablons
Armenonville
l'Étoile
Square Alexandre et René Parodi
Bd Thierry de Martel
R. du Gal Anselin
Sq. re Anna de Noailles
BD DE L'AMIRAL BRUIX
AVENUE DE MALAKOFF
Imp. de Malakoff
R. Cdt Marchand
R. Berlioz
Rue Weber
Villa Dupont
Rue Marbeau
Rue Lalo
Villa Saïd
Rue Pergolèse
Rue L. Pichat
Passage souterrain H. Gaillard
Sq. re de l'Av. Foch
F 5
F 6
PORTE DAUPHINE
Pl. du Mal de Lattre de Tassigny
Pl. des Généraux de Trentinian
AVENUE FOCH
PORTE DAUPHINE
Pl. du Paraguay
Allée (Cavalière) des Poteaux
Rte des Lacs à la Pte Dauphine
PAVILLON DAUPHINE
Suresnes
Pl. du Chancelier Adenauer
MUSÉE ARMÉNIEN
MUSÉE D'ENNERY
R. Crevaux
R. Picot
Rue de la Pompe
R. de Lasteyrie
R. de Sfax
R. de Sontay
Bugeaud
UNIVERSITÉ PARIS IX PARIS-DAUPHINE
E.S.I.T.
Pt souterrain H. Gaillard
Villa de la Faisanderie
Rue de la Faisanderie
Spontini
Rue des Belles Feuilles
R. Dosne
R. du Gal Clergerie
R. de l'Amiral Courbet
Pl. ST HONORÉ D'EYLAU
Sq. re R. Schuman
Av. de Pologne
Favolle
Flandrin
Jardin Maurice Barlier
R. Gal Appert
ST ALBERT LE GRAND
R. Benouville
R. de Noisiel
Mérimée
ACADÉMIE DE CHIRURGIE DENTAIRE
L.E.C. J. MONNET
Imp. des Belles Feuilles
Pl. Jean Monnet
AVENUE VICTOR HUGO
Cité de l'Argentine
LYCÉE PASSY-ST HONORÉ
Mesnil
BOULEVARD LANNES
Maréchal
Sq. re du Gl Anselin
R. J. Hugues
Doornik
R. de Montevideo
Rue de Lota
G 5
G 6
Lamoureux
R. Ch. Lecocq
Villa Spontini
R. de Pomereu
V. Victor Hugo
R. Gustave Courbet
LYCÉE PASCAL
Square Jan
Avenue du Maréchal
Square C. Debussy
Chantemesse
CLIN. SPONTINI
R. Thiers
Sq. re Thiers
R. Mony
R. B. Godard
Dufrénoy
Rue de Longchamp
MARCHÉ ST-DIDIER
Rue des Sablons
Pl. de Mexico
Av. de Montespan
V. Jocelyn
Villa Herran
R. Herran
LYCÉE JANSON DE SAILLY
Decamps
Rue Saint-Didier
R. Gérard Philipe
BOULEVARD
Bd Flandrin
Boulevard
AVENUE HENRI MARTIN
Sq. re Lamartine
RUE DE LA POMPE
R. des Sablons
Imp. des Prêtres
R. Adolphe Yvon
Place Tattegrain
HENRI MARTIN
AVENUE GEORGES MANDEL
Greuze
Allée Maria Callas
Alexandre 1er de Yougoslavie
Rue Mignard
Av. Rodin
MAIRIE DU 16e ARR.
Rue de la Pompe
R. du Gal Langlois
Villa Souchier
Scheffer
R. du Pasteur M. Bœgner
Sq. re du Trocadéro
Sq. re Mignot
CIMETIÈRE
R. du Cdt Schlœsing
AVENUE
Rue Sandeau
Rue Jules
Augier
R. E. Labiche
R. Guy de Maupassant
CŒUR IMMACULÉ DE MARIE
R. de Siam
R. E. Delacroix
V. de la Tour
N.D. DU SAINT SACREMENT
Cortambert
ANNONCIATION
Rue Louis David
Sq. re Pétrarque
Rue Pétrarque
H 5
H 6
O.C.D.E.
R. G. Leygues
R. E. Fournier
R. H. de Bornier
Rue Octave Feuillet
Dehodencq
R. E. About
R. J. Richepin
R. Jules Claretie
Villa Guibert
LYCÉE DE LA TOUR
Bd Beauséjour
L.P. O. FEUILLET
Magnard
LYCÉE GERSON
Valmore
CLIN. DU TROCADÉRO
R. Bellini
DOUMER
Alfred
56

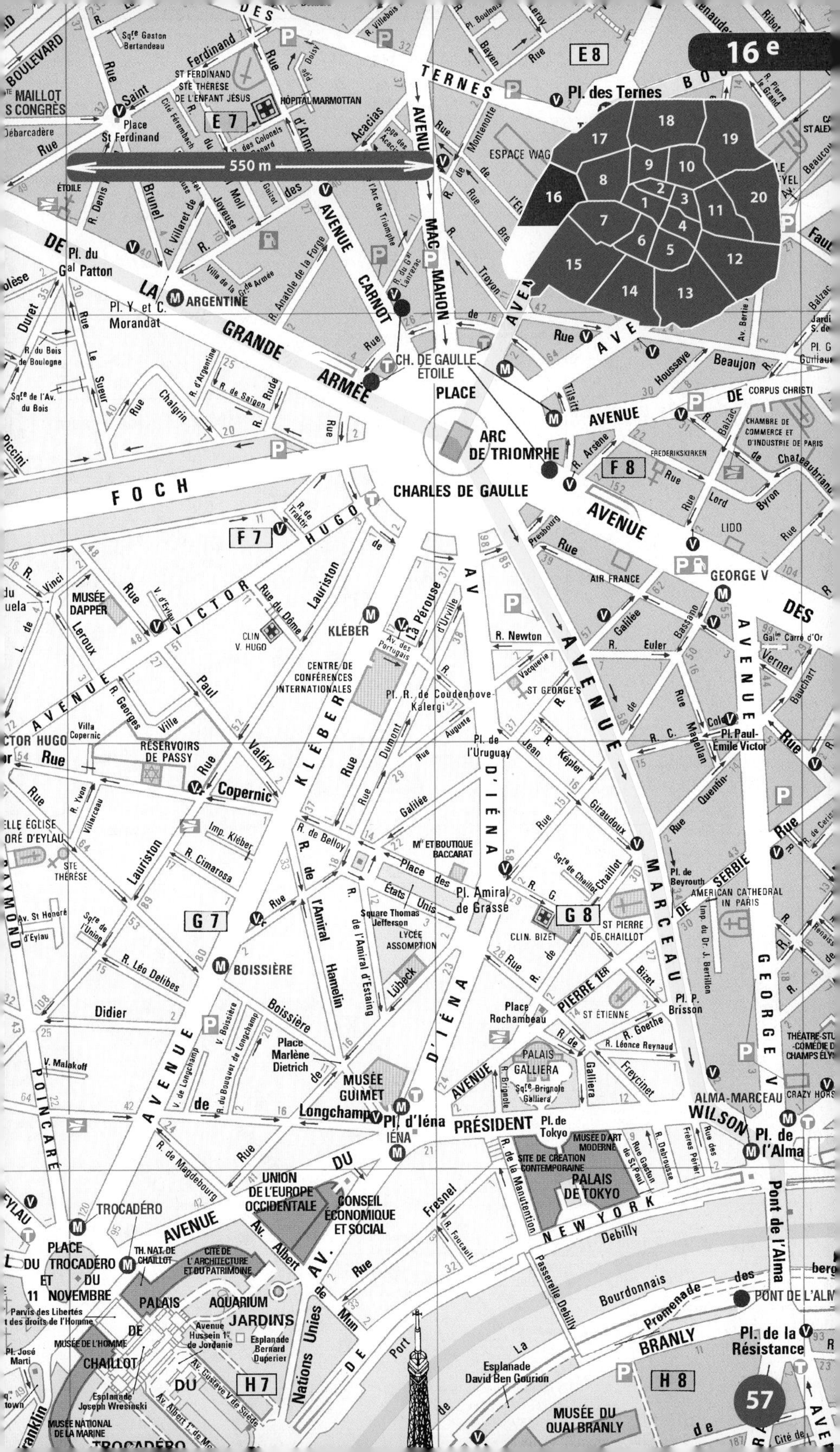
550 m
E7
E8
F7
F8
G7
G8
H7
H8
17
18
19
9
10
8
2
16
1
3
11
20
7
4
6
5
12
15
14
13
Pl. des Ternes
TERNES
ST FERDINAND
STE THÉRÈSE
DE L'ENFANT JÉSUS
HÔPITAL MARMOTTAN
Place
St Ferdinand
Sq.re Gaston Bertandeau
BOULEVARD
MAILLOT
S CONGRÈS
ÉTOILE
Pl. du
Gal Patton
ARGENTINE
Pl. Y. et C.
Morandat
GRANDE
ARMÉE
AVENUE
CARNOT
MAC MAHON
ESPACE WAG
CH. DE GAULLE
ÉTOILE
PLACE
ARC
DE TRIOMPHE
CHARLES DE GAULLE
FOCH
HUGO
VICTOR
AVENUE
KLÉBER
MUSÉE
DAPPER
CLIN
V. HUGO
CENTRE DE
CONFÉRENCES
INTERNATIONALES
Pl. R. de Coudenhove-
Kalergi
Pl. de
l'Uruguay
RÉSERVOIRS
DE PASSY
Copernic
BOISSIÈRE
Mt ET BOUTIQUE
BACCARAT
Place des États Unis
Pl. Amiral
de Grasse
Square Thomas
Jefferson
LYCÉE
ASSOMPTION
CLIN. BIZET
ST PIERRE
DE CHAILLOT
ST GEORGE'S
AIR FRANCE
GEORGE V
CORPUS CHRISTI
CHAMBRE DE
COMMERCE ET
D'INDUSTRIE DE PARIS
FREDERIKSKIRKEN
LIDO
Gal.ie Carré d'Or
Pl. Paul-
Émile Victor
MARCEAU
SERBIE
AMERICAN CATHEDRAL
IN PARIS
Pl. de
Beyrouth
Pl. P.
Brisson
PIERRE 1ER
ST ÉTIENNE
Place
Rochambeau
PALAIS
GALLIERA
Sq.re Brignole
Galliera
Place
Marlène
Dietrich
MUSÉE
GUIMET
Pl. d'Iéna
IÉNA
PRÉSIDENT
WILSON
Pl. de
Tokyo
MUSÉE D'ART
MODERNE
SITE DE CRÉATION
CONTEMPORAINE
PALAIS
DE TOKYO
ALMA-MARCEAU
Pl. de
l'Alma
THÉATRE-STU
-COMÉDIE D
CHAMPS ÉLYS
CRAZY HORS
UNION
DE L'EUROPE
OCCIDENTALE
CONSEIL
ÉCONOMIQUE
ET SOCIAL
NEW YORK
Debilly
Passerelle Debilly
Bourdonnais
Promenade
BRANLY
Pont de l'Alma
PONT DE L'ALM
Pl. de la
Résistance
Esplanade
David Ben Gourion
MUSÉE DU
QUAI BRANLY
TROCADÉRO
PLACE
DU TROCADÉRO
ET DU
11 NOVEMBRE
TH. NAT. DE
CHAILLOT
CITÉ DE
L'ARCHITECTURE
ET DU PATRIMOINE
PALAIS
DE
CHAILLOT
AQUARIUM
JARDINS
Parvis des Libertés
et des droits de l'Homme
MUSÉE DE L'HOMME
Avenue
Hussein 1er
de Jordanie
Esplanade
Bernard
Duperier
Esplanade
Joseph Wresinski
MUSÉE NATIONAL
DE LA MARINE
Av. Gustave V de Suède
Av. Albert 1er de Monaco
Nations Unies
POINCARÉ
Longchamp
Didier
R. Léo Delibes
R. Cimarosa
Imp. Kléber
Lauriston
Boissière
R. de Magdebourg
Fresnel
R. Foucault
R. de la Manutention
R. Debrousse
Frères Périer
Beaujon
Balzac
Chateaubriand
Lord Byron
Bassano
Galilée
Euler
R. Newton
Vernet
Bauchart
Magellan
Quentin-Bauchart
Marbeuf
Giraudoux
Kepler
Jean
Dumont d'Urville
La Pérouse
Lübeck
Hamelin
R. de l'Amiral d'Estaing
R. Goethe
R. Léonce Reynaud
Freycinet
Bizet
Galliera
R. Brignole
Imp. du Dr. J. Berillon
R. de Belloy
Tilsitt
Troyon
Presbourg
Arsène Houssaye
R. Villaret de Joyeuse
Brunel
Villa de la Gde Armée
R. Anatole de la Forge
Acacias
Chalgrin
R. de Saïgon
Rude
Le Sueur
Duret
R. du Bois de Boulogne
Sq.re de l'Av. du Bois
Piccini
Leroux
Villa Copernic
R. Georges Ville
Paul Valéry
Villejust
R. Yvon Villarceau
STE THÉRÈSE
Av. St Honoré d'Eylau
Sq.re de l'Union
V. Malakoff
V. Boissière
R. du Bouquet de Longchamp
V. de Longchamp
Av. Albert de Mun
Port Debilly
Cité de

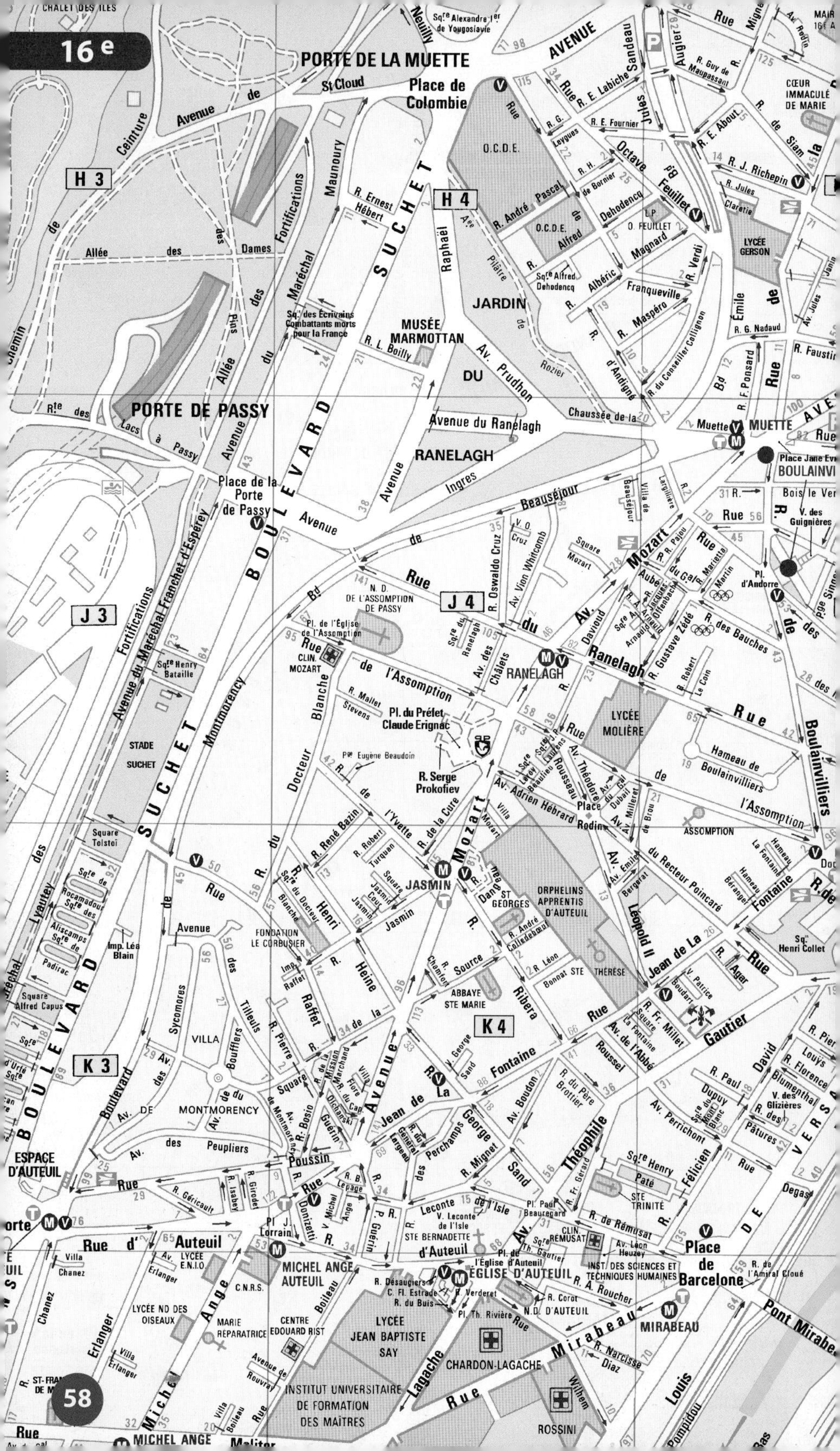
CHALET DES ILES
PORTE DE LA MUETTE
Sq.re Alexandre Ier de Yougoslavie
Neuilly
AVENUE
St Cloud
Place de Colombie
Avenue de
Ceinture
H 3
H 4
Allée des Dames
Fortifications
Maunoury
R. Ernest Hébert
SUCHET
Raphaël
O.C.D.E.
R. E. Labiche
Sandeau
Augier
Jules
R. Guy de Maupassant
CŒUR IMMACULÉ DE MARIE
R. E. Fournier
R. E. About
de Siam
R. J. Richepin
R. Jules Claretie
LYCÉE GERSON
Octave Feuillet
Bd
L.P. O. FEUILLET
R. André Pascal
R. Alfred de
de Bornier
Dehodencq
Magnard
R. Verdi
Sq.re Alfred Dehodencq
Albéric
Franqueville
R. Maspéro
JARDIN
R. d'Andigné
R. du Conseiller Collignon
Émile
R. G. Nadaud
R. Faustin
Bd
R. F. Ponsard
Rue
Maréchal
Sq.re des Écrivains Combattants morts pour la France
MUSÉE MARMOTTAN
R. L. Boilly
du
Allée des Fils
Av. Prudhon
DU
Rozier
Chaussée de la
Muette
MUETTE
Pilâtre
Chemin
Rte des Lacs à Passy
PORTE DE PASSY
Avenue
Avenue du Ranelagh
RANELAGH
Ingres
Place Jane Evrard
BOULAINVILLIERS
Bois le Vent
Place de la Porte de Passy
Beauséjour
Largillière
Villa de Beauséjour
Avenue de
Rue
V. des Guignières
Square Mozart
Mozart
R. Pajou
R. Marietta Martin
Pl. d'Andorre
Pge Singer
des
Avenue du Maréchal Franchet d'Espérey
BOULEVARD
J 3
J 4
Rue
N. D. DE L'ASSOMPTION DE PASSY
R. Oswaldo Cruz
V. O. Cruz
Av. Vion Whitcomb
Daviioud
Av. du Ranelagh
Aubé
du Gal
R. J. Offenbach
R. A. Arnould
R. Gustave Zédé
R. des Bauches
des
Pl. de l'Église de l'Assomption
Rue
CLIN. MOZART
de l'Assomption
Sq.re du Ranelagh
Av. des Châlets
RANELAGH
R. Robert Le Coin
Sq.re Henry Bataille
Fortifications
Montmorency
Blanche
R. Mallet Stevens
Pl. du Préfet Claude Erignac
LYCÉE MOLIÈRE
Rue
Hameau de Boulainvilliers
Boulainvilliers
STADE SUCHET
Pge Eugène Beaudoin
R. Serge Prokofiev
Docteur
R. de l'Yvette
Sq.re Léouzon
Sq.re J. P. Laurens
Rousseau
Av. Théodore
Av. du Gal Dubail
Av. Milleret de Brou
Av. Adrien Hébrard
Villa Mozart
Place Rodin
de l'Assomption
ASSOMPTION
R. de la Cure
Mozart
Square Tolstoï
SUCHET
Rue de
R. René Bazin
R. Robert Turquan
Square Jasmin
Cour Jasmin
JASMIN
R. Dangeau
ST GEORGES
ORPHELINS APPRENTIS D'AUTEUIL
Av. Émile Bergerat
du Recteur Poincaré
Léopold II
Hameau La Fontaine
Hameau Béranger
Fontaine
R. de
Sq.re Henri Collet
Sq.re de Rocamadour
Sq.re des Aliscamps
Sq.re de Padirac
Square Alfred Capus
Imp. Léa Blain
Avenue
R. Henri
Sq.re du Docteur Blanche
FONDATION LE CORBUSIER
Jasmin
R. André Colledebœuf
R. Léon Bonnat
STE THÉRÈSE
Jean de La
R. Agar
R. Chamfort
Source
ABBAYE STE MARIE
Ribera
V. Patrice Boudart
R. Fr. Millet
Square La Fontaine
Av. de l'Abbé Roussel
Gautier
R. Pierre
Louÿs
R. Florence Blumenthal
V. des Glizières
R. des Pâtures
Lyautey
Sycomores
VILLA
Tilleuls
Imp. Raffet
Raffet
Heine
de la
Avenue
K 4
Rue
Rue
Sq.re d'Urfé
Sq.re
K 3
Av. des Boufflers
R. Pierre Guérin
R. de la Mission Marchand
Villa Flore
R. du Cap
Olchanski
V. George Sand
Fontaine
R. du Père Brottier
R. Paul
Dupuy
Sq.re du Bd Blanc
David
Av. Perrichont
VERSAILLES
Boulevard
Av. DE MONTMORENCY
Av. de du
Av. de Montmorency
Square
R. Bosio
Guérin
Jean de
R. du Général Largeau
George
Sand
Av. Boudon
Théophile
Félicien
Rue
Degas
DE
ESPACE D'AUTEUIL
Av. des Peupliers
Poussin
R. B. Lepage
des Perchamps
R. Mignet
Sq.re Henry Paté
STE TRINITÉ
Rue
R. Géricault
R. Isabey
R. Girodet
Rue
Donizetti
V. Michel Ange
P. Guérin
R.
Leconte de l'Isle
V. Leconte de l'Isle
STE BERNADETTE
Pl. Paul Beauregard
R. Fr. Gérard
R. de Rémusat
Porte
Pl. J. Lorrain
CLIN. RÉMUSAT
Av. Léon Heuzey
Place de Barcelone
Rue d'Auteuil
Villa Chanez
Av. Erlanger
LYCÉE E.N.I.O.
MICHEL ANGE AUTEUIL
d'Auteuil
Pl. de l'Église d'Auteuil
ÉGLISE D'AUTEUIL
Sq.re Th. Gautier
INST. DES SCIENCES ET TECHNIQUES HUMAINES
R. A. Roucher
R. de l'Amiral Cloué
Chanez
C.N.R.S.
R. Désaugiers
C. Fl. Estrade
R. du Buis
R. Verderet
R. Corot
N.D. D'AUTEUIL
Pl. Th. Rivière
MIRABEAU
Pont Mirabeau
LYCÉE ND DES OISEAUX
Erlanger
Ange
MARIE RÉPARATRICE
CENTRE EDOUARD RIST
Boileau
LYCÉE JEAN BAPTISTE SAY
Lagache
CHARDON-LAGACHE
Mirabeau
R. Narcisse Diaz
Villa Erlanger
Avenue de Rouvray
R. ST-FRANÇOIS DE
Michel
INSTITUT UNIVERSITAIRE DE FORMATION DES MAÎTRES
Rue
Wilhem
Louis
Villa Boileau
ROSSINI
Pompidou
Rue
MICHEL ANGE
Molitor

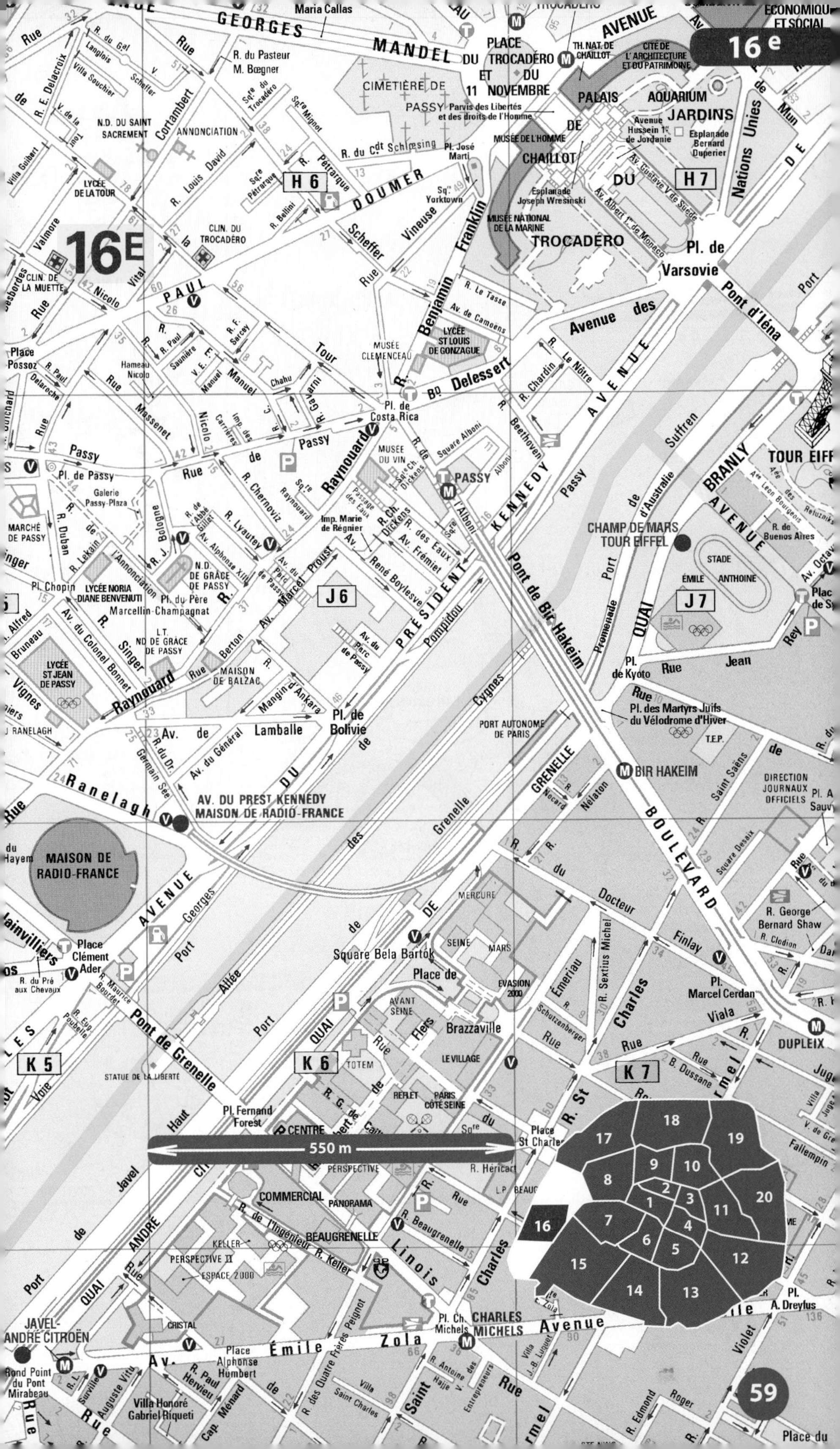
16e
16E
Avenue Georges Mandel
Maria Callas
Place du Trocadéro et du 11 Novembre
Trocadéro
Th. Nat. de Chaillot
Cité de l'Architecture et du Patrimoine
Économique et Social
Palais de Chaillot
Aquarium
Jardins du Trocadéro
Cimetière de Passy
Parvis des Libertés et des droits de l'Homme
Musée de l'Homme
Musée National de la Marine
Esplanade Joseph Wresinski
Avenue Hussein 1er de Jordanie
Esplanade Bernard Duperier
Av. Gustave V de Suède
Av. Albert 1er de Monaco
Avenue des Nations Unies
Av. de New York
Pl. de Varsovie
Pont d'Iéna
Port Debilly
R. du Pasteur M. Bœgner
Sq. du Trocadéro
Sq. Mignot
R. du Cdt Schlœsing
Pl. José Marti
Sq. Yorktown
Sq. Pétrarque
R. Pétrarque
R. Bellini
Avenue Paul Doumer
Rue Vineuse
Rue Scheffer
Rue Benjamin Franklin
R. Le Tasse
Av. de Camoëns
Lycée St Louis de Gonzague
Musée Clemenceau
Bd Delessert
Pl. de Costa Rica
R. Chardin
R. Le Nôtre
R. Beethoven
Square Alboni
Passy
Musée du Vin
Sq. Ch. Dickens
R. Ch. Dickens
R. des Eaux
Passage des Eaux
Av. Frémiet
R. René Boylesve
Imp. Marie de Régnier
Av. Marcel Proust
Av. du Parc de Passy
Avenue du Président Kennedy
Pont de Bir Hakeim
Rue de Passy
Pl. de Passy
Galerie Passy-Plaza
Marché de Passy
R. Duban
R. Lekain
R. de l'Annonciation
R. Chernoviz
R. Lyautey
Sq. Raynouard
Rue Raynouard
R. de l'Abbé Gillet
Av. Alphonse XIII
N.D. de Grâce de Passy
Pl. du Père Marcellin-Champagnat
Lycée Noria Diane Benvenuti
Pl. Chopin
R. Singer
R. Berton
Maison de Balzac
L.T. ND de Grâce de Passy
Av. du Colonel Bonnet
Lycée St Jean de Passy
R. Bruneau
Av. Alfred
Rue des Vignes
Ranelagh
R. Mangin d'Ankara
Pl. de Bolivie
Av. de Lamballe
Av. du Général Mangin
R. du Dr. Germain Sée
Rue Ranelagh
Av. du Prest Kennedy Maison de Radio-France
Maison de Radio-France
R. du Hayem
Rue Cortambert
R. Louis David
Annonciation
N.D. du Saint Sacrement
R. E. Delacroix
R. du Gal Langlois
Villa Souchier
V. de la Tour
Villa Guibert
Lycée de la Tour
Rue Valmore
Clin. du Trocadéro
Clin. de la Muette
Rue Nicolo
Rue Vital
Rue de la Tour
R. Paul Saunière
R. F. Sarcey
V. E. F. Manuel
Rue Manuel
Hameau Nicolo
Chahu
R. Gavarni
Rue Massenet
Place Possoz
R. Paul Delaroche
Rue Guichard
Imp. des Carrières
R. J. Bologne
Quai Branly
Avenue de Suffren
Port de Suffren
Allée des Cygnes
Avenue Rapp
Tour Eiffel
Champ de Mars Tour Eiffel
Stade Émile Anthoine
R. de Buenos Aires
Av. Léon Bourgeois
Allée des Refuzniks
Av. Octave Gréard
Quai de Grenelle
Promenade d'Australie
Rue Jean Rey
Pl. de Kyoto
Pl. des Martyrs Juifs du Vélodrome d'Hiver
T.E.P.
Port Autonome de Paris
Bir Hakeim
Boulevard de Grenelle
Rue Nocard
Rue Nélaton
Rue Saint Saëns
Direction Journaux Officiels
Square Desaix
R. du Docteur Finlay
R. George Bernard Shaw
R. Clodion
Pl. Marcel Cerdan
Rue Viala
Dupleix
Mercure
Seine
Mars
Square Bela Bartók
Place de Brazzaville
Evasion 2000
R. Émeriau
R. Sextius Michel
R. Schutzenberger
Rue Linois
Rue Charles Michels
Avant Seine
Rue de la Fédération
Rue des Frères Morane
Avenue de Versailles
Place Clément Ader
Port de Javel
Pont de Grenelle
Statue de la Liberté
Allée des Cygnes
R. du Pré aux Chevaux
R. Maurice Bourdet
R. Eugène Poubelle
Voie Georges Pompidou
Quai de Grenelle
Totem
Le Village
Reflet
Paris Côté Seine
Square du Commerce
Place St Charles
R. Héricart
Pl. Fernand Forest
Centre Commercial
Perspective
Panorama
Beaugrenelle
R. de l'Ingénieur R. Keller
Keller
Perspective II
Espace 2000
Cristal
Quai André Citroën
Javel-André Citroën
Rond Point du Pont Mirabeau
Avenue Émile Zola
Pl. Ch. Michels
Charles Michels
Place Alphonse Humbert
Villa Honoré Gabriel Riqueti
R. Paul Hervieu
Rue Auguste Vitu
Rue Cap. Ménard
R. des Quatre Frères Peignot
Villa Saint Charles
R. Antoine Hajje
Villa J.-B. Luquet
Rue de Lourmel
R. Edmond Roger
Rue Violet
Pl. A. Dreyfus
Place du Commerce
550 m
H 6
H 7
J 6
J 7
K 5
K 6
K 7
17
18
19
8
9
10
2
1
3
11
20
16
7
6
4
5
12
15
14
13

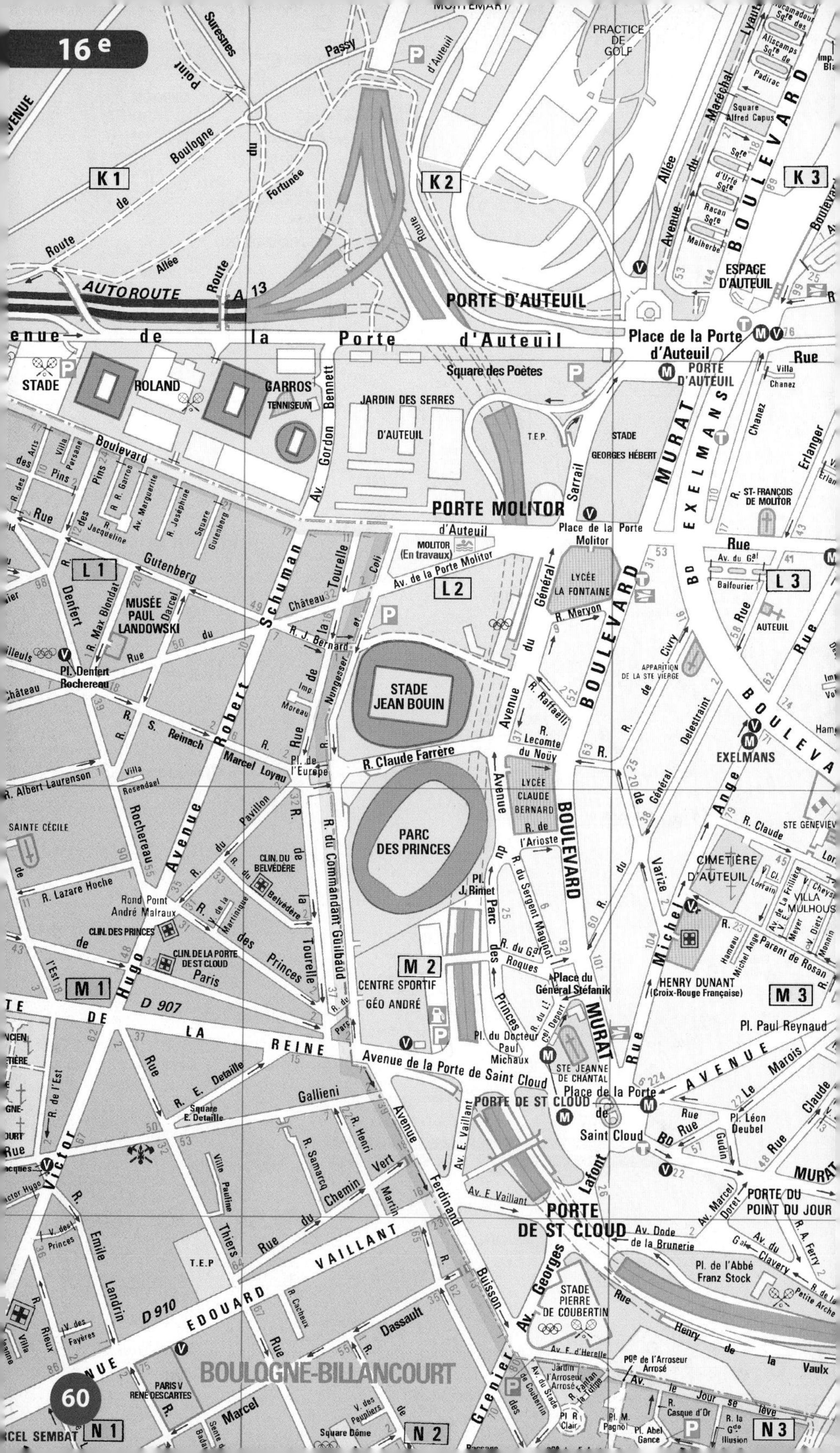

K 1
K 2
K 3
L 1
L 2
L 3
M 1
M 2
M 3
N 1
N 2
N 3
Suresnes
Point du Jour
Passy
Route de Boulogne
Fortunée
Allée
d'Auteuil
PRACTICE DE GOLF
Square des Sablons
Aliscamps
Padirac
Square Alfred Capus
Sqre d'Urfé
Racan
Malherbe
Avenue du Maréchal Lyautey
BOULEVARD
ESPACE D'AUTEUIL
AUTOROUTE A 13
PORTE D'AUTEUIL
Avenue de la Porte d'Auteuil
Place de la Porte d'Auteuil
PORTE D'AUTEUIL
Villa Chanez
STADE ROLAND GARROS
TENNISEUM
Square des Poètes
JARDIN DES SERRES D'AUTEUIL
Av. Gordon Bennett
T.E.P.
STADE GEORGES HÉBERT
MURAT
EXELMANS
Chanez
Erlanger
Boulevard des Pins
Villa des Arts
Villa Persane
R. R. Garros
Av. Marguerite
R. Joséphine
Square Gutenberg
R. Jacqueline
Sarrail
PORTE MOLITOR
R. ST-FRANÇOIS DE MOLITOR
Place de la Porte Molitor
MOLITOR (En travaux)
Av. de la Porte Molitor
Rue d'Auteuil
Av. du Gal Balfourier
Rue Gutenberg
R. Denfert Rochereau
R. Max Blondat
MUSÉE PAUL LANDOWSKI
Darcel
Av. Robert Schuman
Château
Tourelle
Coli
R. J. Bernard
Nungesser et
LYCÉE LA FONTAINE
R. Meryon
Avenue du Général Sarrail
AUTEUIL
Pl. Denfert Rochereau
R. de Civry
APPARITION DE LA STE VIERGE
Delestraint
Imp. Moreau
STADE JEAN BOUIN
R. Raffaëlli
R. Lecomte du Noüy
R. S. Reinach
Marcel Loyau
Pl. de l'Europe
R. Claude Farrère
R. Albert Laurenson
Villa Rosendael
Rochereau
SAINTE CÉCILE
LYCÉE CLAUDE BERNARD
R. de l'Arioste
R. du Général Delestraint
EXELMANS
Ange
R. Claude
STE GENEVIÈVE
PARC DES PRINCES
R. du Commandant Guilbaud
R. du Pavillon
CLIN. DU BELVÉDÈRE
R. du Belvédère
R. Lazare Hoche
Rond Point André Malraux
CLIN. DES PRINCES
CLIN. DE LA PORTE DE ST CLOUD
R. de la Martinique
R. des Princes
R. de la Tourelle
Pl. J. Rimet
Parc des Princes
R. du Sergent Maginot
Varize
Michel
CIMETIÈRE D'AUTEUIL
R. Lorrain
VILLA MULHOUSE
Villa Meyer
R. Parent de Rosan
Hameau Michel Ange
R. du Gal Roques
Place du Général Stéfanik
HENRY DUNANT (Croix-Rouge Française)
Pl. Paul Reynaud
CENTRE SPORTIF GÉO ANDRÉ
Avenue de Paris
D 907
AVENUE DE LA REINE
Pl. du Docteur Paul Michaux
STE JEANNE DE CHANTAL
Avenue de la Porte de Saint Cloud
R. de l'Est
Rue R. E. Detaille
Square E. Detaille
Gallieni
R. Henri Martin
R. Samarcq
Chemin Vert
Avenue Ferdinand Buisson
PORTE DE ST CLOUD
Av. E. Vaillant
Place de la Porte de Saint Cloud
Bd Murat
Rue Gudin
Pl. Léon Deubel
Rue Claude
Le Marois
Av. Marcel Doret
PORTE DU POINT DU JOUR
Victor Hugo
Villa Pauline
Thiers
Rue du
R. Emile Landrin
V. des Princes
T.E.P
EDOUARD VAILLANT
D 910
R. Cacheux
Rue Dassault
PORTE DE ST CLOUD
Av. Dode de la Brunerie
Av. du Clavery
Pl. de l'Abbé Franz Stock
R. A. Ferry
Av. Georges Lafont
STADE PIERRE DE COUBERTIN
Rue Henry de la Vaulx
Petite Arche
V. des Fayères
R. Rieux
Villa
Av. F. d'Herelle
Pge de l'Arroseur Arrosé
Av. le Jour se lève
R. Casque d'Or
R. la Gde Illusion
Pl. M. Pagnol
Pl. Abel Gance
Pl. R. Clair
Jardin l'Arroseur Arrosé
Av. du Stade de Coubertin
R. Fanfan la Tulipe
BOULOGNE-BILLANCOURT
PARIS V RENÉ DESCARTES
V. des Peupliers
Square Dôme
Marcel Sembat
Grenier

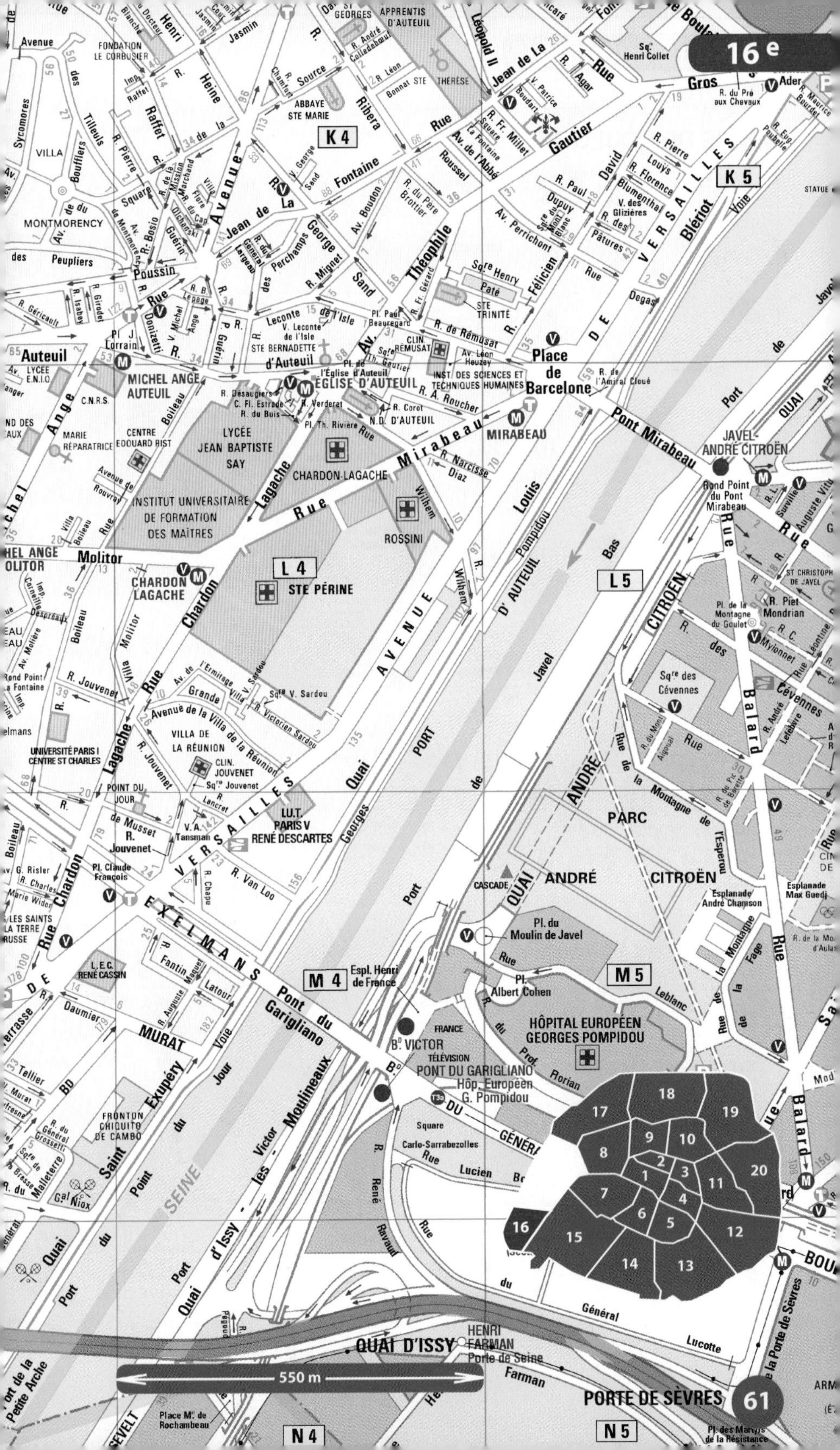
K 4
K 5
L 4
L 5
M 4
M 5
N 4
N 5
FONDATION LE CORBUSIER
APPRENTIS D'AUTEUIL
ABBAYE STE MARIE
Sq.re Henri Collet
MONTMORENCY
VILLA
Av. de Montmorency
Poussin
Jean de La Fontaine
Rue Gros
Av. Théophile Gautier
Rue Jasmin
Avenue Mozart
Place de Barcelone
Pont Mirabeau
MIRABEAU
JAVEL-ANDRÉ CITROËN
Rond Point du Pont Mirabeau
Pl. Jean Lorrain
Auteuil
MICHEL ANGE AUTEUIL
LYCÉE E.N.I.O.
C.N.R.S.
MARIE RÉPARATRICE
CENTRE EDOUARD RIST
LYCÉE JEAN BAPTISTE SAY
ÉGLISE D'AUTEUIL
STE BERNADETTE
CLIN. RÉMUSAT
INST. DES SCIENCES ET TECHNIQUES HUMAINES
Sq.re Henry Paté
STE TRINITÉ
N.D. D'AUTEUIL
CHARDON-LAGACHE
INSTITUT UNIVERSITAIRE DE FORMATION DES MAÎTRES
ROSSINI
STE PÉRINE
MICHEL ANGE MOLITOR
CHARDON LAGACHE
Rue Molitor
Rue Chardon Lagache
Rue Mirabeau
Avenue de Versailles
Quai Georges
Port de Javel
Voie Georges Pompidou
Quai Louis Blériot
Rue Balard
Rue des Cévennes
Sq.re des Cévennes
Pl. de la Montagne du Goulet
R. Piet Mondrian
ST CHRISTOPHE DE JAVEL
PARC ANDRÉ CITROËN
QUAI ANDRÉ CITROËN
CASCADE
Esplanade André Chamson
Esplanade Max Guedj
Pl. du Moulin de Javel
Pl. Albert Cohen
HÔPITAL EUROPÉEN GEORGES POMPIDOU
Rue Leblanc
VILLA DE LA RÉUNION
CLIN. JOUVENET
UNIVERSITÉ PARIS I CENTRE ST CHARLES
I.U.T. PARIS V RENÉ DESCARTES
Pl. Claude François
Bd Exelmans
Pont du Garigliano
Espl. Henri de France
L.E.C. RENÉ CASSIN
MURAT
FRONTON CHIQUITO DE CAMBO
Gal Niox
Bd Victor
FRANCE TÉLÉVISION
PONT DU GARIGLIANO
Hôp. Européen G. Pompidou
Square Carlo-Sarrabezolles
Rue Lucien Bossoutrot
Rue René Ravaud
Voie du Pont Saint Exupéry
Quai d'Issy-les-Moulineaux
Port du Point du Jour
SEINE
Quai du Point du Jour
Port de la Petite Arche
QUAI D'ISSY
HENRI FARMAN
Porte de Seine
Rue du Général Lucotte
Rue de la Porte de Sèvres
PORTE DE SÈVRES
Pl. des Martyrs de la Résistance
Place Mal de Rochambeau
550 m
1
2
3
4
5
6
7
8
9
10
11
12
13
14
15
16
17
18
19
20

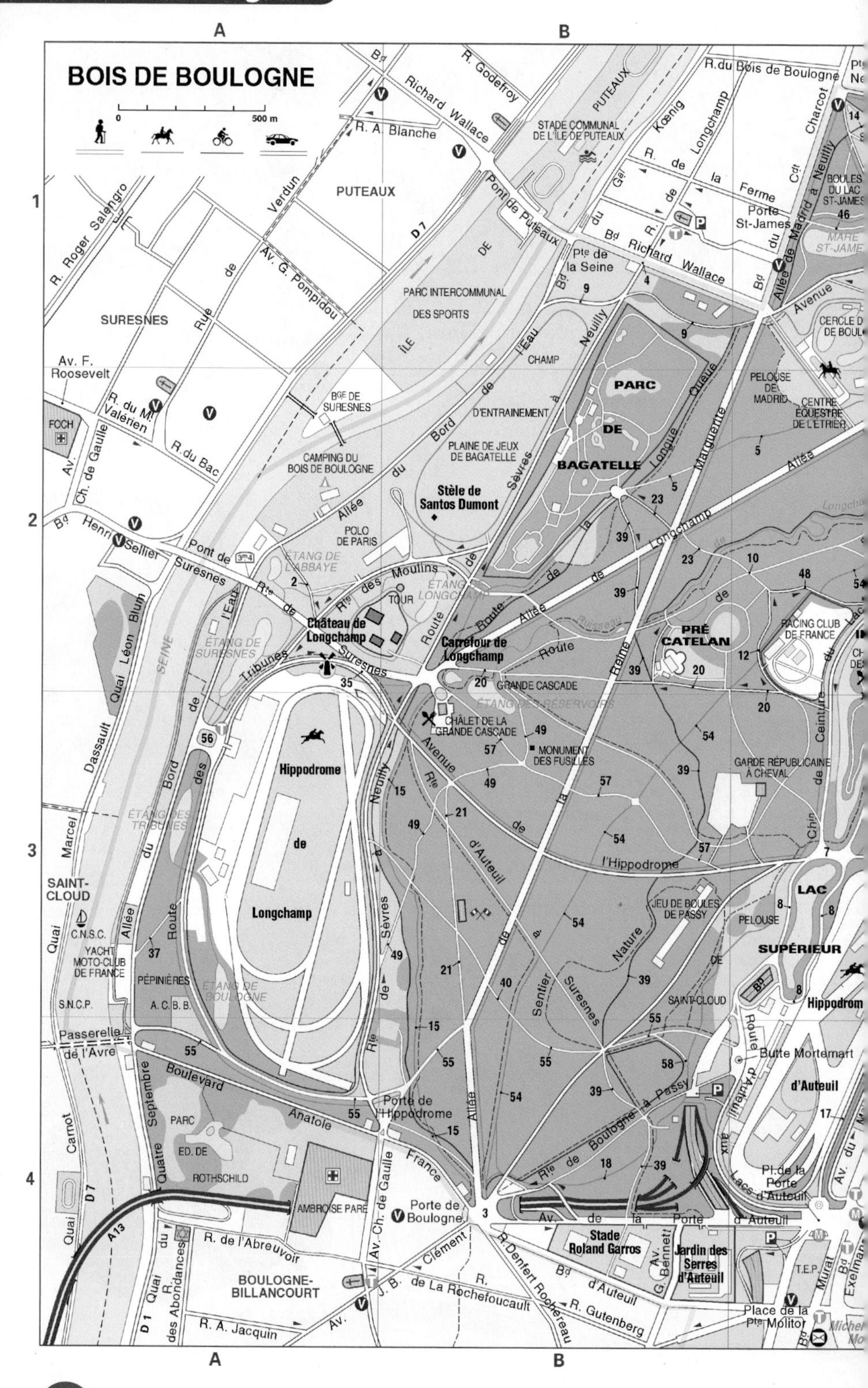
BOIS DE BOULOGNE
0
500 m
PUTEAUX
SURESNES
STADE COMMUNAL DE L'ÎLE DE PUTEAUX
PARC INTERCOMMUNAL DES SPORTS
CAMPING DU BOIS DE BOULOGNE
POLO DE PARIS
Stèle de Santos Dumont
PLAINE DE JEUX DE BAGATELLE
CHAMP D'ENTRAINEMENT
PARC DE BAGATELLE
Château de Longchamp
Carrefour de Longchamp
CHÂLET DE LA GRANDE CASCADE
GRANDE CASCADE
MONUMENT DES FUSILLÉS
PRÉ CATELAN
RACING CLUB DE FRANCE
GARDE RÉPUBLICAINE À CHEVAL
PELOUSE DE MADRID
CENTRE ÉQUESTRE DE L'ÉTRIER
CERCLE DE BOUL
BOULES DU LAC ST-JAMES
MARE ST-JAMES
Hippodrome de Longchamp
ÉTANG DE L'ABBAYE
ÉTANG DE SURESNES
ÉTANG DE LONGCHAMP
ÉTANG DES RÉSERVOIRS
ÉTANG DES TRIBUNES
ÉTANG DE BOULOGNE
PÉPINIÈRES
A.C.B.B.
C.N.S.C.
YACHT MOTO-CLUB DE FRANCE
S.N.C.P.
Passerelle de l'Avre
SAINT-CLOUD
FOCH
PARC ED. DE ROTHSCHILD
AMBROISE PARÉ
BOULOGNE-BILLANCOURT
Porte de Boulogne
Porte de l'Hippodrome
Stade Roland Garros
Jardin des Serres d'Auteuil
Pl. de la Porte d'Auteuil
Place de la Pte Molitor
T.E.P.
JEU DE BOULES DE PASSY
LAC SUPÉRIEUR
PELOUSE DE SAINT-CLOUD
Hippodrome d'Auteuil
Butte Mortemart
Pte de la Seine
Porte St-James
R. Roger Salengro
Av. F. Roosevelt
R. du Mt Valérien
R. du Bac
Bd Henri Sellier
Pont de Suresnes
Quai Léon Blum
Quai Dassault
Quai Marcel
Quai Carnot
Rue de Verdun
Av. G. Pompidou
R. A. Blanche
Bd Richard Wallace
R. Godefroy
R.du Bois de Boulogne
R. de la Ferme
Pont de Puteaux
Allée du Bord de l'Eau
Allée de Longchamp
Allée de la Reine Marguerite
Allée de Madrid à Neuilly
Route de Sèvres à Neuilly
Route de Suresnes
Rte des Moulins
Rte des Tribunes
Route du Bord des Étangs
Route de l'Hippodrome
Rte d'Auteuil
Sentier de la Nature
Route de Suresnes à Saint-Cloud
Rte de Boulogne à Passy
Route d'Auteuil aux Lacs
Boulevard Anatole France
Quatre Septembre
Av. de la Porte d'Auteuil
Av. G. Bennett
Bd d'Auteuil
R. Denfert Rochereau
R. Gutenberg
R. de l'Abreuvoir
R. des Abondances
R. A. Jacquin
Av. J. B. Clément
R. de La Rochefoucauld
Av. Ch. de Gaulle
Bd Murat
Av. du Bd Exelmans

D
17e
Jacques
Dulud
D 13
Av. Charles de Gaulle
Rue de Sablonville
Palais des Congrès de Paris
NEUILLY-SUR-SEINE
Bd Maurice Barrès
Bd des Sablons
Bd Maillot
Porte Maillot
Jardin d'Acclimatation
Mée en Herbe
Pl. de la Pte Maillot
PAVILLON DE L'ORÉE DU BOIS
45
42
Mahatma Gandhi
PAVILLON D'ARMENONVILLE
MARE D'ARMENONVILLE
19
46
30
5
ÎLE DES CÈDRES
Ruisseau des Sablons
Neuilly Porte Maillot
Bd de l'Amiral Bruix
Av. de Malakoff
16
34
50
54
18
PÉRIPHÉRIQUE
42
Longchamp
16
Pl. du Mal de lattre de tassigny
PAVILLON DAUPHINE
Porte Dauphine
Avenue Foch
Mée d'Ennery
Mée Arménien
34
47
Pte Dauphine
Av. Foch
Av.
Pompe
Bugeaud
1
50
Route de Suresnes
54
PAVILLON ROYAL
E.S.I.T.
UNIVERSITÉ PARIS IX
Flandrin
Hugo
2
26
6
Route
Inférieur
Av. du Mal Fayolle
Lannes
R. de la Faisanderie
Av. Victor Hugo
Longchamp
la
26
Bd
AMBASSADE DE RUSSIE
34
Lac
Av. L. Barthou
Pl. de Mexico
Square Lamartine
Av. H. Martin
Henri Martin
PELOUSE DE LA MUETTE
Ceinture du Lac
MAIRIE DU 16e
Av. Georges Mandel
Rue de la Pompe
Pl. de Colombie
Av. de St-Cloud
Bd J. Sandeau
Pte de la Muette
O.C.D.E.
PARIS
R. Cortambert
Rue
38
13
PÉRIPHÉRIQUE
17
Av. du Mal Maunoury
Suchet
MUSÉE MARMOTTAN
Jardin du Ranelagh
La Muette
Av. Paul Doumer
Pl. de la Pte de Passy
Rue de Passy
3
Boulainvilliers
Bd de Beauséjour
R. du Mozart
16e
Raynouard
17
Bd du Mal Franchet d'Esperey
R. de Ranelagh
Ranelagh
Montmorency
R. du Dr Blanche
Musée H. Bouchard
l'Assomption
Av. Président Kennedy
Maison de Radio France
Rue
Maison de Radio France
Pompidou
Jasmin
Castel Béranger
Boulainvilliers
Fondation Le Corbusier
Avenue
Rue La Fontaine
Raffet
Versailles
Pl. de Grenelle
Q. de Grenelle
Statue de la Liberté
Front de Seine
4
Georges
SEINE
Q. André Citroën
Pl. de Barcelone
R. d'Auteuil
Pl. d'Auteuil
Michel Ange Auteuil
Église d'Auteuil
R. Michel Ange
Mirabeau
Pont Mirabeau
Javel
Av. Émile Zola
Molitor
Chardon Lagache
CHARDON LAGACHE
Rue Mirabeau
Avenue
Voie
R. de la Convention
R. Balard
15e
D

Abbaye chemin de l' ... A2 2
Anciens Combattants carr. des ... B4 3
Anselin r. du Général ... D1 19
Auteuil-à-Suresnes rte d' ... B3-B4
Auteuil-aux-Lacs rte d' ... B4-C4
Bord-de-l'Eau allée du ... A3-B1
Bouleaux allée des ... B1-C1 5
Boulogne à Passy rte de ... B4
Bout-des-Lacs carr. du ... C2 6
Butte Mortemart ... C4
Cascades carr. des ... C3 7
Ceinture-du-Lac-Inférieur chemin de ... C2-C3
Ceinture-du-Lac-Supérieur chemin de ... C3 8
Champ-d'Entraînement rte du ... B1 9
Croix-Catelan carr. de la ... C2 10
Croix-Catelan chemin de la ... C2 12
Dames allée des ... C3 13
Érables rte des ... C1 14
Espérance rte de l' ... B3-B4 15
Étoile rte de l' ... C1-D1 16
Fortifications allée des ... C3-C4 17
Fortunée allée ... B4-D1 18
France bd Anatole ... A4-B4
Gandhi av. du Mahatma ... C1-D1
Grande-Cascade rte de la ... B2-C2 20
Gravilliers chemin des ... B3 21
Hippodrome av. de l' ... B3-C3
Lacs-à-Bagatelle rte des ... B2 23
Lacs-à-la-Porte-Dauphine allée des ... C2-D2 26
Lacs-à-Passy rte des ... C3 25
Longchamp allée de ... B2-D1
Longchamp carr. de ... B2 28
Longue-Queue rte de la ... B1-B2
Madrid-à-Neuilly allée de ... C1
Marguerite allée de la Reine ... B2-B4
Marronniers r. des ... C1 30
Moulins rte des ... A2-B2
Muette-à-Neuilly rte de la ... C1-C2 34
Norvège carr. de ... A2 35
Pépinières chemin des ... A3 37
Pins rte des ... C3 38
Point-du-Jour-à-Bagatelle rte du ... B2-B4 39
Point-du-Jour-à-Suresnes rte du ... B3 40
Porte-Dauphine-à-la-Porte-des-Sablons rte de la ... D1 42
Porte-d'Auteuil av. de la ... B4-C4
Porte de Bagatelle ... B1 4
Porte-des-Sablons-à-la-Porte-Maillot rte de la ... D1 45
Porte-St-James rte de la ... C1 46
Poteaux allée des ... D2 47
Pré-Catelan rte du ... C2 48
Réservoirs chemin des ... A3-B3 49
Sablonneuse rte ... C1-C2 50
St-Cloud av. de ... B4-C3
St-Denis allée ... B4-D1 54
Seine-à-la-Butte-Mortemart rte de la ... A4-B4 55
Sèvres-à-Neuilly rte de ... A4-B1
Suresnes rte de ... A2-D2
Tribunes carr. des ... A3 56
Tribunes rte des ... A2-A3
Vierge-aux-Berceaux rte de la ... B3 57
Vieux-Chênes chemin des ... B3 58

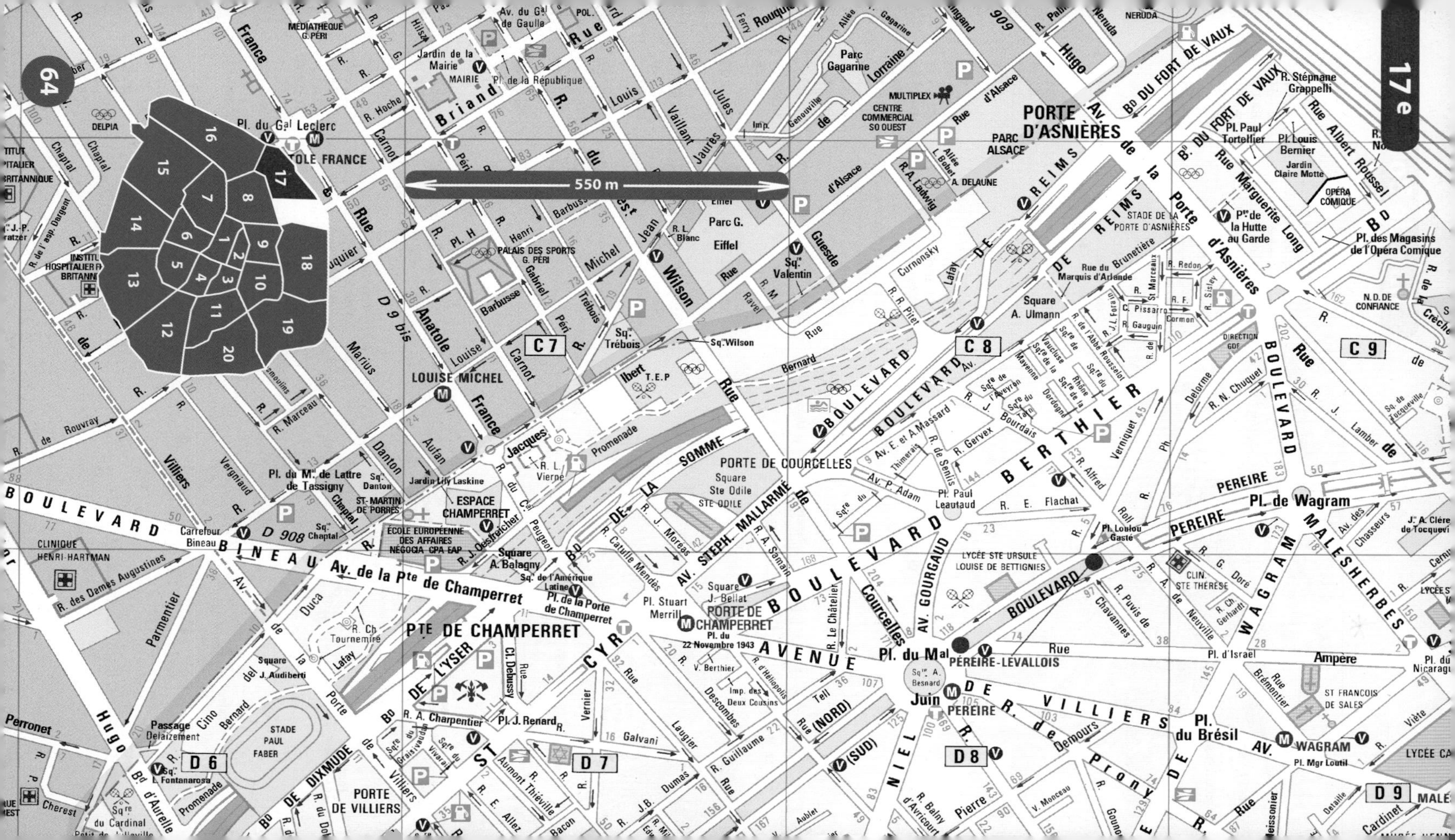

PORTE D'ASNIÈRES
Av. de la Porte d'Asnières
BOULEVARD MALESHERBES
BOULEVARD PEREIRE
Pl. de Wagram
WAGRAM
Rue Albert Roussel
Rue Marguerite Long
Bd DU FORT DE VAUX
Pl. des Magasins de l'Opéra Comique
OPÉRA COMIQUE
Jardin Claire Motte
R. Stéphane Grappelli
Pl. Louis Bernier
Pl. Paul Tortellier
Pte de la Hutte au Garde
STADE DE LA PORTE D'ASNIÈRES
N.D. DE CONFIANCE
ST FRANCOIS DE SALES
LYCÉE STE
Pl. du Nicaragua
Rue Ampère
Rue Brémontier
Pl. du Brésil
AV. DE VILLIERS
R. de Prony
R. Puvis de Chavannes
R. A. de Neuville
Pl. d'Israel
CLIN. STE THERÈSE
BOULEVARD PEREIRE-LEVALLOIS
LYCÉE STE URSULE LOUISE DE BETTIGNIES
AV. GOURGAUD
Pl. du Mal Juin
Sq. A. Besnard
PEREIRE
R. NIEL
BOULEVARD BERTHIER
R. Alfred Roll
R. E. Flachat
Pl. Paul Leautaud
Square A. Ulmann
BOULEVARD DE REIMS
PARC ALSACE
MULTIPLEX
CENTRE COMMERCIAL SO OUEST
Parc Gagarine
BOULEVARD DE COURCELLES
PORTE DE COURCELLES
Square Ste Odile
STE ODILE
AV. STEPH. MALLARMÉ
AVENUE DE VILLIERS
Rue Laugier
Rue Guillaume Tell
R. Descombes
Pl. du 22 Novembre 1943
PORTE DE CHAMPERRET
Pl. Stuart Merrill
Square J. Bellat
R. J. Moréas
R. Catulle Mendès
Pl. de la Porte de Champerret
Av. de la Pte de Champerret
PTE DE CHAMPERRET
ESPACE CHAMPERRET
ÉCOLE EUROPÉENNE DES AFFAIRES NÉGOCIA CPA EAP
Cl. Debussy
Pl. J. Renard
R. Aumont Thiéville
BOULEVARD BINEAU
Carrefour Bineau
STADE PAUL FABER
PORTE DE VILLIERS
BD DE DIXMUDE
Bd d'Aurelle
Hugo
Rue Parmentier
CLINIQUE HENRI-HARTMAN
R. des Dames Augustines
Perronet
Rue Louise Michel
LOUISE MICHEL
Anatole France
Rue Danton
Rue Aufan
Sq. Danton
ST-MARTIN DE PORRÈS
Pl. du Mal de Lattre de Tassigny
Rue Chaptal
D 908
D 9 bis
R. Marius
R. Vergniaud
R. Villiers
PALAIS DES SPORTS G. PERI
Rue Gabriel Péri
Rue Carnot
Rue Jean Jaurès
Rue Wilson
Parc G. Eiffel
Sq. Valentin
R. Guesde
Rue Ravel
Jules Ferry
Vaillant
Bd Briand
Pl. de la République
Av. du Gal de Gaulle
MAIRIE
Jardin de la Mairie
Pl. du Gal Leclerc
MÉDIATHÈQUE G. PERI
DELPIA
Rue France
Sq. Trébois
T.E.P
Sq. Wilson
Promenade
R. Jacques Ibert
R. L. Vierne
Jardin Lily Laskine
550 m
C9
C8
C7
D9
D8
D7
D6
18
19
17
9
10
8
2
3
20
1
11
16
7
4
6
5
12
15
14
13

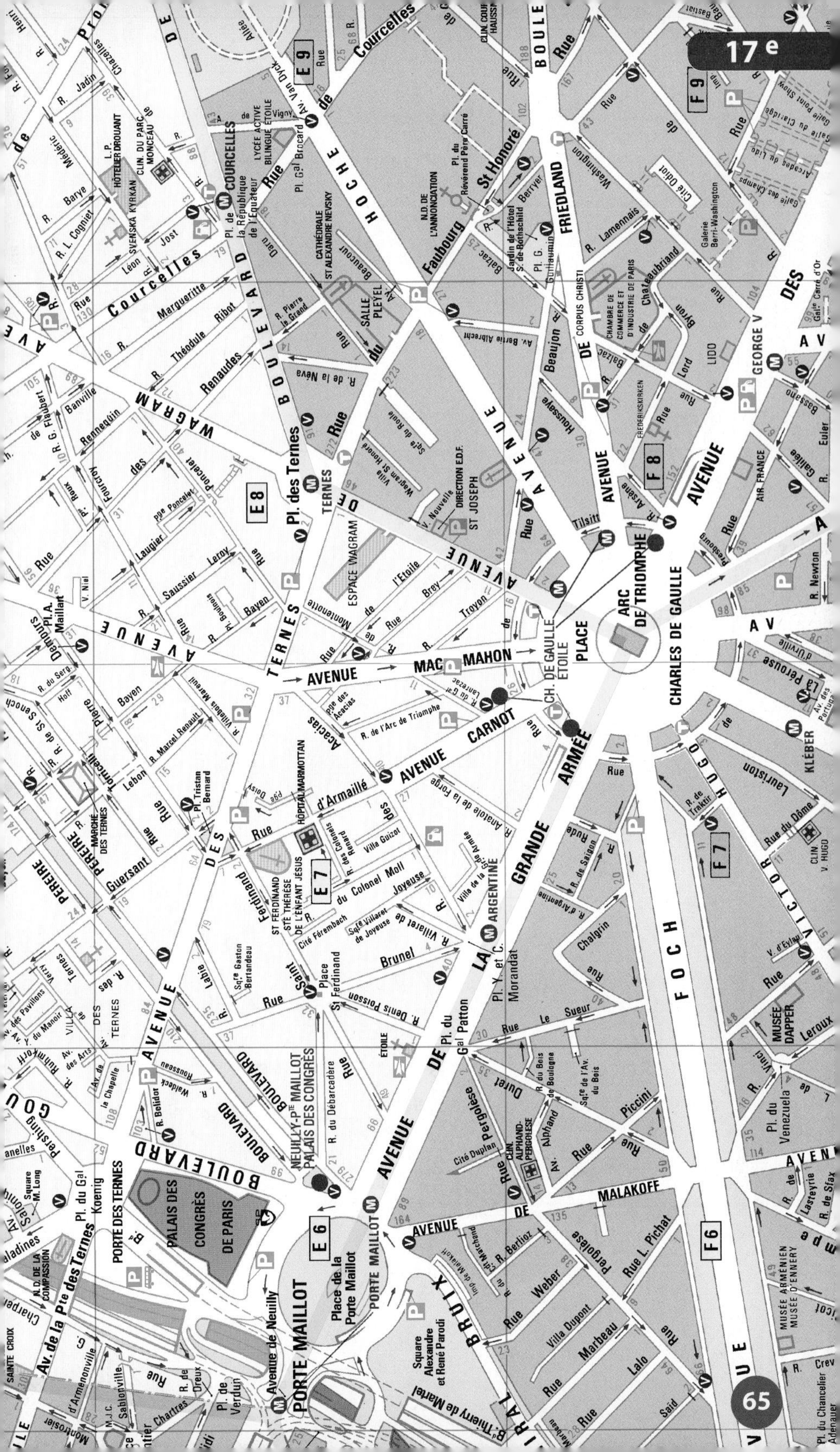

17e
E 9
F 9
E 8
F 8
E 7
F 7
E 6
F 6
Courcelles
Av. Van Dyck
Av. Hoche
Rue du Faubourg St Honoré
Boulevard de Courcelles
Pl. de la République de l'Équateur
Lycée Active Bilingue Étoile
Pl. Gal Brocard
Cathédrale St Alexandre Nevsky
N.D. de l'Annonciation
Pl. du Révérend Père Carré
Salle Pleyel
Rue Daru
Rue Beaucour
R. Pierre le Grand
R. de la Néva
Avenue de Friedland
Rue Washington
Cité Odiot
Galerie Berri-Washington
Arcades du Lido
Galle des Champs
Galle du Claridge
Galle Point Show
R. Lamennais
Rue Chateaubriand
Corpus Christi
Chambre de Commerce et d'Industrie de Paris
Jardin de l'Hôtel S. de Rothschild
Pl. G. Guillaumin
Rue Balzac
Rue Berryer
Av. Bertie Albrecht
Rue Beaujon
Avenue Hoche
Rue Byron
Lido
Lord Byron
George V
Avenue des Champs-Élysées
Frederikskirken
Rue Arsène Houssaye
Rue de Tilsitt
Rue de Presbourg
Air France
Rue Galilée
Rue Bassano
Euler
R. Newton
Arc de Triomphe
Place Charles de Gaulle
Av. d'Iéna
Ch. de Gaulle Étoile
Av. Mac Mahon
Rue de l'Étoile
Rue Brey
Rue Troyon
Rue Montenotte
Espace Wagram
Direction E.D.F.
St Joseph
Villa Wagram St Honoré
Sqre du Roule
Avenue de Wagram
Pl. des Ternes
Ternes
Avenue des Ternes
Avenue Niel
Rue Poncelet
Pge Poncelet
Rue Laugier
Rue Saussier Leroy
Rue Bayen
Pl. Boulnois
Rue Rennequin
Rue Fourcroy
R. G. Flaubert
Rue de Prony
Rue Jadin
Rue Médéric
Rue Barye
R. L. Cogniet
Rue Léon Jost
Rue Chazelles
L.P. Hôtelier Drouant
Clin. du Parc Monceau
Svenska Kyrkan
Rue de Courcelles
Rue Marguerite
Rue Ribot
Rue Théodule
Rue Renaudes
Rue Banville
Pl. A. Maillart
Rue Demours
V. Niel
R. Villebois Mareuil
R. Marcel Renault
Rue Bayen
Rue Lebon
Rue Torricelli
Rue Pierre Demours
Marché des Ternes
Pereire
Boulevard Pereire
Pl. Tristan Bernard
Rue Guersant
Rue des Acacias
Pge des Acacias
R. de l'Arc de Triomphe
Avenue Carnot
R. du Gal Lanrezac
Avenue d'Armaillé
Pge Doisy
Hôpital Marmottan
Rue des Colonels Renard
Villa Guizot
Rue Ferdinand
St Ferdinand Ste Thérèse de l'Enfant Jésus
Cité Férembach
Rue du Colonel Moll
Rue Joyeuse
Sqre Villaret de Joyeuse
R. Villaret de Joyeuse
Villa de la Gde Armée
R. Anatole de la Forge
Avenue de la Grande Armée
Argentine
R. d'Argentine
R. de Saigon
Rue Rude
Rue Chalgrin
Rue Brunel
Rue Saint Ferdinand
Place St Ferdinand
R. Denis Poisson
Sqre Gaston Bertandeau
Rue Labie
Pl. Y. et C. Morandat
Pl. du Gal Patton
Rue Le Sueur
Avenue Foch
Rue Duret
R. du Bois de Boulogne
Sqre de l'Av. du Bois
Rue Piccini
Pergolèse
Cité Duplan
Clin. Alphand-Pergolèse
Av. Alphand
Avenue de Malakoff
Rue Pergolèse
Rue L. Pichat
Rue Weber
Villa Dupont
Rue Marbeau
Rue Lalo
Rue Saïd
Imp. de Malakoff
Cité Marchand
R. Berlioz
Square Alexandre et René Parodi
Bd Thierry de Martel
Boulevard de l'Amiral Bruix
Porte Maillot
Place de la Porte Maillot
Neuilly-Pte Maillot Palais des Congrès
R. du Débarcadère
Étoile
Avenue de la Grande Armée
Boulevard Gouvion St Cyr
Palais des Congrès de Paris
Porte des Ternes
Pl. du Gal Koenig
Av. de la Pte des Ternes
N.D. de la Compassion
Square M. Long
Av. Pershing
R. Belidor
R. Waldeck Rousseau
Av. de la Chapelle
Av. des Arts
Av. Y. du Manoir
Av. des Pavillons
Villa des Ternes
R. des Ternes
Verzy
R. Rhumkorff
Rue de Dreux
Rue Chartres
Pl. de Verdun
Avenue de Neuilly
Rue Sablonville
R. d'Armenonville
Montrosier
M.J.C.
Sainte Croix
Kléber
Rue Lauriston
Rue du Dôme
Clin V. Hugo
Avenue Victor Hugo
R. de Traktir
Rue Leroux
V. d'Eylau
Musée Dapper
Pl. du Venezuela
R. de Lasteyrie
R. de Sfax
Musée Arménien
Musée d'Ennery
R. Crevaux
Pl. du Chancelier Adenauer
65

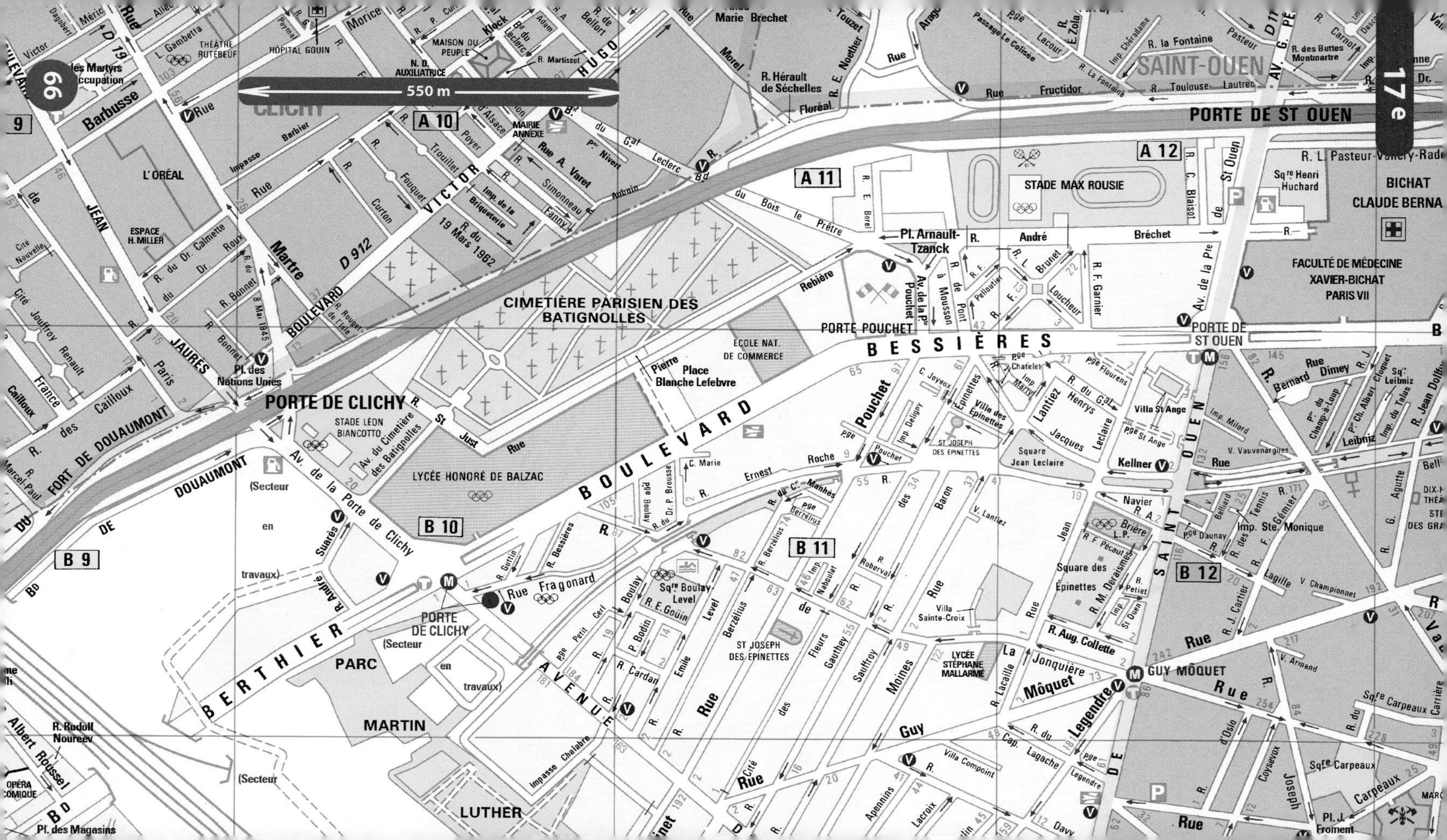
PORTE DE ST OUEN
SAINT-OUEN
BICHAT
CLAUDE BERNA
FACULTÉ DE MÉDECINE
XAVIER-BICHAT
PARIS VII
Sq.re Henri Huchard
R. L. Pasteur-Vallery-Rad
STADE MAX ROUSIE
A 12
A 11
A 10
B 9
B 10
B 11
B 12
Av. de la Pte de St Ouen
PORTE DE ST OUEN
R. C. Blaisot
Bréchet
R. F. Garnier
Loucheur
Brunet
André
Pl. Arnault-Tzanck
Av. de la Pte Pouchet
PORTE POUCHET
R. E. Borel
R. de Pont à Mousson
BESSIÈRES
BOULEVARD
Pouchet
Lantiez
Square Jean Leclaire
Villa des Épinettes
ST JOSEPH DES ÉPINETTES
Square des Épinettes
R. M. Deraismes
R. Aug. Collette
La Jonquière
Môquet
Legendre
GUY MÔQUET
Kellner
SAINT OUEN
Guy
LYCÉE STÉPHANE MALLARMÉ
Villa Sainte-Croix
Baron
Moines
Sauffroy
Gauthey
Fleurs
Berzélius
Level
Emile
R. Lacaille
Cap. Lagache
Villa Compoint
Lacroix
Apennins
Davy
Ernest
Roche
Boulay
Sq.re Boulay-Level
R. E. Goüin
R. Cardan
P. Bodin
AVENUE
LUTHER
MARTIN
PARC
(Secteur
en
travaux)
PORTE DE CLICHY
Rue Fragonard
R. Bessières
Pge Petit Cerf
Impasse Chalabre
LYCÉE HONORÉ DE BALZAC
ÉCOLE NAT. DE COMMERCE
Place Pierre Blanche Lefebvre
CIMETIÈRE PARISIEN DES BATIGNOLLES
R. St Just
PORTE DE CLICHY
STADE LÉON BIANCOTTO
Av. du Cimetière des Batignolles
Av. de la Porte de Clichy
Suarès
R. André
BERTHIER
DOUAUMONT
FORT DE DOUAUMONT
BOULEVARD
VICTOR HUGO
D 912
Martre
Fouquet
Curton
Trouillet
Poyer
R. du 19 Mars 1962
Imp. de la Briqueterie
Rue A. Varet
Simonneau
Fanny
Bd du Gal Leclerc
Pt. Nivert
MAIRIE ANNEXE
MAISON DU PEUPLE
N. D. AUXILIATRICE
HÔPITAL GOUIN
THÉÂTRE RUTEBEUF
L'ORÉAL
ESPACE H. MILLER
R. du Dr. Calmette
JEAN JAURÈS
R. Bonnet
Pl. des Nations Unies
8 Mai 1945
R. Rouget de l'Isle
Barbusse
des Martyrs de l'Occupation
Paris
Cailloux
France
Cité Jouffroy Renault
R. Marcel-Paul
R. Rudolf Noureev
Albert Roussel
OPÉRA COMIQUE
Pl. des Magasins
Morel
R. Hérault de Séchelles
Floréal
R. E. Noether
Touzet
Marie Brechet
Fructidor
Passage Le Colisée
R. la Fontaine
R. Toulouse-Lautrec
Pasteur
R. des Buttes Montmartre
Carnot
CLICHY
550 m
R. du Bois le Prêtre
Rebière
R. Jean Dollfus
Leibniz
Rue Bernard Dimey
Imp. Milord
V. Vauvenargues
Imp. Ste. Monique
R. J. Cartier
Lagille
V. Championnet
V. Armand
Sq.re Carpeaux
Joseph
Coysevox
Pl. J. Froment
Navier
Brière L.P.

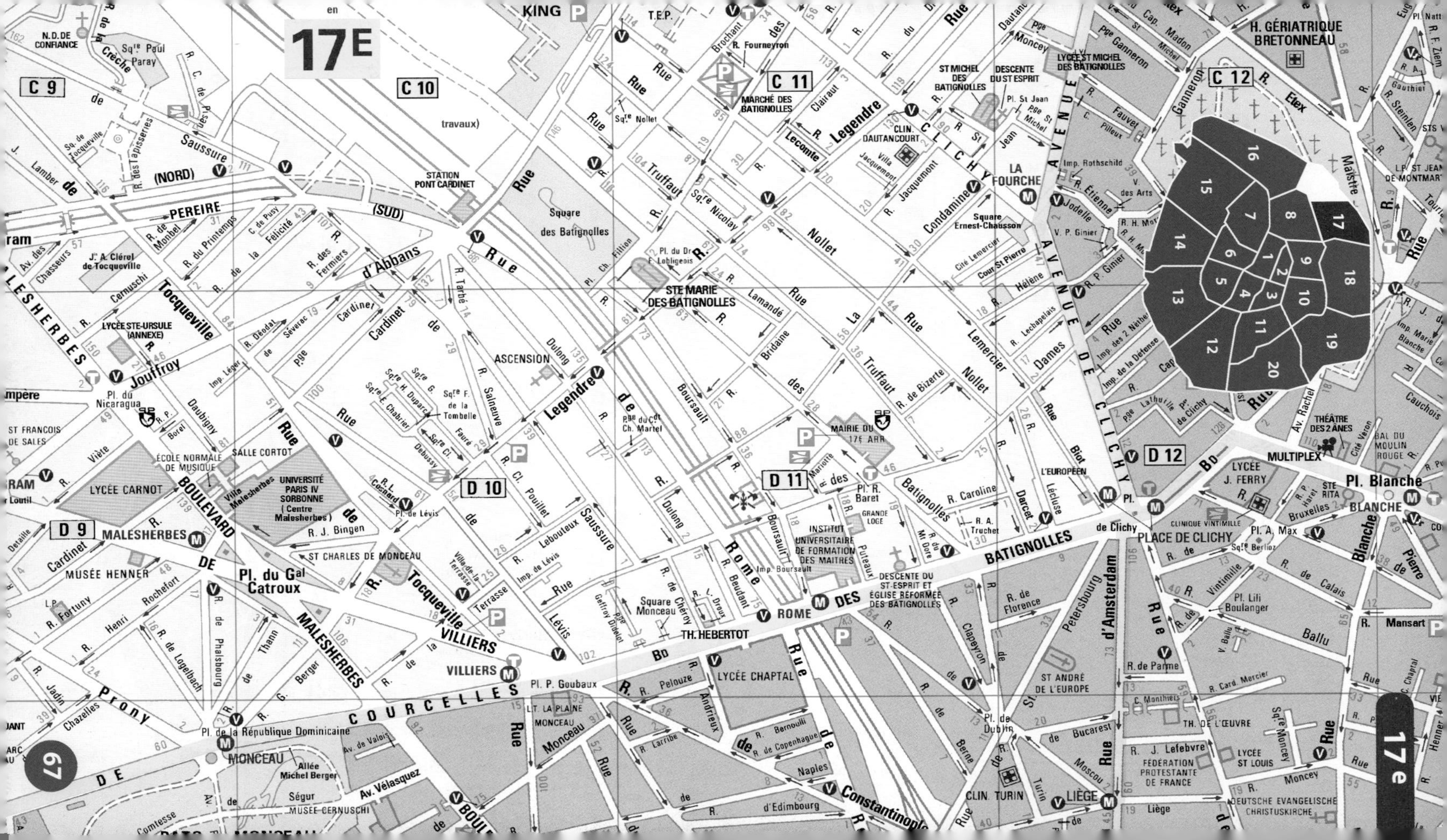
17E
C 9
C 10
C 11
C 12
D 9
D 10
D 11
D 12
AVENUE DE CLICHY
BOULEVARD MALESHERBES
BD DES BATIGNOLLES
BD DE COURCELLES
Rue de Rome
Rue Legendre
Rue des Dames
Rue Nollet
Rue La Condamine
Rue Truffaut
Rue Lemercier
Rue Cardinet
Rue de Tocqueville
Rue de Saussure
Rue de Lévis
Rue Jouffroy d'Abbans
Rue de Prony
PEREIRE
Rue de Constantinople
Rue de Moscou
Rue d'Amsterdam
Rue de Turin
PLACE DE CLICHY
Pl. Blanche
Pl. du Gal Catroux
Pl. de la République Dominicaine
Pl. du Nicaragua
Pl. P. Goubaux
VILLIERS
ROME
LIÈGE
MONCEAU
MALESHERBES
LA FOURCHE
BLANCHE
STATION PONT CARDINET
(NORD)
(SUD)
Square des Batignolles
Square Ernest-Chausson
Square Monceau
MAIRIE DU 17E ARR
STE MARIE DES BATIGNOLLES
ST MICHEL DES BATIGNOLLES
DESCENTE DU ST ESPRIT
ST CHARLES DE MONCEAU
ST ANDRÉ DE L'EUROPE
ASCENSION
LYCÉE CHAPTAL
LYCÉE CARNOT
LYCÉE J. FERRY
LYCÉE ST LOUIS
LYCÉE STE-URSULE (ANNEXE)
UNIVERSITÉ PARIS IV SORBONNE (Centre Malesherbes)
INSTITUT UNIVERSITAIRE DE FORMATION DES MAITRES
ÉCOLE NORMALE DE MUSIQUE
SALLE CORTOT
MUSÉE HENNER
MUSÉE CERNUSCHI
H. GÉRIATRIQUE BRETONNEAU
CLIN. DAUTANCOURT
CLIN. TURIN
CLINIQUE VINTIMILLE
MARCHÉ DES BATIGNOLLES
THÉATRE DES 2 ANES
TH. HEBERTOT
TH. DE L'ŒUVRE
MULTIPLEX
L'EUROPÉEN
BAL DU MOULIN ROUGE
FÉDÉRATION PROTESTANTE DE FRANCE
DEUTSCHE EVANGELISCHE CHRISTUSKIRCHE
N.D. DE CONFIANCE
17e
67

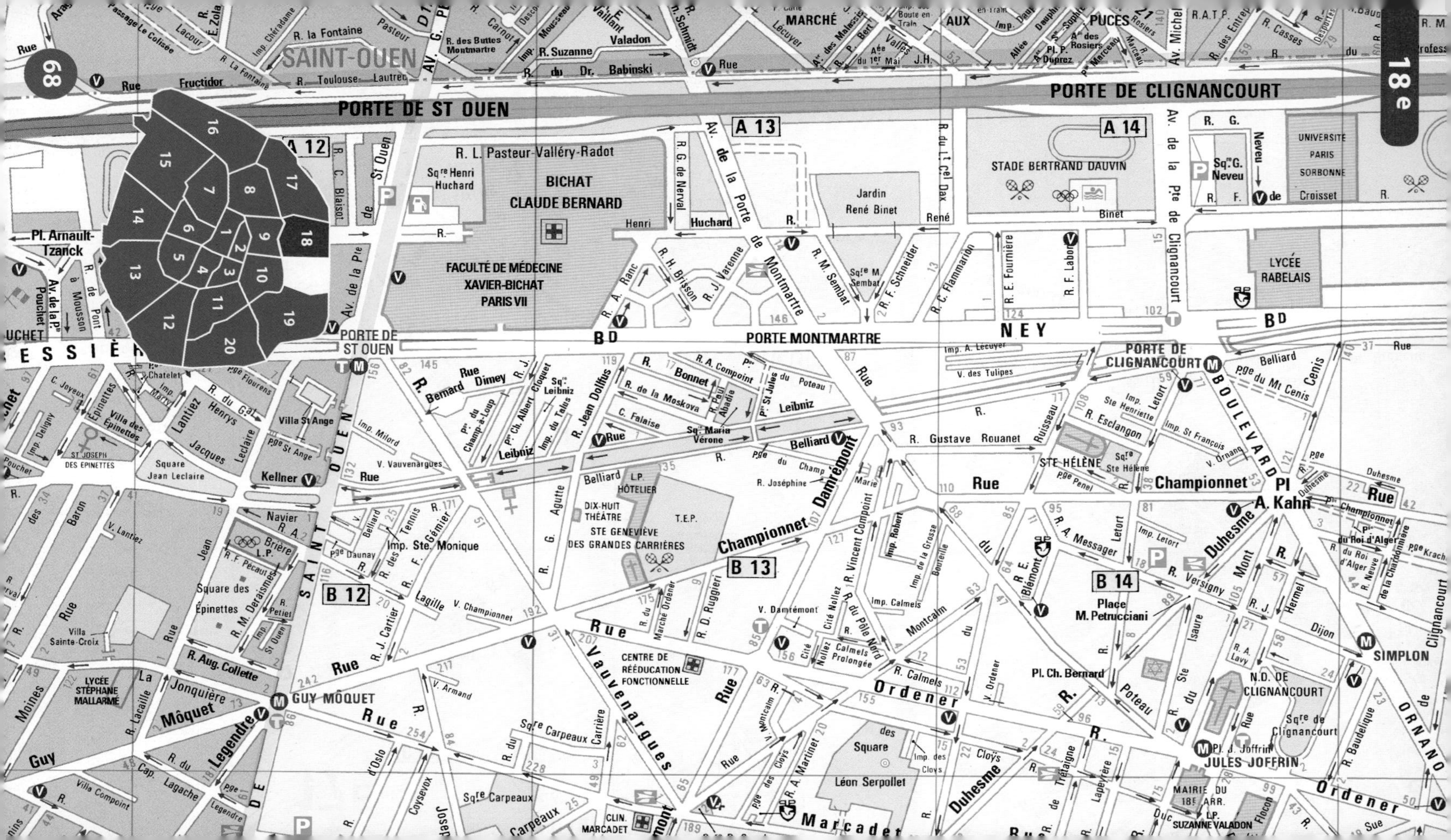
18e
PORTE DE CLIGNANCOURT
PORTE DE ST OUEN
SAINT-OUEN
MARCHÉ AUX PUCES
A 12
A 13
A 14
UNIVERSITE PARIS SORBONNE
STADE BERTRAND DAUVIN
Jardin René Binet
LYCÉE RABELAIS
R. L. Pasteur-Vallery-Radot
BICHAT CLAUDE BERNARD
FACULTÉ DE MÉDECINE XAVIER-BICHAT PARIS VII
Av. de la Porte de Montmartre
Av. de la Pte de Clignancourt
BD NEY
PORTE MONTMARTRE
PORTE DE ST OUEN
PORTE DE CLIGNANCOURT
BOULEVARD
Pl. Arnault-Tzanck
Av. de la Pte Pouchet
R. Gustave Rouanet
Championnet
Damrémont
Belliard
Leibniz
R. Jean Dollfus
Rue Bernard Dimey
Villa St Ange
Square Jean Leclaire
ST JOSEPH DES EPINETTES
Kellner
STE HÉLÈNE
Pl. A. Kahn
Duhesme
L.P. HÔTELIER
DIX-HUIT THÉÂTRE
STE GENEVIÈVE DES GRANDES CARRIÈRES
T.E.P.
B 12
B 13
B 14
Place M. Petrucciani
Square des Épinettes
R. Aug. Collette
LYCÉE STÉPHANE MALLARMÉ
GUY MÔQUET
Rue Vauvenargues
CENTRE DE RÉÉDUCATION FONCTIONNELLE
Ordener
Pl. Ch. Bernard
Poteau
SIMPLON
N.D. DE CLIGNANCOURT
Sq. de Clignancourt
JULES JOFFRIN
ORNANO
Square Léon Serpollet
Sq. Carpeaux
Marcadet
CLIN. MARCADET
MAIRIE DU 18E ARR.
L.P. SUZANNE VALADON
Legendre
Lagache
68

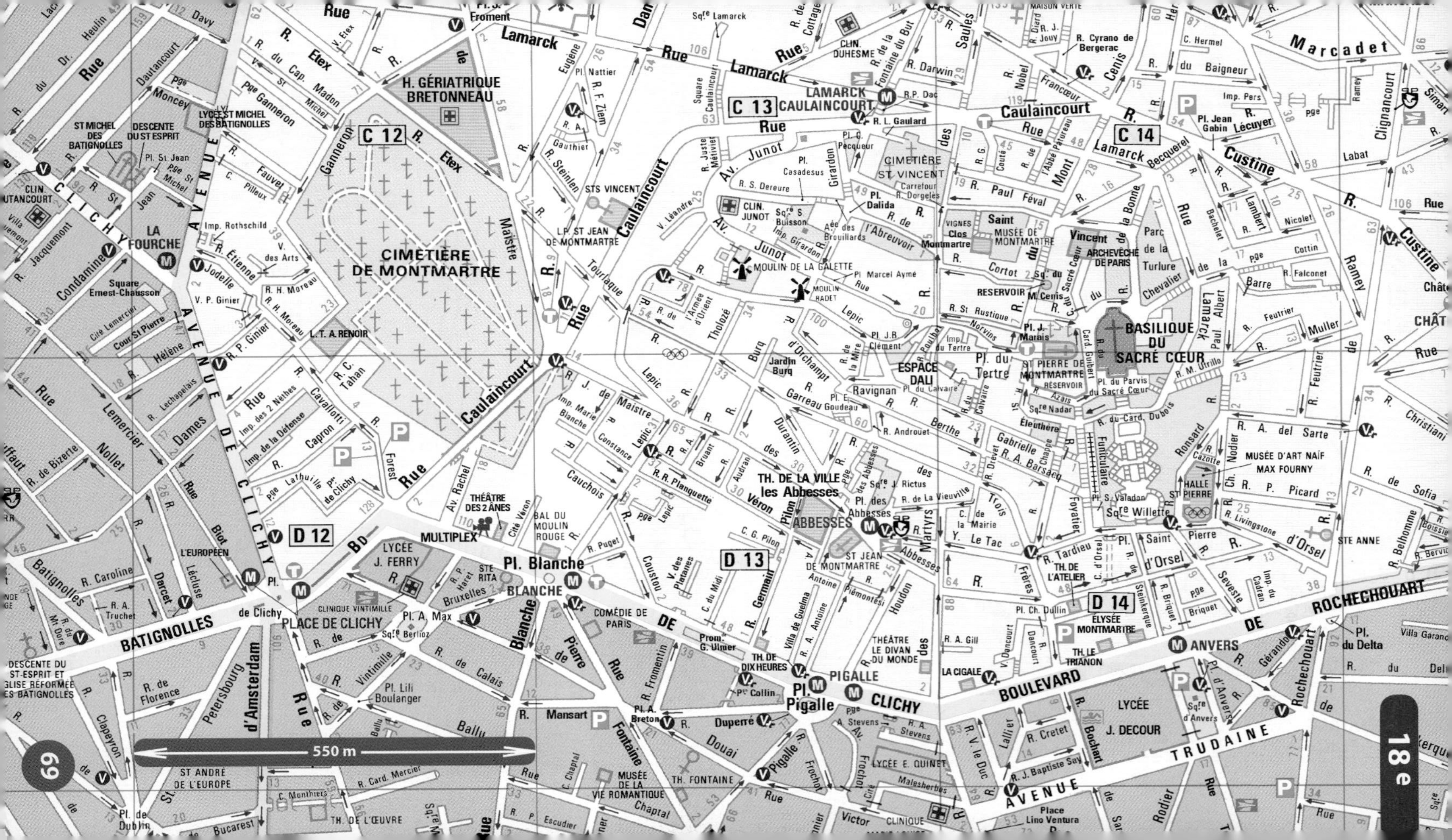
BASILIQUE DU SACRÉ CŒUR
CIMETIÈRE DE MONTMARTRE
CIMETIÈRE ST VINCENT
MUSÉE DE MONTMARTRE
MUSÉE D'ART NAÏF MAX FOURNY
HALLE ST PIERRE
ESPACE DALI
MOULIN DE LA GALETTE
MOULIN RADET
ST PIERRE DE MONTMARTRE
ST JEAN DE MONTMARTRE
STS VINCENT
L.P. ST JEAN DE MONTMARTRE
ARCHEVÊCHÉ DE PARIS
RESERVOIR
Funiculaire
Sq^re Willette
Pl. du Tertre
Pl. Blanche
Pl. Pigalle
PLACE DE CLICHY
Pl. d'Anvers
BOULEVARD DE ROCHECHOUART
BOULEVARD DE CLICHY
AVENUE DE CLICHY
AVENUE TRUDAINE
BATIGNOLLES
Rue Caulaincourt
Rue Lamarck
Custine
Marcadet
Rue Lepic
Abbesses
R. d'Orsel
Ramey
Tholozé
Av. Junot
LAMARCK CAULAINCOURT
ANVERS
PIGALLE
ABBESSES
BLANCHE
LA FOURCHE
TH. DE L'ATELIER
ÉLYSÉE MONTMARTRE
TH. LE TRIANON
LA CIGALE
TH. DE LA VILLE les Abbesses
THÉÂTRE DES 2 ÂNES
BAL DU MOULIN ROUGE
COMÉDIE DE PARIS
THÉÂTRE LE DIVAN DU MONDE
TH. DE DIX HEURES
TH. FONTAINE
TH. DE L'ŒUVRE
MULTIPLEX
LYCÉE J. DECOUR
LYCÉE J. FERRY
LYCÉE E. QUINET
LYCÉE ST MICHEL DES BATIGNOLLES
H. GÉRIATRIQUE BRETONNEAU
CLIN. JUNOT
CLIN. DUHESME
CLINIQUE VINTIMILLE
MUSÉE DE LA VIE ROMANTIQUE
C 12
C 13
C 14
D 12
D 13
D 14
550 m

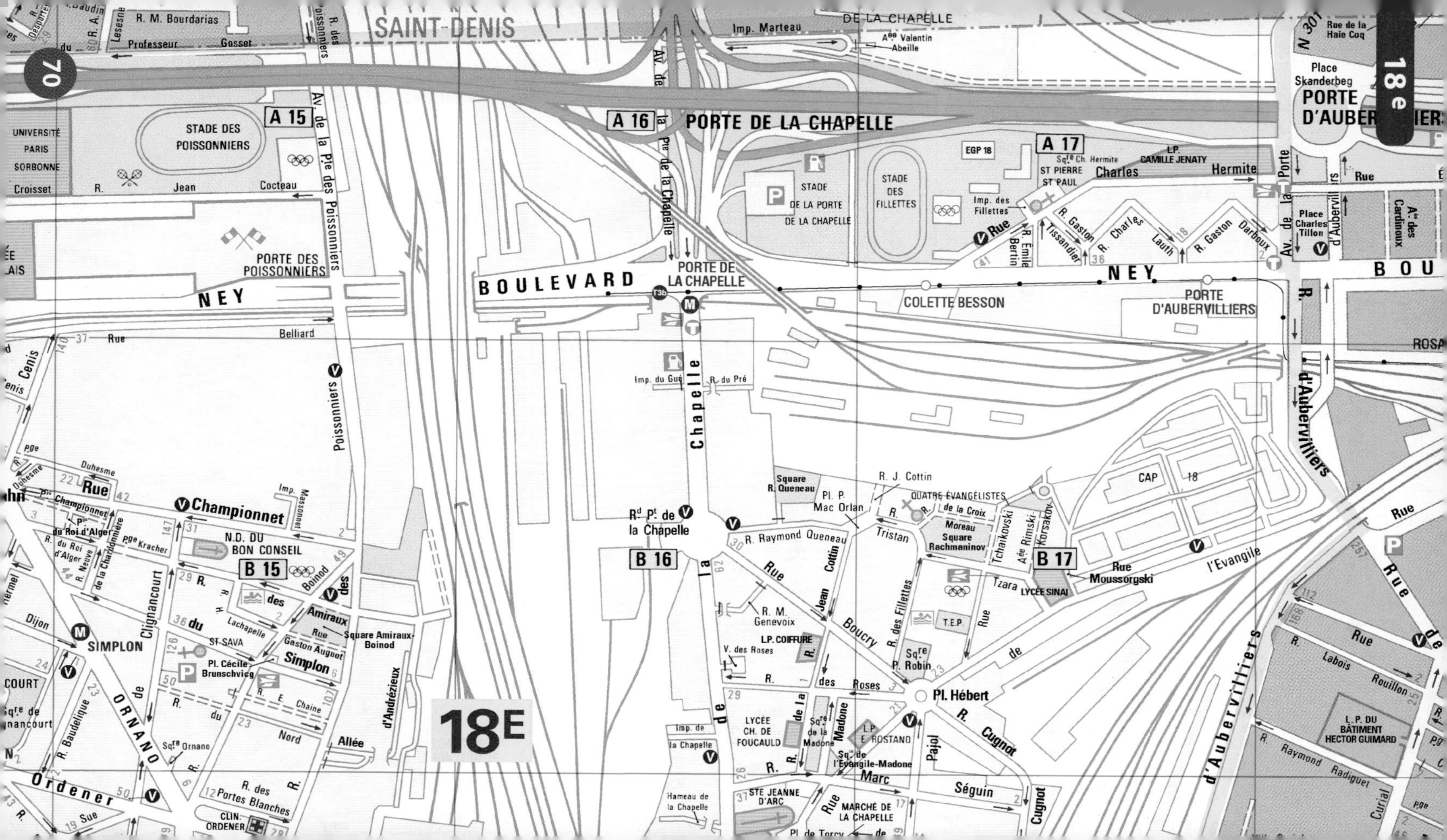

SAINT-DENIS
DE-LA-CHAPELLE
Imp. Marteau
Aée Valentin Abeille
N 301
Rue de la Haie Coq
Place Skanderbeg
PORTE D'AUBERVILLIERS
R. M. Bourdarias
Professeur Gosset
Lesesne
R. des Poissonniers
UNIVERSITÉ PARIS SORBONNE
Croisset
STADE DES POISSONNIERS
A 15
R. Jean Cocteau
Av. de la Pte des Poissonniers
PORTE DES POISSONNIERS
NEY
Belliard
Rue
Poissonniers
A 16
PORTE DE LA CHAPELLE
Av. de la Pte de la Chapelle
STADE DE LA PORTE DE LA CHAPELLE
STADE DES FILLETTES
EGP 18
A 17
Sq.re Ch. Hermite
ST PIERRE ST PAUL
Charles Hermite
L.P. CAMILLE JENATY
Imp. des Fillettes
Rue des Fillettes
R. Émile Bertin
R. Gaston Tissandier
R. Charles Lauth
R. Gaston Darboux
Av. de la Porte d'Aubervilliers
Place Charles Tillon
Aée des Cardinoux
BOULEVARD NEY
PORTE DE LA CHAPELLE
COLETTE BESSON
PORTE D'AUBERVILLIERS
R. d'Aubervilliers
ROSA
Imp. du Gué
R. du Pré
Chapelle
Cenis
Pge Duhesme
Rue Duhesme
Pss Championnet
Pge du Roi d'Alger
R. du Roi d'Alger
R. Neuve d'Alger
de la Chardonnière
Pge Kracher
Imp. Massonnet
Championnet
N.D. DU BON CONSEIL
B 15
Boinod
des Amiraux
Square Amiraux-Boinod
Rue Gaston Auguet
Simplon
R. H. Lachapelle
R. du Simplon
ST-SAVA
Pl. Cécile Brunschvicg
Clignancourt
Hermel
Dijon
SIMPLON
COURT
Sq.re de Clignancourt
R. Baudelique
de ORNANO
Sq.re Ornano
R. E. Chaîne
R. du Nord
Allée
d'Andrézieux
R. des Portes Blanches
CLIN. ORDENER
Ordener
Sue
18E
Rd Pt de la Chapelle
B 16
Square R. Queneau
Pl. P. Mac Orlan
R. J. Cottin
R. Raymond Queneau
Rue Jean Cottin
Rue Boucry
R. M. Genevoix
LP. COIFFURE
V. des Roses
R. des Roses
R. de la Chapelle
Imp. de la Chapelle
LYCÉE CH. DE FOUCAULD
R. de la Madone
Sq.re de la Madone
L.P. E. ROSTAND
Sq.re de l'Évangile-Madone
R. Marc
Hameau de la Chapelle
STE JEANNE D'ARC
Rue MARCHÉ DE LA CHAPELLE
Pl. de Torcy
QUATRE ÉVANGÉLISTES
R. de la Croix
R. Tristan
Moreau Square Rachmaninov
Tchaikovski
Aée Rimski-Korsakov
B 17
Rue Moussorgski
LYCÉE SINAÏ
Tzara
Rue
T.E.P.
R. des Fillettes
Sq.re P. Robin
Pl. Hébert
Pajol
R. Cugnot
Séguin
Cugnot
CAP 18
Rue de l'Évangile
Rue de
d'Aubervilliers
R. Labois Rouillon
L. P. DU BÂTIMENT HECTOR GUIMARD
R. Raymond Radiguet
Curial

MARCADET POISSONNIERS
ST PAUL
Rue Marcadet
Rue Ordener
MARX DORMOY
Rue Riquet
LE CENTQUATRE
MARCHÉ RIQUET
R. du Dr. La
C 15
C 16
C 17
BARBÈS
Rue Labat
Rue Clignancourt
Rue Simart
Rue des Poissonniers
R. P. Budin
Rue Léon
Rue Ernestine
R. Émile
R. Maxime Lisbonne
R. d'Oran
Rue Duployé
R. F. Carco
R. Jean Robert
Pl. Paul Eluard
Rue Doudeauville
Rue Dormoy
CLIN. PARIS 18
Rue Pajol
Jardins Rosa Luxemburg
Esplanade Nathalie Sarraute
HALLE PAJOL
Imp. Dupuy
R. Romy Schneider
Imp. Molin
R. Buzelin
R. de la Guadeloupe
R. L'Olive
Imp. du Curé
Rue d'Aubervilliers
Jardin d'Eole
R. de Tanger
MOSQUÉE ED DAWA
Passage Marcel Landowski
N. D. DES FOYERS
Jardin de Flandre-Tanger-Maroc
Imp. du Maroc
Pl. du Maroc
R. du Maroc
CIMETIÈRE ISRAÉLITE
R. Paul Laurent
R. Bellot
R. de Soissons
MULTIPLEX
BASSIN
BASE NA DE LA VI
Quai
R. Custine
Pl. du Château Rouge
CHÂTEAU ROUGE
R. Poulet
R. Dejean
R. de Panama
R. de Suez
R. de Laghouat
Myrha
R. Cavé
C. de la Chapelle
Pge Ruelle
Rue Marx Dormoy
I.U.T.
R. J. Kablé
Rue Philippe
Rue du Département
R. Caillié
Pl. Goix
R. Richomme
R. Erckmann Chatrian
R. des Gardes
ST BERNARD DE LA CHAPELLE
Sq. Léon
P. Boris Vian
R. St Jérôme
R. St Mathieu
Sq. St Bernard
R. Stephenson
J.F. Lépine
R. Polonceau
Villa Poissonnière
T.E.P. Goutte d'Or
R. de la Goutte d'Or
R. St Luc
P. l'Ermite
R. St Bruno
R. Affre
Jessaint
Pl. de la Chapelle
Sq. de Jessaint
Sq. Louise de Marillac
R. Christiani
R. de Sofia
Rue Feutrier
Muller
Ramey
R. de Charbonnière
R. de Chartres
R. de Tombouctou
R. de la Fleury
FLEURY GOUTTE-D'OR
Pl. de l'Assommoir
R. des Islettes
R. Caplat
STE ANNE
R. Belhomme
R. Boissieu
R. Bervic
BOULEVARD DE LA CHAPELLE
TH. DES BOUFFES DU NORD
LA CHAPELLE
BOULEVARD ROCHECHOUART
BARBÈS ROCHECHOUART
D 15
D 16
D 17
LARIBOISIÈRE
R. Ambroise Paré
Rue de Maubeuge
550 m
R. Perdonnet
R. Louis
Rue Denis
LYCÉE COLBERT
R. Landon
R. de l'Aqueduc
Chaudron
N. D. DES MALADES
HÔPITAL FERNAND WIDAL
GARE DU NORD
R. Demarquay
HOPITAL LEOPOLD
R. Girard
Château
Louis Blanc
LOUIS BLANC
Saint
FAYET
ST JOSEPH ARTISAN
Valmy
JAURÈS
AVENUE
Pl. du Delta
Villa Garance
R. du Delta
R. G. Patin
Rue Rochechouart
Rue de Dunkerque
Poissonnière
Rue Rocroy
BOULEVARD
Vincent de Paul
Sq. Petrelle
Pl. De
18e
71

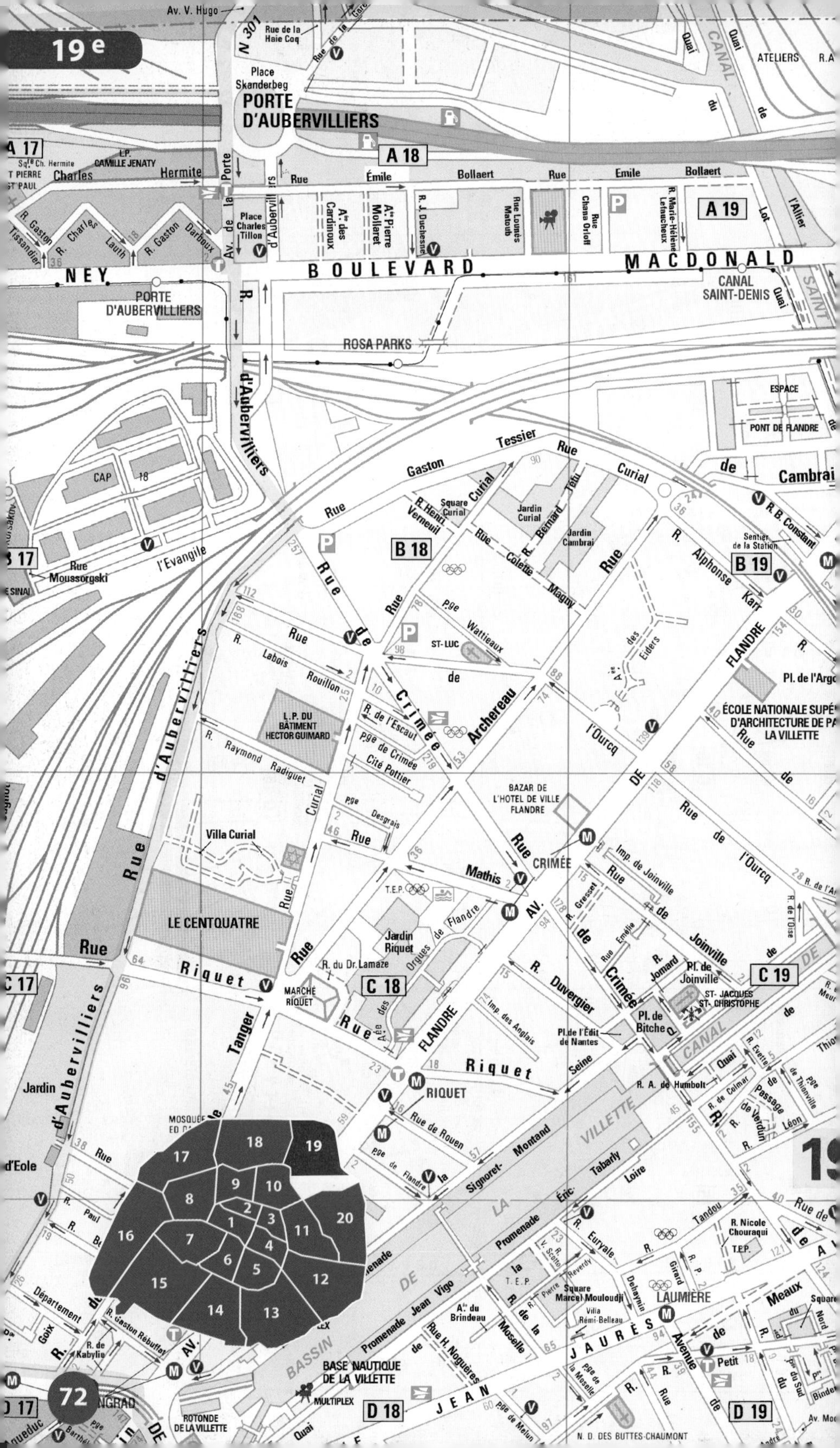

19e
Av. V. Hugo
N 301
Rue de la Haie Coq
Rue de la Gare
Place Skanderbeg
PORTE D'AUBERVILLIERS
A 18
A 17
Sq.re Ch. Hermite
L.P. CAMILLE JENATY
Charles Hermite
Rue Émile Bollaert
Rue Émile Bollaert
Quai du Canal
CANAL
ATELIERS
Quai de l'Allier
Lot
A 19
R. Gaston Tissandier
R. Charles Lauth
R. Gaston Darboux
Av. de la Porte d'Aubervilliers
Place Charles Tillon
A.re des Cardinoux
A.re Pierre Mollaret
R. J. Duchesne
Rue Lounès Matoub
Rue Chana Orloff
R. Marie-Hélène Lefaucheux
NEY
BOULEVARD MACDONALD
CANAL SAINT-DENIS
Quai
SAINT
PORTE D'AUBERVILLIERS
R. d'Aubervilliers
ROSA PARKS
ESPACE PONT DE FLANDRE
CAP 18
Rue Gaston Tessier
Rue Curial
Rue de Cambrai
Square Curial
R. Henri Verneuil
Jardin Curial
R. Bernard Tétu
Jardin Cambrai
R. B. Constant
Sentier de la Station
B 18
B 19
B 17
Rue Moussorgski
Rue l'Evangile
Rue Colette Magny
R. Alphonse Karr
Rue de Crimée
P.ge Wattieaux
ST-LUC
Rue Labois Rouillon
Rue d'Aubervilliers
Rue de l'Ourcq
A.ée des Eiders
FLANDRE
Pl. de l'Argonne
ÉCOLE NATIONALE SUPÉRIEURE D'ARCHITECTURE DE PARIS LA VILLETTE
R. de l'Escaut
P.ge de Crimée
Cité Pottier
Rue Archereau
L.P. DU BÂTIMENT HECTOR GUIMARD
R. Raymond Radiguet
Rue Curial
P.ge Desgrais
BAZAR DE L'HOTEL DE VILLE FLANDRE
Rue de Crimée
CRIMÉE
Rue de l'Ourcq
Villa Curial
Rue Mathis
T.E.P.
Imp. de Joinville
Rue de Joinville
R. de l'Oise
R. Gresset
Rue Emélie
LE CENTQUATRE
Jardin Riquet
Orgues de Flandre
AV. DE FLANDRE
Rue Riquet
R. du Dr. Lamaze
MARCHÉ RIQUET
C 18
C 17
C 19
A.ée des Orgues
R. Duvergier
Imp. des Anglais
R. Jomard
Pl. de Joinville
ST- JACQUES ST- CHRISTOPHE
Pl. de Bitche
Pl. de l'Édit de Nantes
Rue de Tanger
Rue Riquet
Rue de Seine
CANAL
Quai de l'Oise
R. A. de Humbolt
R. Evette
R. de Colmar
Passage de Flandre
P.ge de Thionville
R. de Verdun
R. Léon
Jardin d'Aubervilliers
RIQUET
Rue de Rouen
MOSQUÉE
Rue d'Eole
P.ge de Flandre
Rue de la Villette
Signoret-Montand
VILLETTE
Éric Tabarly
Loire
LA
Promenade
R. Euryale
Tandou
R. Nicole Chouraqui
T.E.P.
Rue de Meaux
R. Paul
R. Be
Département
R. de
V. Scotto
Pierre Reverdy
Square Marcel Mouloudji
Villa Rémi-Belleau
Dehaynin
R. Girard
LAUMIÈRE
A.ée du Brindeau
R. de la Moselle
JAURÈS
Avenue de
Square du Nord
Promenade Jean Vigo
DE
BASSIN
Goix
R. de Kabylie
R. Gaston Rébuffat
AV.
Rue H. Noguères
P.ge de la Moselle
Petit
BASE NAUTIQUE DE LA VILLETTE
MULTIPLEX
D 18
D 17
D 19
JEAN
P.ge de Melun
ROTONDE DE LA VILLETTE
STALINGRAD
N. D. DES BUTTES-CHAUMONT
Av. Mod
Binder
18
19
17
9
10
8
2
20
1
3
11
16
7
4
6
5
12
15
14
13
72

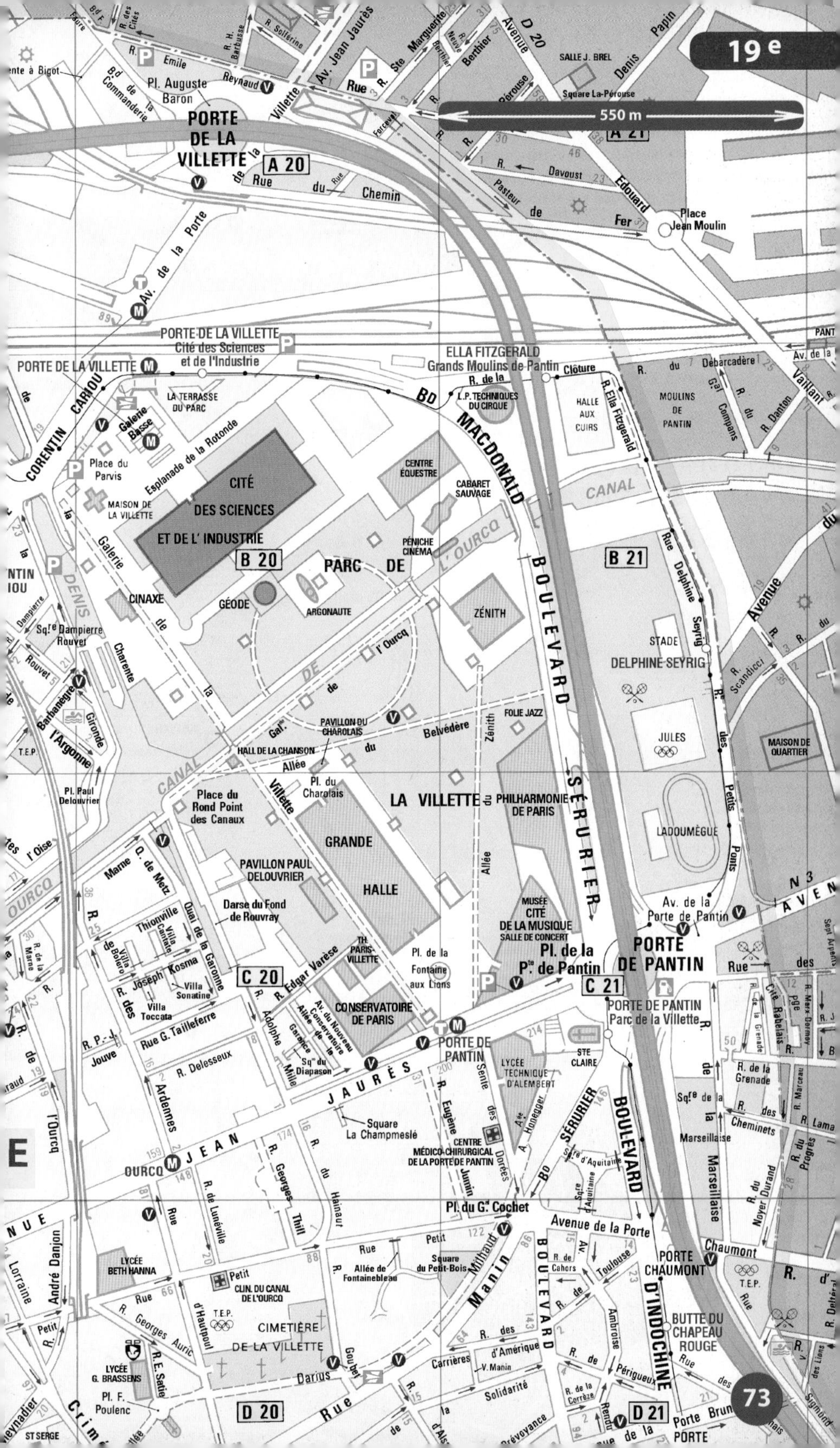
550 m
PORTE DE LA VILLETTE
Pl. Auguste Baron
Bd de la Commanderie
R. Émile Reynaud
Av. Jean Jaurès
Rue de la Villette
R. Ste Marguerite
R. Berthier
Avenue D 20
SALLE J. BREL
Denis Papin
Square La-Pérouse
R. Davoust
R. Pasteur
Rue Edouard de Fer
Place Jean Moulin
Rue du Chemin
A 20
A 21
Av. de la Porte
PORTE DE LA VILLETTE
Cité des Sciences et de l'Industrie
ELLA FITZGERALD
Grands Moulins de Pantin
R. de la Clôture
BD MACDONALD
L.P. TECHNIQUES DU CIRQUE
HALLE AUX CUIRS
R. Ella Fitzgerald
R. du Débarcadère
MOULINS DE PANTIN
R. Gal Compans
R. du
R. Danton
Av. Vaillant
CORENTIN CARIOU
LA TERRASSE DU PARC
Galerie Basse
Esplanade de la Rotonde
Place du Parvis
MAISON DE LA VILLETTE
CITÉ DES SCIENCES ET DE L' INDUSTRIE
CENTRE ÉQUESTRE
CABARET SAUVAGE
CANAL
L'OURCQ
PÉNICHE CINÉMA
B 20
B 21
PARC DE LA VILLETTE
CINAXE
GÉODE
ARGONAUTE
ZÉNITH
Galerie de la Villette
Rue Delphine Seyrig
Avenue
STADE DELPHINE SEYRIG
JULES
R. Scandicci
MAISON DE QUARTIER
Sq. re Dampierre Rouvet
R. Rouvet
Charente
Barbanègre
Gironde
l'Argonne
T.E.P.
PAVILLON DU CHAROLAIS
FOLIE JAZZ
Gal. du Belvédère
Allée du Zénith
HALL DE LA CHANSON
Pl. du Charolais
Pl. Paul Delouvrier
Place du Rond Point des Canaux
GRANDE HALLE
PHILHARMONIE DE PARIS
BOULEVARD SÉRURIER
LADOUMÈGUE
R. des Petits Ponts
PAVILLON PAUL DELOUVRIER
Darse du Fond de Rouvray
MUSÉE CITÉ DE LA MUSIQUE SALLE DE CONCERT
Pl. de la Pte de Pantin
Av. de la Porte de Pantin
PORTE DE PANTIN
N 3 AVENUE
Quai de la Marne
Quai de la Garonne
Q. de Metz
R. de Thionville
Villa Cantate
Villa du Boléro
R. Joseph Kosma
Villa Sonatine
Villa Toccata
R. des
C 20
C 21
R. Edgar Varèse
TH. PARIS-VILLETTE
Pl. de la Fontaine aux Lions
CONSERVATOIRE DE PARIS
Av. du Nouveau Conservatoire
Allée de la Garance
Sq. du Diapason
PORTE DE PANTIN Parc de la Villette
PORTE DE PANTIN
R. P.-J. Jouve
Rue G. Tailleferre
R. Delesseux
Ardennes
R. Adolphe Mille
JEAN JAURÈS
Square La Champmeslé
R. Eugène Jumin
Sente des Dorées
LYCÉE TECHNIQUE D'ALEMBERT
Ste CLAIRE
Allée A. Honegger
CENTRE MÉDICO-CHIRURGICAL DE LA PORTE DE PANTIN
Rue des Sept Arpents
R. de la Grenade
Cité Rabelais
R. Marx Dormoy
R. Marceau
Sq. re de la Marseillaise
R. des Cheminets
R. Lamartine
R. du Progrès
R. du Noyer Durand
Rue de la Marseillaise
OURCQ
R. de Lunéville
R. Georges Thill
R. du Hainaut
Pl. du Gal Cochet
BD SÉRURIER
Sq. re d'Aquitaine
BOULEVARD D'INDOCHINE
Avenue de la Porte Chaumont
PORTE CHAUMONT
Rue Chaumont
T.E.P.
R. de l'Ourcq
Rue Petit
Allée de Fontainebleau
Square du Petit-Bois
R. Manin
Milhaud
BOULEVARD
R. de Cahors
Av. Toulouse
R. de
Ambroise
BUTTE DU CHAPEAU ROUGE
R. Delthil
LYCÉE BETH HANNA
André Danjon
Lorraine
R. Georges Auric
CLIN. DU CANAL DE L'OURCQ
T.E.P.
CIMETIÈRE DE LA VILLETTE
R. d'Hautpoul
LYCÉE G. BRASSENS
R. E. Satie
Pl. F. Poulenc
Darius
Goubet
R. des Carrières d'Amérique
V. Manin
Solidarité
R. de Périgueux
R. de la Corrèze
Rendu
D 20
D 21
Rue de la Porte Brunet
PORTE
Prévoyance
ST SERGE
Crimée
Vaillant
Plateau

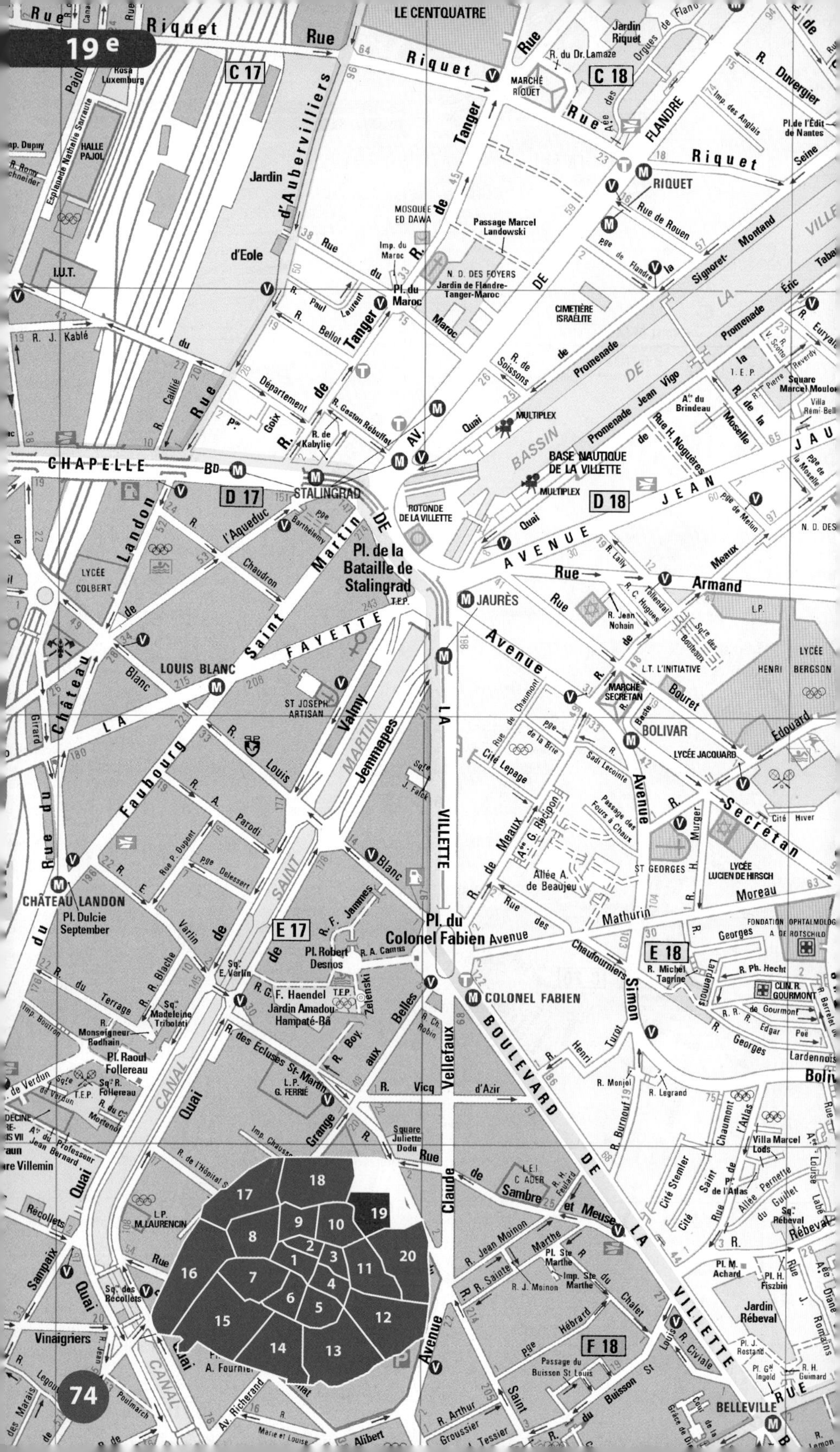
C 17
C 18
D 17
D 18
E 17
E 18
F 18
LE CENTQUATRE
Rue Riquet
Jardin Riquet
R. du Dr. Lamaze
Orgues de Flandre
MARCHÉ RIQUET
R. Duvergier
Imp. des Anglais
Pl. de l'Edit de Nantes
Rue de Flandre
Riquet
Rue de Tanger
Rue d'Aubervilliers
Jardin d'Eole
Rosa Luxemburg
HALLE PAJOL
Esplanade Nathalie Sarraute
Imp. Dupuy
R. Rony Schneider
I.U.T.
R. J. Kablé
MOSQUÉE ED DAWA
Imp. du Maroc
Pl. du Maroc
R. du Maroc
N. D. DES FOYERS
Jardin de Flandre-Tanger-Maroc
Passage Marcel Landowski
RIQUET
Rue de Rouen
Pge de Flandre
CIMETIÈRE ISRAÉLITE
Signoret-Montand
Promenade Éric Tabarly
R. Paul Laurent
R. Bellot
R. Caillié
Rue du Département
R. Goix
R. Gaston Rébuffat
R. de Kabylie
Pge
R. de Soissons
Quai de la Seine
MULTIPLEX
BASSIN DE LA VILLETTE
BASE NAUTIQUE DE LA VILLETTE
ROTONDE DE LA VILLETTE
Promenade Jean Vigo
Rue H. Noguères
Av. du Brindeau
R. de la Moselle
T.E.P.
Square Marcel Mouloudji
Villa Rémi-Belleau
R. Euryale Dehaynin
R. Pierre Reverdy
V. Scotto
Pge de la Moselle
Pge de Melun
N. D. DES
AVENUE JEAN JAURÈS
Quai de la Loire
BD DE LA CHAPELLE
STALINGRAD
Pge Barthélemy
R. de l'Aqueduc
R. Chaudron
Rue Landon
LYCÉE COLBERT
Rue de Château Landon
Pl. de la Bataille de Stalingrad
Rue du Faubourg Saint Martin
Rue La Fayette
LOUIS BLANC
ST JOSEPH ARTISAN
R. Louis Blanc
R. A. Parodi
Rue P. Dupont
Pge Delessert
R. E. Varlin
R. Girard
Quai de Valmy
Quai de Jemmapes
CANAL SAINT MARTIN
Sqre J. Falck
JAURÈS
Avenue de Laumière
Rue Armand Carrel
R. Lally Tollendal
R. C. Hugues
R. Jean Nohain
Sqre des Bouleaux
L.P.
LYCÉE HENRI BERGSON
Rue Edouard Pailleron
L.T. L'INITIATIVE
MARCHÉ SECRÉTAN
R. Baste
R. Bouret
BOLIVAR
LYCÉE JACQUARD
Rue de Chaumont
Pge de la Brie
Cité Lepage
R. Sadi Lecointe
Passage des Fours à Chaux
Avenue Secrétan
Cité Hiver
Rue de Meaux
Ave G. Rocipon
Allée A. de Beaujeu
ST GEORGES
R. H. Murger
LYCÉE LUCIEN DE HIRSCH
R. Moreau
R. Mathurin Moreau
Rue des Chaufourniers
Rue Simon Bolivar
Boulevard de la Villette
Avenue de la Villette
CHÂTEAU LANDON
Pl. Dulcie September
R. F. Jammes
Pl. Robert Desnos
R. A. Camus
Pl. du Colonel Fabien
Avenue Mathurin Moreau
COLONEL FABIEN
R. de Terrage
R. R. Blache
Sq. Madeleine Tribolati
Sq. E. Varlin
R. G. F. Haendel
T.E.P.
Jardin Amadou Hampaté-Bâ
Zelenski
Rue des Belles
R. Ch. Robin
R. Boy Zelenski
Imp. Boutron
R. Monseigneur Rodhain
Pl. Raoul Follereau
Sq. R. Follereau
R. des Ecluses St-Martin
L.P. G. FERRIÉ
R. Vicq d'Azir
Vellefaux
R. Grange aux Belles
R. Juliette Dodu
Square Juliette Dodu
Rue de Verdun
Sqre de Verdun
R. du Chalet
Mortenol
Av. du Professeur Jean Bernard
Rue Villemin
Quai de Jemmapes
Récollets
Imp. Chausson
R. de l'Hôpital St-Louis
Rue Claude Vellefaux
Rue de Sambre et Meuse
L.E.I. C. ADER
R. H. Feulard
R. Henri Turot
R. Monjol
R. Burnouf
R. Legrand
Cité Stemler
Rue Saint Chaumont
R. de l'Atlas
Pl. de l'Atlas
Allée Pernette du Guillet
Villa Marcel Lods
Sq. Rébeval
Rue Rébeval
Rue Louise Labé
R. Barrelet de Ricou
R. Georges Lardennois
R. Michel Tagrine
R. Ph. Hecht
CLIN. R. GOURMONT
R. R. de Gourmont
R. Edgar Poë
FONDATION OPHTALMOLOGIQUE A. DE ROTSCHILD
Bolivar
Jardin Rébeval
Pl. M. Achard
Pl. H. Fiszbin
Pl. J. Rostand
Pl. Gal Ingold
R. H. Guimard
Rue J. Romains
Aée Diane
R. Jean Moinon
R. Sainte Marthe
Pl. Ste Marthe
Imp. Ste Marthe
R. J. Moinon
Pge Hébrard
Passage du Buisson St Louis
Rue Saint Louis
R. du Buisson St Louis
R. Civiale
Rue de Belleville
Cour de la Grâce de Dieu
BELLEVILLE
L.P. M. LAURENCIN
Rue Lucien Sampaix
Sq. des Recollets
Vinaigriers
R. Jean Poulmarch
Av. Richerand
R. Marie et Louise
R. Alibert
R. Arthur Groussier
R. Tessier
Pl. A. Fournier
R. des Marais
Legouvé
Pl.
CANAL
R. de l'Hôpital
17
18
19
9
10
8
2
1
3
11
20
16
7
4
6
5
12
15
14
13

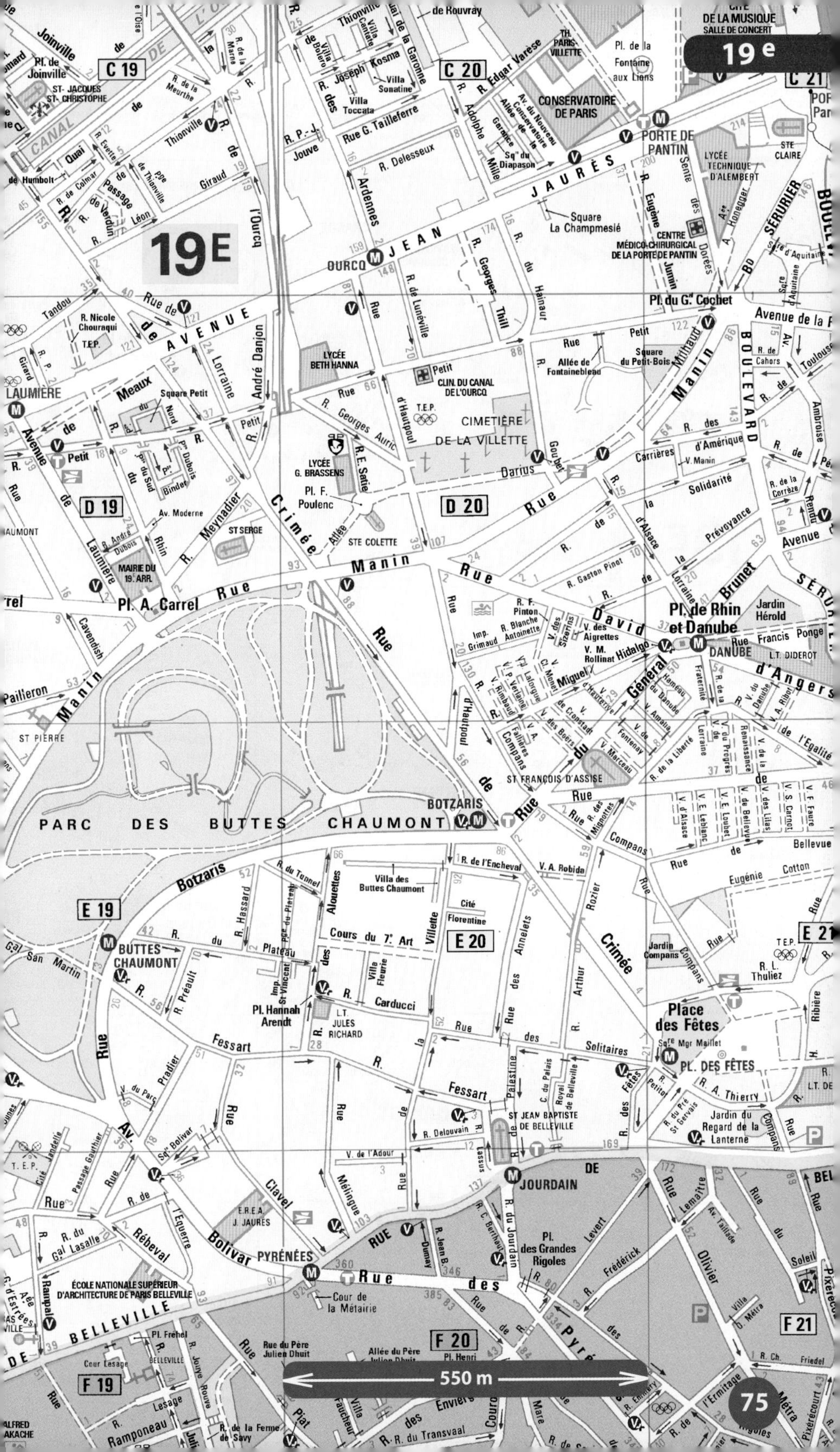
19E
C 19
C 20
C 21
D 19
D 20
E 19
E 20
E 21
F 19
F 20
F 21
CITÉ DE LA MUSIQUE
SALLE DE CONCERT
CONSERVATOIRE DE PARIS
TH. PARIS VILLETTE
Pl. de la Fontaine aux Lions
PORTE DE PANTIN
LYCÉE TECHNIQUE D'ALEMBERT
STE CLAIRE
CENTRE MÉDICO-CHIRURGICAL DE LA PORTE DE PANTIN
Square La Champmeslé
Sq.re du Diapason
AVENUE JEAN JAURÈS
OURCQ
Pl. du G.al Cochet
BOULEVARD SÉRURIER
BOULEVARD D'INDOCHINE
Avenue de la Porte Brunet
Square du Petit-Bois
Allée de Fontainebleau
Rue Petit
Rue Manin
CIMETIÈRE DE LA VILLETTE
CLIN. DU CANAL DE L'OURCQ
LYCÉE BETH HANNA
LYCÉE G. BRASSENS
Pl. F. Poulenc
STE COLETTE
R. Georges Auric
R.E. Satie
Rue de Crimée
Rue d'Hautpoul
Rue Darius
Rue de Lunéville
Rue Georges Thill
Rue du Hainaut
Rue Eugène Jumin
Sente des Dorées
Rue Edgar Varèse
Rue Adolphe Mille
Rue Delesseux
Rue G. Tailleferre
Rue des Ardennes
Rue Joseph Kosma
Quai de la Garonne
Villa Sonatine
Villa Toccata
Villa Cantate
Villa Boléro
Rue de Thionville
Rue de Joinville
Pl. de Joinville
ST-JACQUES ST-CHRISTOPHE
CANAL DE L'OURCQ
Quai de la Marne
Quai de l'Oise
Rue de l'Ourcq
Rue Giraud
Passage de Verdun
Rue Léon Giraud
Rue de Colmar
Rue Evette
Rue Tandou
R. Nicole Chouraqui
Rue de Meaux
Square Petit
Rue Petit
Avenue de Laumière
LAUMIÈRE
Rue Lorraine
Rue André Danjon
Rue Meynadier
ST SERGE
MAIRIE DU 19e ARR.
Pl. A. Carrel
Rue Manin
Rue Cavendish
Rue Pailleron
ST PIERRE
Av. Moderne
R. André Dubois
Rue du Rhin
Rue de Lorraine
Rue de la Solidarité
Rue des Carrières d'Amérique
Rue de la Prévoyance
R. Gaston Pinot
Rue David d'Angers
Pl. de Rhin et Danube
DANUBE
Jardin Hérold
Rue Francis Ponge
L.T. DIDEROT
Rue de la Fraternité
Rue de la Liberté
Rue de l'Égalité
Rue Miguel Hidalgo
Rue du Général Brunet
Rue Compans
ST FRANÇOIS D'ASSISE
Rue de Bellevue
Rue Eugénie Cotton
Rue des Mignottes
PARC DES BUTTES CHAUMONT
BOTZARIS
Rue Botzaris
R. de l'Encheval
V. A. Robida
Villa des Buttes Chaumont
Cité Florentine
Cours du 7e Art
Rue des Alouettes
Rue de la Villette
Rue des Annelets
Rue Arthur Rozier
Rue de Crimée
R. du Tunnel
R. Hassard
Rue du Plateau
BUTTES CHAUMONT
Gal San Martin
R. Préault
Pl. Hannah Arendt
L.T. JULES RICHARD
R. Carducci
Rue Fessart
Rue des Solitaires
Jardin Compans
T.E.P.
R. L. Thuliez
Place des Fêtes
PL. DES FÊTES
Sq.re Mgr Maillet
R. A. Thierry
Jardin du Regard de la Lanterne
ST JEAN BAPTISTE DE BELLEVILLE
Rue de Palestine
Rue de Belleville
JOURDAIN
Rue du Jourdain
Pl. des Grandes Rigoles
Rue Lemaître
Rue Olivier Métra
Rue du Soleil
Rue Pixérécourt
Rue Clavel
Rue Pradier
Sq.re Bolivar
Avenue Simon Bolivar
Rue Rébeval
E.R.E.A. J. JAURES
PYRÉNÉES
Rue des Pyrénées
Cour de la Métairie
ÉCOLE NATIONALE SUPÉRIEURE D'ARCHITECTURE DE PARIS BELLEVILLE
BOULEVARD DE BELLEVILLE
Pl. Fréhel
Cour Lesage
Rue Ramponeau
Rue Julien Lacroix
Rue du Père Julien Dhuit
Allée du Père Julien Dhuit
Rue des Envierges
Rue de la Mare
R. du Transvaal
R. de la Ferme de Savy
Rue de l'Ermitage
R. Ch. Friedel
550 m

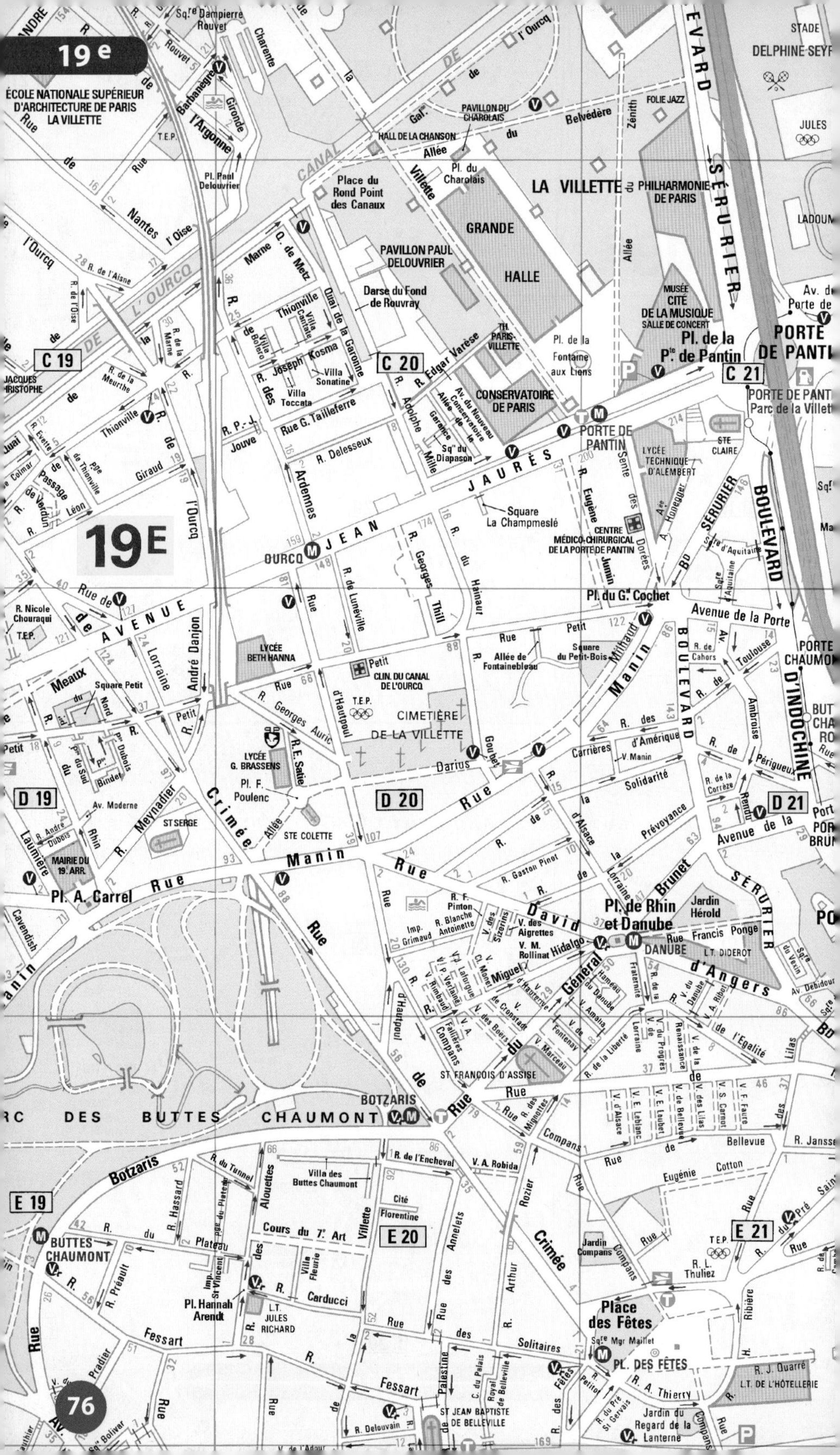
19E
LA VILLETTE
GRANDE HALLE
PHILHARMONIE DE PARIS
CONSERVATOIRE DE PARIS
CIMETIÈRE DE LA VILLETTE
PARC DES BUTTES CHAUMONT
ÉCOLE NATIONALE SUPÉRIEUR D'ARCHITECTURE DE PARIS LA VILLETTE
Place du Rond Point des Canaux
PAVILLON PAUL DELOUVRIER
Darse du Fond de Rouvray
PAVILLON DU CHAROLAIS
HALL DE LA CHANSON
FOLIE JAZZ
MUSÉE CITÉ DE LA MUSIQUE SALLE DE CONCERT
Pl. de la Pte de Pantin
PORTE DE PANTIN
CENTRE MÉDICO-CHIRURGICAL DE LA PORTE DE PANTIN
LYCÉE TECHNIQUE D'ALEMBERT
LYCÉE BETH HANNA
CLIN. DU CANAL DE L'OURCQ
LYCÉE G. BRASSENS
MAIRIE DU 19e ARR.
Pl. A. Carrel
Pl. de Rhin et Danube
Jardin Hérold
L.T. DIDEROT
ST FRANÇOIS D'ASSISE
BOTZARIS
BUTTES CHAUMONT
Place des Fêtes
L.T. JULES RICHARD
L.T. DE L'HÔTELLERIE
ST JEAN BAPTISTE DE BELLEVILLE
Jardin du Regard de la Lanterne
Jardin Compans
Pl. Hannah Arendt
AVENUE JEAN JAURÈS
BOULEVARD SÉRURIER
BOULEVARD D'INDOCHINE
Rue de Crimée
Rue Manin
Rue David d'Angers
Rue Botzaris
C 19
C 20
C 21
D 19
D 20
D 21
E 19
E 20
E 21

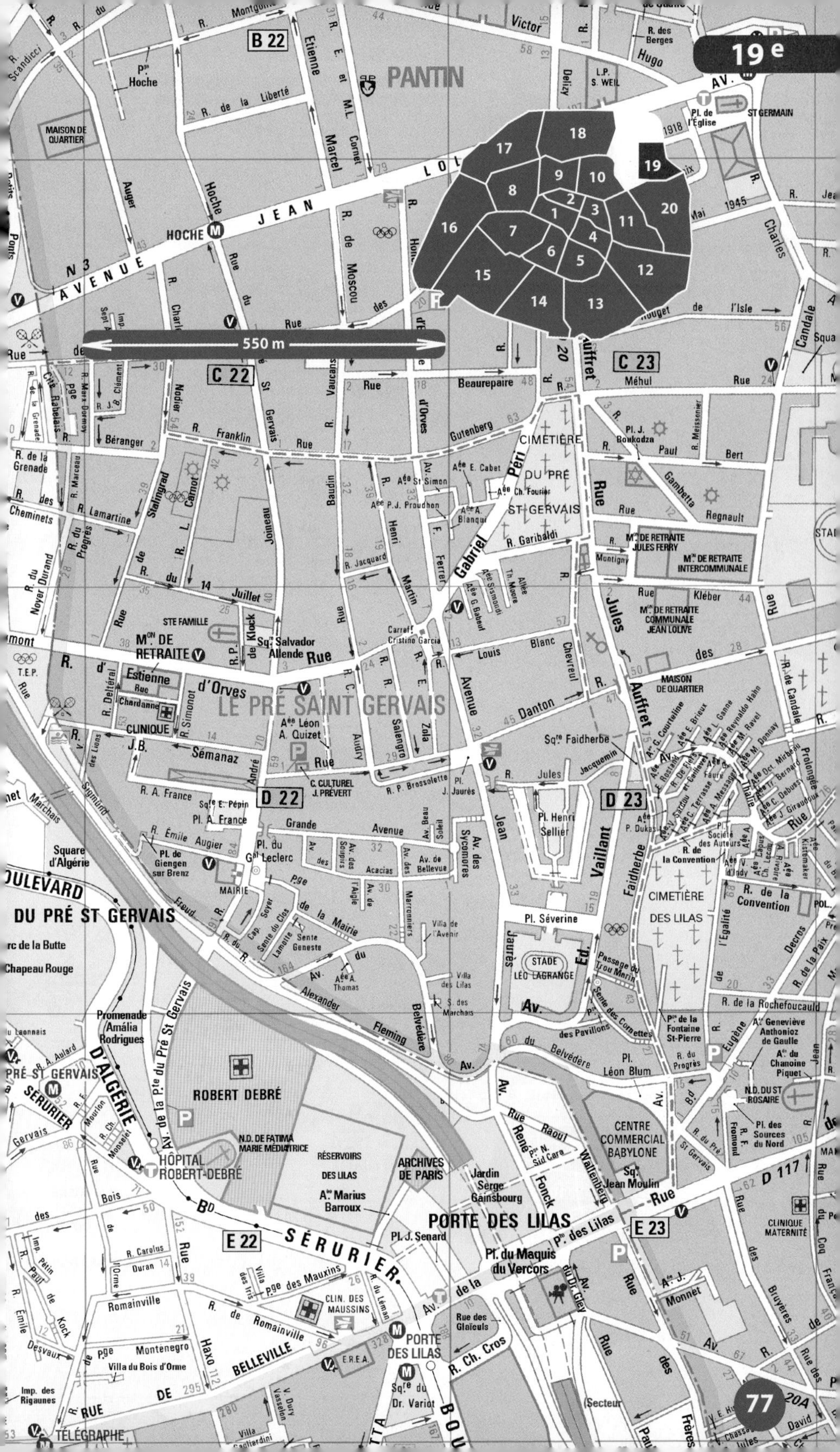
PANTIN
B 22
C 22
C 23
D 22
D 23
E 22
E 23
550 m
17
18
19
9
10
8
2
1
3
16
7
11
20
4
6
5
15
12
14
13
AVENUE JEAN LOLIVE
N 3
HOCHE
Rue Victor Hugo
R. Montgolfier
R. Étienne et M.L. Cornet
R. Marcel
R. de la Liberté
MAISON DE QUARTIER
Pge Hoche
Auger
Rue Hoche
R. de Moscou
L.P. S. WEIL
R. Delizy
Pl. de l'Église
ST GERMAIN
R. des Berges
Av. du 8 Mai 1945
R. Charles
R. Rouget de l'Isle
R. Candale
Méhul
R. Beaurepaire
R. Franklin
R. Gutenberg
CIMETIÈRE DU PRÉ ST GERVAIS
R. Garibaldi
R. Gabriel Péri
R. Auffret
Pl. J. Boukodza
R. Paul Bert
R. Gambetta
Regnault
Mon DE RETRAITE JULES FERRY
Mon DE RETRAITE INTERCOMMUNALE
R. Montigny
Rue Kléber
Mon DE RETRAITE COMMUNALE JEAN LOLIVE
Jules Auffret
MAISON DE QUARTIER
R. de Candale
R. Stalingrad
Carnot
R. Lamartine
R. Jaurès
R. du 14 Juillet
Joineau
Baudin
R. Henri Martin
R. Jacquard
R. Ferrer
Av. St Simon
Aée E. Cabet
Aée P.J. Proudhon
Aée A. Blanqui
Aée Ch. Fourier
Carreft Cristino Garcia
STE FAMILLE
Mon DE RETRAITE
Sq. Salvador Allende
Rue d'Estienne d'Orves
LE PRÉ SAINT GERVAIS
Chardanne
CLINIQUE
R. Simonot
R. Deltéral
R. J.B. Sémanaz
Aée Léon A. Quizet
R. Salengro
R. Zola
Audry
Avenue Jean Jaurès
R. Louis Blanc
Chevreul
R. Danton
Sqre Faidherbe
Jacquemin
R. Jules Jacquemin
C. CULTUREL J. PRÉVERT
R. P. Brossolette
Pl. J. Jaurès
R. A. France
Sqre E. Pépin
Pl. A. France
Grande Avenue
Av. des Sycomores
Pl. Henri Sellier
Vaillant
Faidherbe
R. de la Convention
CIMETIÈRE DES LILAS
Société des Auteurs
R. de la Convention
Pl. du Gal Leclerc
R. Émile Augier
Pl. de Giengen sur Brenz
MAIRIE
Pge de la Mairie
Villa de l'Avenir
Square d'Algérie
BOULEVARD DU PRÉ ST GERVAIS
Arc de la Butte
Chapeau Rouge
Pl. Séverine
STADE LÉO LAGRANGE
Av. Ed. Vaillant
Passage du Trou Marin
Sente des Cornettes
des Pavillons
Av. du Belvédère
Pl. Léon Blum
Pce de la Fontaine St-Pierre
R. de la Rochefoucauld
Av. Geneviève Anthonioz de Gaulle
Aée du Chanoine Piquet
N.D. DU ST ROSAIRE
Pl. des Sources du Nord
Av. Alexander Fleming
Promenade Amália Rodrigues
PRÉ ST GERVAIS
SÉRURIER
D'ALGÉRIE
Av. de la Pte du Pré St Gervais
ROBERT DEBRÉ
N.D. DE FATIMA MARIE MÉDIATRICE
RÉSERVOIRS DES LILAS
ARCHIVES DE PARIS
Jardin Serge Gainsbourg
Rue René Fonck
Rue Raoul Wallenberg
CENTRE COMMERCIAL BABYLONE
Sq. Jean Moulin
HÔPITAL ROBERT-DEBRÉ
PORTE DES LILAS
Pte des Lilas
D 117
CLINIQUE MATERNITÉ
Pl. J. Senard
Pl. du Maquis du Vercors
Av. du Dr Gley
BD SÉRURIER
Pge des Mauxins
CLIN. DES MAUSSINS
R. de Romainville
Rue Haxo
BELLEVILLE
Rue des Glaïeuls
R. Ch. Cros
PORTE DES LILAS
Sqre du Dr. Variot
E.R.E.A.
Villa du Bois d'Orme
Imp. des Rigaunes
TÉLÉGRAPHE
Rue de Belleville
Rue des Frères
Rue des Bruyères
Av. de la Porte des Lilas

PARC DES BUTTES CHAUMONT
550 m
BOTZARIS
BUTTES CHAUMONT
PLACE DES FÊTES
PL. DES FÊTES
JOURDAIN
PYRÉNÉES
BELLEVILLE
COURONNES
MÉNILMONTANT
ST MAUR
PÈRE LACHAISE
Martin Nadaud
E 19
E 20
F 19
F 20
F 21
G 19
G 20
H 20
Rue de Belleville
Rue des Pyrénées
Rue de Crimée
Rue Bolivar
Rue Botzaris
Rue de Ménilmontant
Rue Oberkampf
Rue des Couronnes
Rue Julien Lacroix
Rue des Cascades
Rue de la Mare
Rue de l'Ermitage
Rue Henri Chevreau
Rue des Amandiers
Rue Sorbier
Rue Boyer
Rue d'Annam
Rue Villiers
Rue de la Roquette
Boulevard de Belleville
Boulevard de Ménilmontant
Avenue de la République
Avenue Gambetta
Avenue Parmentier
Parc de Belleville
Jardin Rébeval
Jardin Elisa Borey
Square Sorbier
Square des Amandiers
Square Samuel de Champlain
Cimetière du Père Lachaise
Columbarium
Crématorium
Lycée Voltaire
Lycée Ch. Péguy
Lycée Lucien de Hirsch
École Nationale Supérieur d'Architecture de Paris Belleville
École Supérieure de Commerce de Paris (ESCP - EAP)
Centre Chirurgical Paris Est
Basilique N.D. du Perpétuel Secours
N.D. de la Croix
N.D. Auxiliatrice
N.D. Réconciliatrice
Vingtième Théâtre
Alfred Nakache
L.P.E. Dolet
Mairie du 11e Arr.
17
18
19
8
9
10
20
16
7
1
2
3
11
4
6
5
12
15
14
13

PRÉ ST GERVAIS
ROBERT DEBRÉ
HÔPITAL ROBERT-DEBRÉ
N.D. DE FATIMA MARIE MÉDIATRICE
RÉSERVOIRS DES LILAS
ARCHIVES DE PARIS
Jardin Serge Gainsbourg
CENTRE COMMERCIAL BABYLONE
Sq.re Jean Moulin
PORTE DES LILAS
Bd SÉRURIER
E 22
E 23
D 117
CLINIQUE MATERNITÉ
Pl. du Maquis du Vercors
CLIN. DES MAUSSINS
Rue de Romainville
Rue de Belleville
TÉLÉGRAPHE
Sq.re Belleville-Télégraphe
CIMETIÈRE DE BELLEVILLE
RÉSERVOIRS DE BELLEVILLE
N.D. DES OTAGES
Avenue Gambetta
Boulevard Mortier
T.E.P.
Rue St Fargeau
F 22
F 23
Square Léon Frapié
Square Fougères
ADRIENNE BOLLAND
ST FARGEAU
THÉATRE DE L'EST PARISIEN
RÉSERVOIRS DE MÉNILMONTANT
Av. de la Pte de Ménilmontant
PTE DE MÉNILMONTANT
Square E. Fleury
N.D. DE LOURDES
Rue Pelleport
Rue de Ménilmontant
PELLEPORT
Pl. Paul Signac
G 21
G 22
G 23
CŒUR EUCHARISTIQUE DE JÉSUS
SÉVERINE
TENON
UPCM
Sq.re Séverine
PORTE DE BAGNOLET
BEL-EST CENTRE COMMERCIAL
GARE ROUTIÈRE INTERNATIONALE DE PARIS GALLIENI
GALLIENI
MÉDIATHÈQUE
les Mercuriales
D 38
Av. de la Pte de Bagnolet
Pl. Gambetta
MAIRIE DU 20e ARR.
Rue Belgrand
LYCEE BETH YACOV
Rue de Bagnolet
H 22
H 23
RÉSERVOIRS DE CHARONNE
Jardin de l'Hospice Debrousse
FONDATION ALQUIER-DEBROUSSE
STADE DE LA PORTE DE BAGNOLET
T.E.P. DAVOUT (Centre Sportif)
CIMETIÈRE DE CHARONNE
ST CYRILLE ST MÉTHODE
ST GERMAIN DE CHARONNE
BÉTHANIE
Jardin des Oiseaux
Sq.re H. Karcher
CENTRE D'ACCUEIL ET D'ANIMATION PARIS 20
CENTRE INTERNATIONAL HANDISPORT
STADE LOUIS LUMIÈRE
Square Vitruve
Square des Cardeurs
MARIE DE MIRIBEL
L.E.C. CH. DE GAULLE
20E

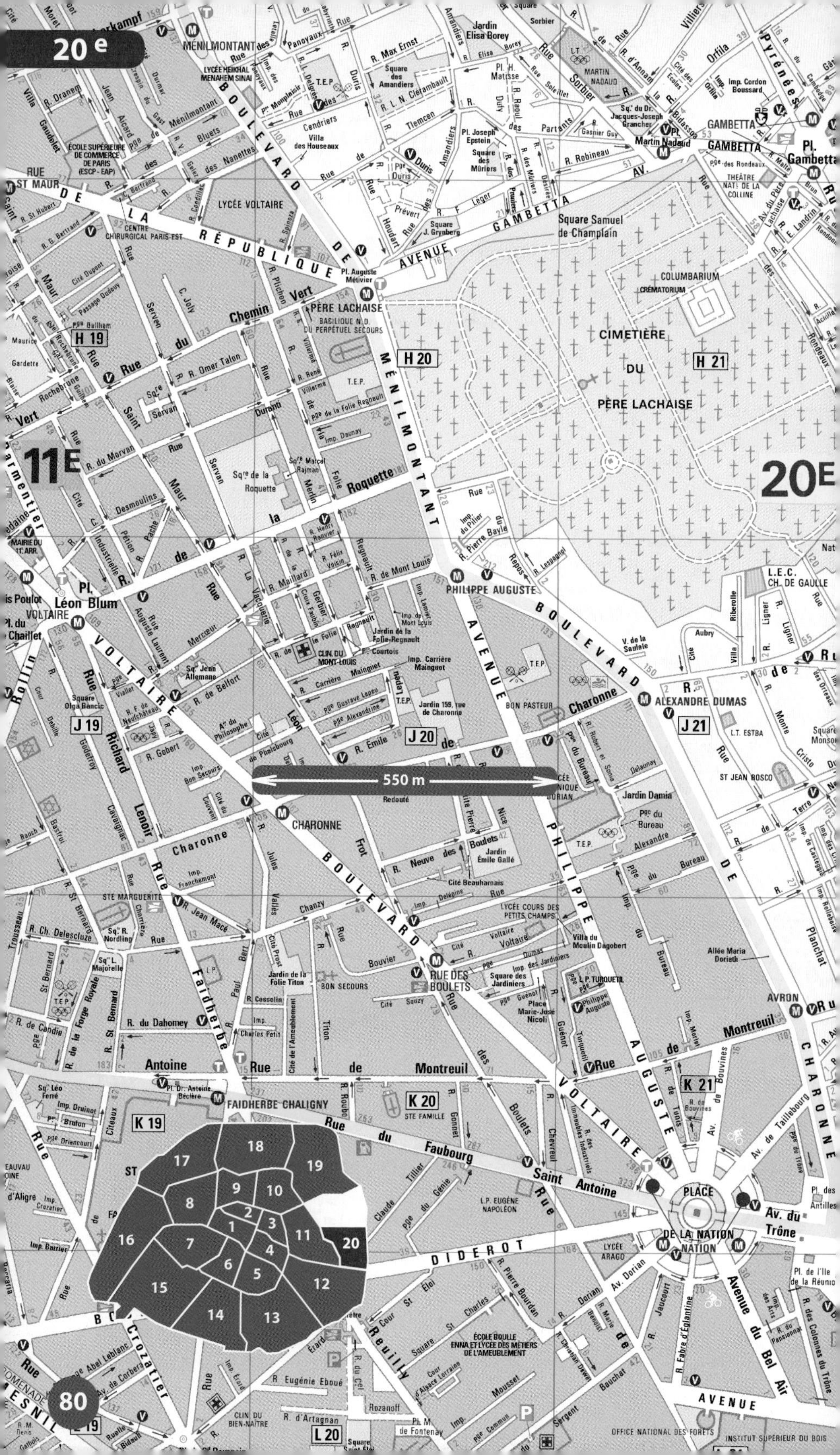

MÉNILMONTANT
LYCÉE HEIKHAL MENAHEM SINAI
BOULEVARD DE MÉNILMONTANT
R. Max Ernst
Jardin Elisa Borey
Square des Amandiers
R. L. N. Clérambault
Pl. H. Matisse
MARTIN NADAUD
Sq.re du Dr. Jacques-Joseph Grancher
GAMBETTA
Pl. Gambetta
Martin Nadaud
Pl. Joseph Epstein
Square des Mûriers
R. Robineau
Villa des Houseaux
ÉCOLE SUPÉRIEURE DE COMMERCE DE PARIS (ESCP - EAP)
R. du Chemin Vert
LYCÉE VOLTAIRE
CENTRE CHIRURGICAL PARIS-EST
RUE ST MAUR
AV. DE LA RÉPUBLIQUE
AVENUE GAMBETTA
Square J. Grynberg
Square Samuel de Champlain
THÉATRE NAT.L DE LA COLLINE
COLUMBARIUM
CRÉMATORIUM
Pl. Auguste Métivier
PÈRE LACHAISE
BASILIQUE N.D. DU PERPÉTUEL SECOURS
H 19
H 20
H 21
CIMETIÈRE DU PÈRE LACHAISE
11E
20E
Sq.re de la Roquette
Sq.re Marcel Rajman
Rue de la Roquette
MAIRIE DU 11E ARR.
Pl. Léon Blum
VOLTAIRE
PHILIPPE AUGUSTE
L.E.C. CH. DE GAULLE
BOULEVARD DE CHARONNE
Jardin de la Folie-Regnault
CLIN. DU MONT-LOUIS
Jardin 159, rue de Charonne
Sq.re Jean Allemane
Square Olga Bancic
BON PASTEUR
ALEXANDRE DUMAS
L.T. ESTBA
ST JEAN BOSCO
J 19
J 20
J 21
550 m
CHARONNE
BOULEVARD VOLTAIRE
Jardin Damia
Jardin Émile Gallé
Cité Beauharnais
LYCÉE COURS DES PETITS CHAMPS
Villa du Moulin Dagobert
Allée Maria Doriath
STE MARGUERITE
RUE DES BOULETS
Square des Jardiniers
Place Marie-José Nicoli
Jardin de la Folie Titon
BON SECOURS
AVRON
Rue de Montreuil
Rue du Faubourg Saint Antoine
FAIDHERBE CHALIGNY
Sq.re Léo Ferré
K 19
K 20
K 21
STE FAMILLE
L.P. EUGÈNE NAPOLÉON
PLACE DE LA NATION
NATION
Av. du Trône
LYCÉE ARAGO
BOULEVARD DIDEROT
AVENUE PHILIPPE AUGUSTE
Avenue du Bel Air
Pl. de l'Ile de la Réunion
ÉCOLE BOULLE
ENNA ET LYCÉE DES MÉTIERS DE L'AMEUBLEMENT
R. Eugénie Eboué
CLIN DU BIEN-NAÎTRE
L 19
L 20
OFFICE NATIONAL DES FORÊTS
INSTITUT SUPÉRIEUR DU BOIS
1
2
3
4
5
6
7
8
9
10
11
12
13
14
15
16
17
18
19
20

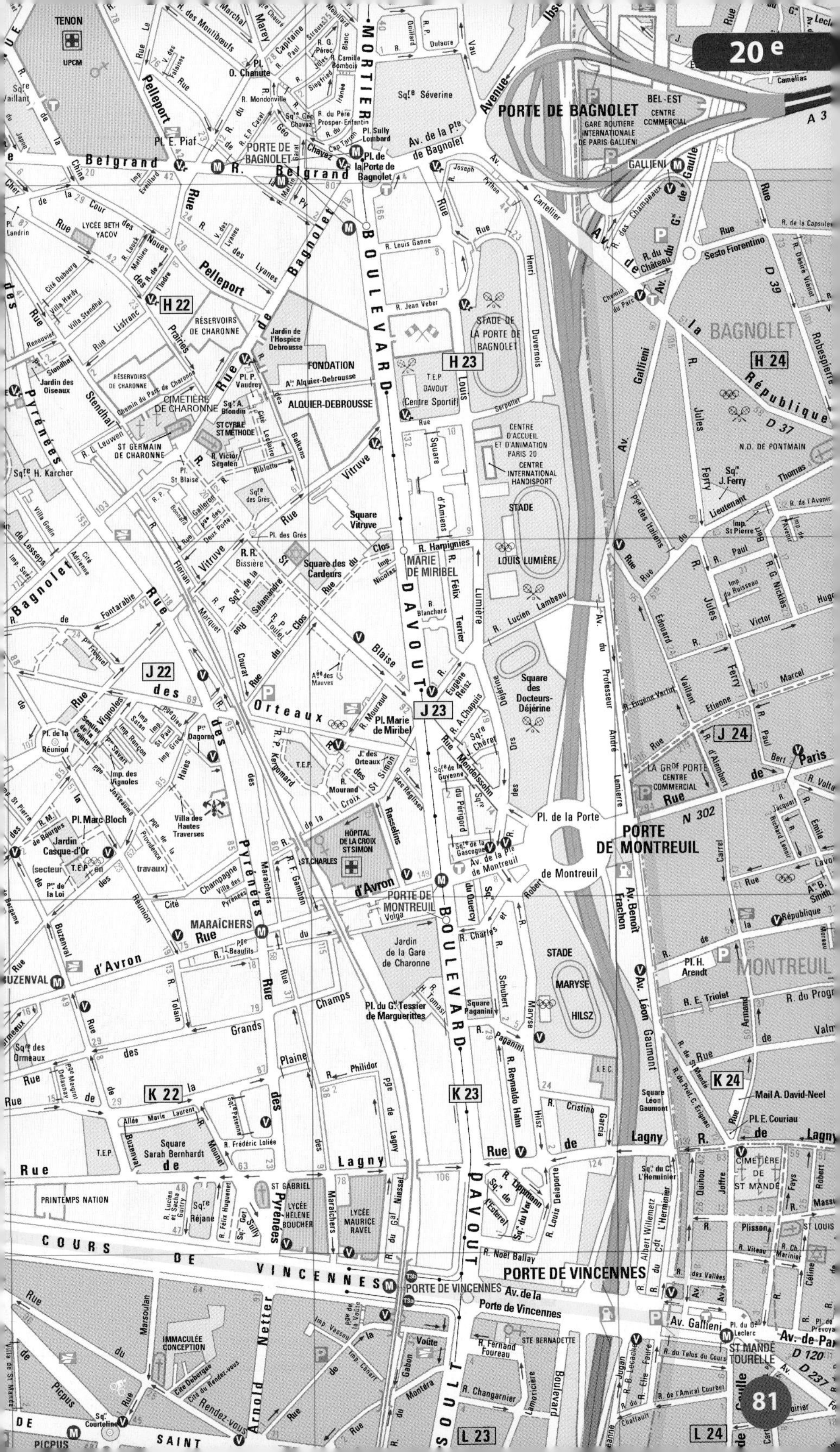
TENON
UPCM
PORTE DE BAGNOLET
BEL-EST CENTRE COMMERCIAL
GARE ROUTIÈRE INTERNATIONALE DE PARIS-GALLIENI
GALLIENI
A 3
Sq.re Séverine
Belgrand
Pl. E. Piaf
Pl. O. Chanute
Pl. de la Porte de Bagnolet
Av. de la Pte de Bagnolet
BOULEVARD MORTIER
Pelleport
Rue de Bagnolet
LYCÉE BETH YACOV
H 22
H 23
H 24
RÉSERVOIRS DE CHARONNE
Jardin de l'Hospice Debrousse
FONDATION ALQUIER-DEBROUSSE
STADE DE LA PORTE DE BAGNOLET
T.E.P. DAVOUT (Centre Sportif)
CIMETIÈRE DE CHARONNE
ST GERMAIN DE CHARONNE
ST CYRILLE ST MÉTHODE
Jardin des Oiseaux
Pyrénées
Stendhal
Sq.re H. Karcher
CENTRE D'ACCUEIL ET D'ANIMATION PARIS 20
CENTRE INTERNATIONAL HANDISPORT
STADE LOUIS LUMIÈRE
BAGNOLET
République
D 37
D 39
N.D. DE PONTMAIN
Sq.re J. Ferry
Square Vitruve
Square des Cardeurs
MARIE DE MIRIBEL
BOULEVARD DAVOUT
Rue des Orteaux
J 22
J 23
J 24
Pl. de la Réunion
Pl. Marc Bloch
Jardin Casque-d'Or
Villa des Hautes Traverses
Pl. Marie de Miribel
HÔPITAL DE LA CROIX ST SIMON
ST CHARLES
Square des Docteurs-Déjérine
Pl. de la Porte de Montreuil
PORTE DE MONTREUIL
LA GR.DE PORTE CENTRE COMMERCIAL
N 302
MONTREUIL
MARAÎCHERS
BUZENVAL
Rue d'Avron
Jardin de la Gare de Charonne
Pl. du G.al Tessier de Marguerittes
Square Paganini
STADE MARYSE HILSZ
Av. Léon Gaumont
Square Léon Gaumont
Pl. H. Arendt
K 22
K 23
K 24
Sq.re des Ormeaux
Square Sarah Bernhardt
Rue de Lagny
Mail A. David-Neel
Pl. E. Couriau
CIMETIÈRE DE ST MANDÉ
PRINTEMPS NATION
Sq.re Réjane
ST GABRIEL
LYCÉE HÉLÈNE BOUCHER
LYCÉE MAURICE RAVEL
COURS DE VINCENNES
PORTE DE VINCENNES
Av. de la Porte de Vincennes
Av. Gallieni
IMMACULÉE CONCEPTION
STE BERNADETTE
ST MANDÉ TOURELLE
D 120
D 237
Arnold Netter
Boulevard Soult
Rue de Picpus
Sq.re Courteline
L 23
L 24

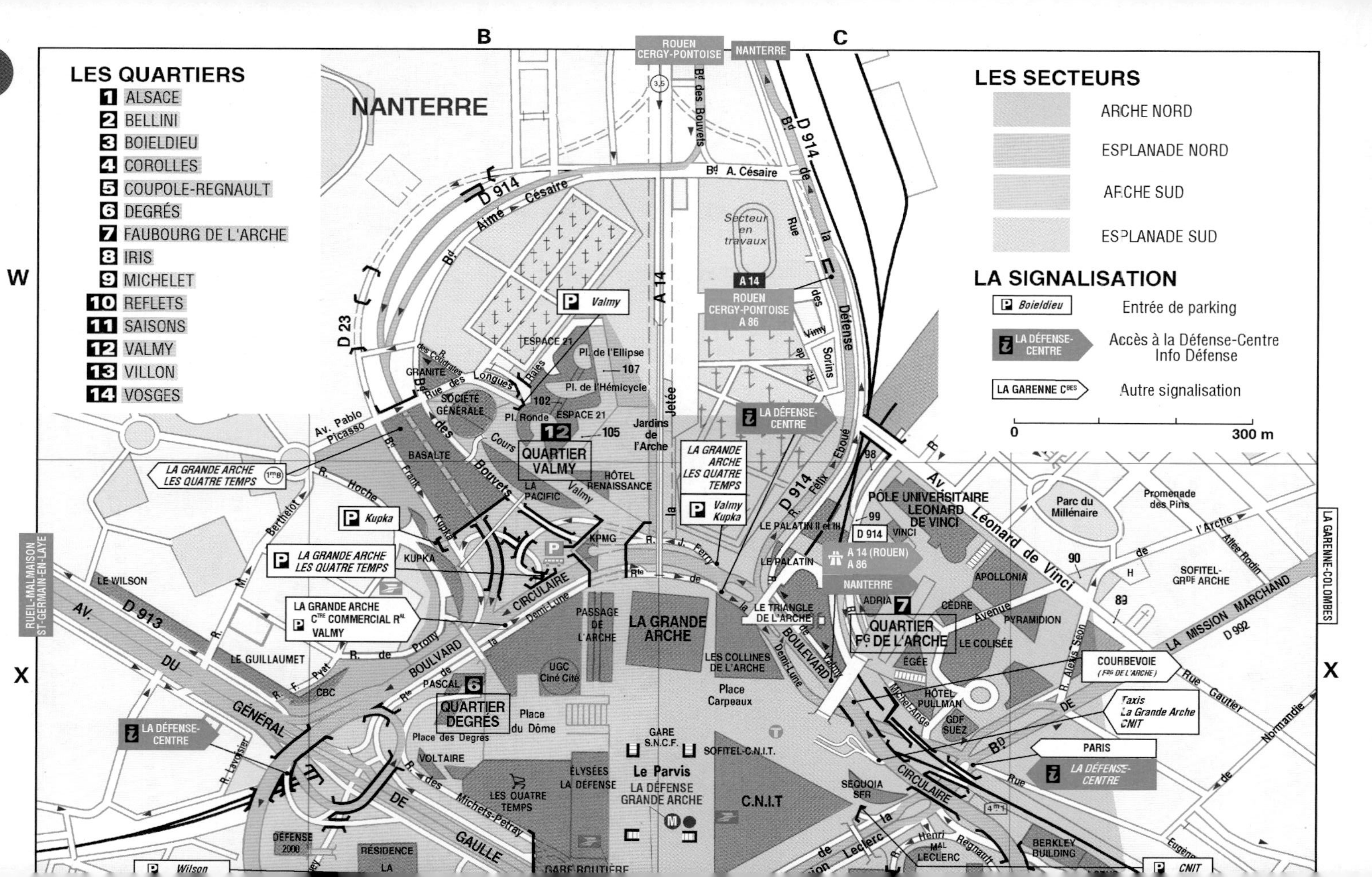

LES QUARTIERS
1 ALSACE
2 BELLINI
3 BOIELDIEU
4 COROLLES
5 COUPOLE-REGNAULT
6 DEGRÉS
7 FAUBOURG DE L'ARCHE
8 IRIS
9 MICHELET
10 REFLETS
11 SAISONS
12 VALMY
13 VILLON
14 VOSGES
LES SECTEURS
ARCHE NORD
ESPLANADE NORD
ARCHE SUD
ESPLANADE SUD
LA SIGNALISATION
Boieldieu
Entrée de parking
LA DÉFENSE-CENTRE
Accès à la Défense-Centre Info Défense
LA GARENNE C^BES
Autre signalisation
0
300 m
NANTERRE
ROUEN CERGY-PONTOISE
LA GARENNE-COLOMBES
RUEIL-MALMAISON ST-GERMAIN-EN-LAYE
QUARTIER VALMY
QUARTIER DEGRÉS
QUARTIER F^G DE L'ARCHE
LA GRANDE ARCHE
Le Parvis
LA DÉFENSE GRANDE ARCHE
C.N.I.T
PÔLE UNIVERSITAIRE LEONARD DE VINCI
Av. Léonard de Vinci
Parc du Millénaire
BOULEVARD CIRCULAIRE
AV. DU GÉNÉRAL DE GAULLE
D 913
D 914
A 14

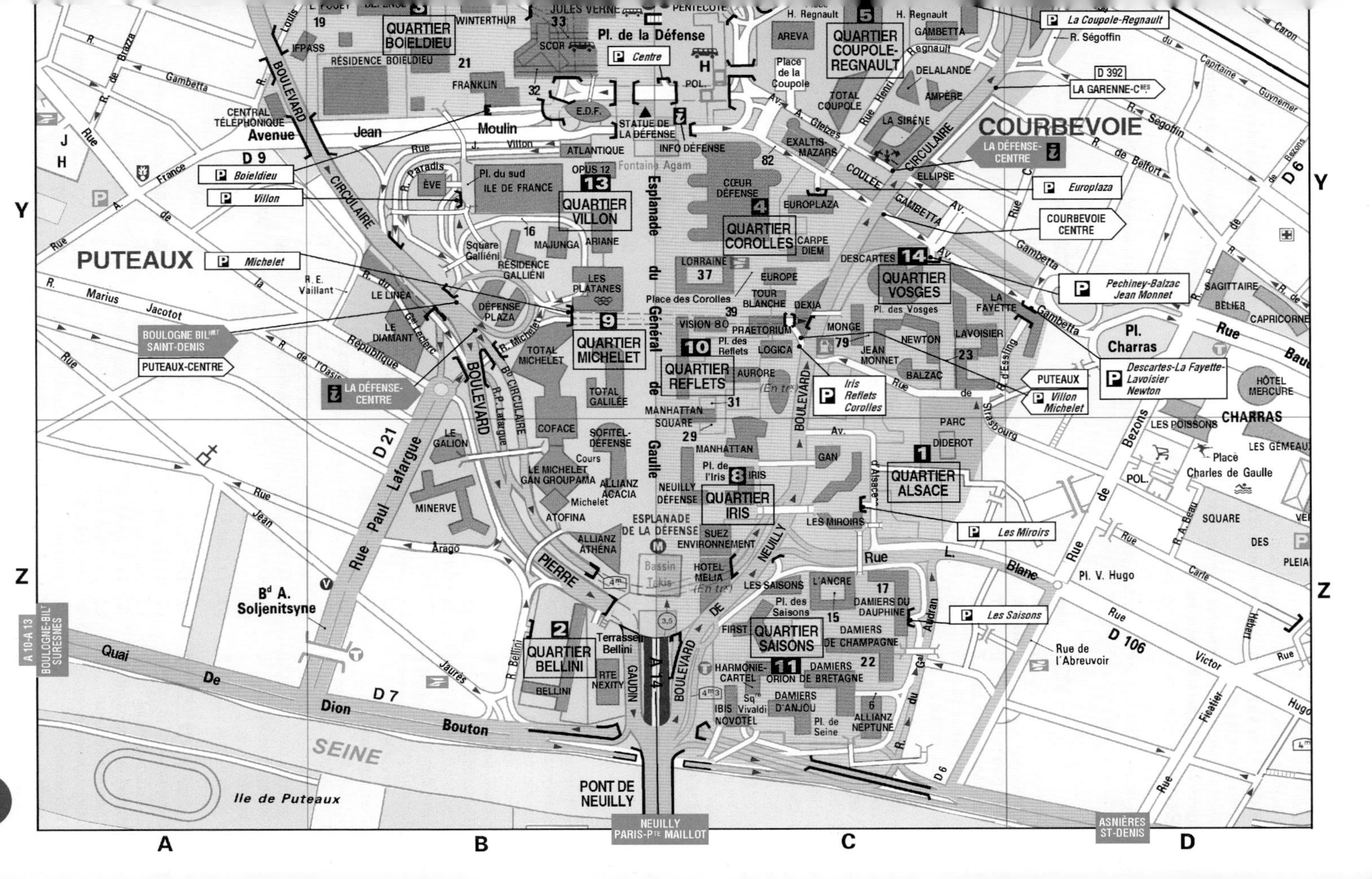
COURBEVOIE
PUTEAUX
SEINE
Ile de Puteaux
Esplanade du Général de Gaulle
QUARTIER BOIELDIEU
QUARTIER COUPOLE-REGNAULT
QUARTIER VILLON
QUARTIER COROLLES
QUARTIER VOSGES
QUARTIER MICHELET
QUARTIER REFLETS
QUARTIER ALSACE
QUARTIER IRIS
QUARTIER BELLINI
QUARTIER SAISONS
Pl. de la Défense
Pl. Charras
Place des Corolles
Place Charles de Gaulle
ESPLANADE DE LA DÉFENSE
Rue Paul Lafargue
Bd A. Soljenitsyne
Quai De Dion Bouton
PONT DE NEUILLY
NEUILLY PARIS-Pte MAILLOT
ASNIÈRES ST-DENIS
A 10-A 13 BOULOGNE-BILt SURESNES
BOULOGNE BILt SAINT-DENIS
PUTEAUX-CENTRE
COURBEVOIE CENTRE
LA GARENNE-Cbes
LA DÉFENSE-CENTRE
Centre
Boieldieu
Villon
Michelet
La Coupole-Regnault
Europlaza
Pechiney-Balzac Jean Monnet
Descartes-La Fayette-Lavoisier Newton
PUTEAUX
Villon Michelet
Iris Reflets Corolles
Les Miroirs
Les Saisons
D 9
D 21
D 7
D 106
D 392
D 6
A 14
A
B
C
D
Y
Z
J
H

La Défense

Index - *La première colonne indique les lieux : tour, immeuble, rue, etc, suivis des secteurs dont ils dépendent et du renvoi au carroyage qui permet leur situation sur le plan.*
La dernière colonne indique le nom du parking correspondant au lieu (parking public payant), la mention Parking privé informe de la nécessité d'avoir une autorisation préalable pour y stationner.

Index - ***The first column gives the name of the street, building, block etc. followed by the zone and page and grid reference on the plan.***
The last column gives the names of the nearest car park (public paying car park). Parking privé means that a special parking permit is required.

Register - *Die erste Spalte bezeichnet den Namen (Straße, Gebaüde usw.), es folgten Stadtbezirk, Seitennummer und Planquadrat.*
Die letzte Spalte nennt den Namen der Nächstgelegenen Parkmöglichkeit (öffentlich, gebührenpflichtig). Parking privé bedeutet: eine besondere Parkerlaubnis ist erforderlich.

Indice - ***La prima colonna indica i luoghi: torre, edificio, strada, ecc., seguiti dai settori in cui si trovano e dal riferimento che permette di situarli sulla pianta.***
L'ultima colonna indica il nome del parcheggio più vicino (parcheggio pubblico a pagamento).
L'indicazione Parking privé informa della necessità di avere uno speciale permesso per poter parcheggiare.

Índice - *La primera columna indica los lugares: torre, edificio, calle, etc., seguida del sector al que pertenecen y de las coordenadas que los localizan, en el plano.*
La última columna indica el nombre del aparcamiento que corresponde al lugar (aparcamiento público de pago);
la mención Parking privé informa que es necesaria una autorización previa para poder aparcar

Straatnamenregister - ***De eerste kolom vermeldt de naam van de toren, het gebouw, de straat, enz., gevolgdedoor de sector wartoe deze behoort en de verwijzing naar het graadnet.***
In de laatste kolom staat de naam van de bijbehorende parkeerplaats (openbare betalende parkeerplaats).
De vermelding Parking privé betekent dat een speciale parkeervergunning vereist is.

Nom	Quartier	Repère	*Parking*
Jacques-Villon r.	13	BY	
Jean-Monnet immeuble	14	CY	*Parking privé*
Jean-Moulin av.		AY-BY	
Jules-Ferry r.		BX-CX	
KPMG immeuble	12	BX	*Valmy*
Kupka immeubles	12	BX	*Parking privé*
Kvaerner tour	1	CZ	*Iris*
La Fayette immeuble	14	CY	*Parking privé*
La Grande-Arche		BX-CX	*La Grande Arche - Les Quatre Temps*
La Pacific tour	12	BX	*Valmy*
Lavoisier immeuble	14	CY	*Parking privé*
Le Cèdre immeuble		CX	
Le Colisée immeuble		CX	
Le Diamant immeuble		BY	
Le Galion immeuble		BZ	
Le Guillaumet immeuble		AX	
Le Guynemer immeuble	5	DY	
Le Linéa immeuble		BY	
Le Michelet Gan Groupama immeuble	9	BZ	*Michelet*
Le Palatin II et III immeuble	7	CX	
Le Palatin immeuble	7	CX	
Le Parvis		BX-CX	*La Grande Arche - Les Quatre Temps*
Le Triangle de l'Arche	7	CX	
Le Wilson immeuble		AX	
Léonard de Vinci pôle universitaire		CX	
Les Collines de l'Arche	7	CX	*La Grande Arche - Les Quatre Temps*
Les Miroirs tours	1	CZ	*Parking privé*
Les Platanes résidence	13	BY	*Villon*
Les Quatre-Temps	6	BX	*La Grande Arche - Les Quatre Temps*
Les Saisons immeuble	11	CZ	*Les Saisons*
Logica tour	10	CY	
Lorraine résidence	4	CY	*Corolles*
Lotus immeuble	5	DX	
Louis-Blanc r.		CZ-DZ	
Louis-Pouey r.	3	AX-BX	
Louis-Pouey résidence	3	BY	*Boieldieu*
Majunga tour	13	BY	
Manhattan tour	8	CZ	*Iris*
Manhattan-Square résidence	8	CZ	*Les Reflets*
Maréchal-Leclerc résidence	5	CX	*La Coupole-Regnault*
Melia hôtel	8	CZ	
Michelet cours	9	BZ	*Michelet*
Michelet r.		BY	
Michets-Petray r. des	6	BX	
Millénaire parc du		DX	
Minerve immeuble		BZ	

Nom	Quartier	Repère	*Parking*
Monge immeuble	14	CY	
Neuilly bd de		CZ	
Neuilly-Defense résidence	8	CZ	*Iris*
Newton immeuble	14	CY	*Parking privé*
Opus 12 tour	13	BY	*Villon*
Orion résidence	11	CZ	*Les Saisons*
Paradis r.	13	BY	
Pascal tour	6	BX	*La Grande Arche - Les Quatre Temps*
Paul-Lafargue r.		AZ-BZ	
Pierre-Gaudin bd		BY-BZ	
Praetorium	10	CY	*Les Reflets*
Pullman hôtel	7	CX	
Pyramide pl. de la=35	13	BY	*Villon*
Pyramidion immeuble	7	CX-DX	
Reflets patio des=31	10	CY	*Les Reflets*
Reflets pl. des	10	CY	*Les Reflets*
Reflets terrasse des=39	10	CY	*Les Reflets*
Renaissance hôtel	12	BX	*Valmy*
Ronde pl.	12	BW	*Valmy*
RTE Nexity immeuble	2	BZ	*Parking privé*
Saisons pl. des	11	CZ	*Les Saisons*
Saisons sq. des=15	11	CZ	*Les Saisons*
Scor immeuble	3	BY	*Wilson*
Ségoffin r.	5	DY	
Seine pl. de	11	CZ	*Les Saisons*
Sequoia SFR tour	5	CX	*CNIT*
Sirène résidence la	5	CY	*La Coupole-Regnault*
Société Générale tour	12	BW	*Valmy*
Sofitel-C.N.I.T hôtel	5	CX	
Sofitel-Défense hôtel	9	BZ	*Michelet*
Strasbourg r. de	14	CY-DZ	
Sud pl. du	13	BY	*Villon*
Suez Environnement	8	CZ	
Total Coupole	5	CY	*La Coupole-Regnault*
Total Galilée immeuble	9	BY	*Michelet*
Total Michelet tour	9	BY	*Michelet*
Tour Blanche tour	10	CY	*Corolles*
Trois-Places pass. des=102	12	BW	*Valmy*
UGC Ciné Cité	6	BX	*La Grande Arche - Les Quatre Temps*
Valmy cours	12	BW-BX	*Valmy*
Valmy pass.=105	12	BW	*Valmy*
Valmy terrasse=107	12	BW	*Valmy*
Vision 80	10	CY	*Les Reflets*
Vivaldi sq.	11	CZ	*Les Saisons*
Voltaire tour	6	BX	*La Grande Arche - Les Quatre Temps*
Vosges allée des=79	14	CY	*Parking privé*
Vosges pl. des	14	CY	*Parking privé*
Winterthur tour	3	BY	*Boieldieu*

Street index - Straßenverzeichnis - Indice
Índice - Straatnamenregister

Abréviations utilisées dans le répertoire

Abbreviations used in the index - Abkürzungen, die im Straßenverzeichnis verwendet werden - Abbreviazioni utilizzate nell'indice - Abreviaturas - In het register gebruikte afkortingen

av.	avenue	pl.	place
bd	boulevard	pte	porte
carr.	carrefour	r.	rue
imp.	impasse	rd-pt	rond-point
pass.	passage	sq.	square

Index des rues

Index des rues

Nom, voie	Arrondissement	Repère
Champs-Élysées-Marcel Dassault, rd-pt des	8	G10-G9
Chanaleilles, r. de	7	K11
Chandon, imp.	15	M7
Chanez, r.	16	L3
Chanez, villa	16	L3
Changarnier, r.	12	L23
Change, pont au	1	J14
Chanoinesse, r.	4	K15-J15
Chantemesse, av.	16	G4
Chantier, pass. du	12	K18
Chantiers, r. des	5	K16-K15
Chantilly, r. de	9	E14
Chantin, r. Antoine	14	P11
Chantres, r. des	4	J15
Chanute, pl. Octave	20	G22
Chanvin, pass.	13	N18
Chanzy, r.	11	K19-K20
Chapelle, av. de la	17	E6-D6
Chapelle, bd de la		D17-D15
nos impairs	10	
nos pairs	18	
Chapelle, cité de la	18	C16
Chapelle, hameau de la	18	C16
Chapelle, imp. de la	18	B16
Chapelle, pl. de la	18	D16
Chapelle, porte de la	18	A16
Chapelle, r. de la	18	C16-A16
Chaplain, r. Jules	6	L12
Chapon, r.	3	H16-H15
Chappe, r.	18	D14
Chaptal, cité	9	E13-D13
Chaptal, r.	9	E13-D12
Chapu, r.	16	M4
Chapuis, r. Auguste	20	J23
Char, pl. René	7	J12
Charbonnel, r.	13	R14
Charbonnière, r. de la	18	D16-D15
Charbonniers, pass. des	15	L9-L10
Charcot, r.	13	N18-P17
Chardin, r.	16	H7-J7
Chardon-Lagache, r.	16	L4-M3
Charente, quai de la	19	B20-A19
Charenton, porte de	12	P22
Charenton, r. de	12	K18-N21
Charlemagne, r.	4	J16
Charles-et-Robert, r.	20	K23-J23
Charles-V, r.	4	K17-J16
Charlet, r. Nicolas	15	L10-M10
Charlot, r.	3	H16-G17
Charmilles, villa des	15	N9
Charolais, pass. du	12	M20
Charolais, pl. du	19	C20
Charolais, r. du	12	M20-L19
Charonne, bd de		K21-J20
nos impairs	11	
nos pairs	20	
Charonne, r. de	11	K18-J21
Charpentier, r. Alexandre	17	D7
Charpentier, r. Gustave	17	D6-E6
Charpentier, r. Marc-Antoine	13	P18-R18
Charras, r.	9	F12
Charrière, r.	11	J19-K19
Charron, r. Pierre	8	G8-F9
Chartier, r. Alain	15	M8
Chartière, imp.	5	K14
Chartres, r. de	18	D16-D15
Chartreux, r. des	6	M13
Chasles, r. Michel	12	L18-K18
Chassaigne-Goyon, pl.	8	F10
Chasseloup-Laubat, r.	15	K9-L9
Chasseurs, av. des	17	C9
Chat-qui-Pêche, r. du	5	K14
Château, r. du	14	M11-N11
Château-d'Eau, r. du	10	G16-F16
Château-des-Rentiers, r.	13	R18-N16
Château-Landon, r. du	10	E17-D17
Chateau-Ouvrier, allée du	14	N11
Château-Rouge, pl. du	18	C15
Chateaubriand, r.	8	F9-F8
Châteaudun, r. de	9	E14-E13
Châtelet, pass.	17	B11-B12
Châtelet, pl. du		J15-J14
nos impairs	1	
nos pairs	4	
Châtillon, porte de	14	R10
Châtillon, r. de	14	P11
Châtillon, sq. de	14	P11
Chauchat, r.	9	F13-F14
Chaudron, r.	10	D17
Chaufourniers, r. des	19	E18
Chaumont, porte	19	D21
Chaumont, r. de	19	D18
Chauré, r. du Lieutenant	20	G22-G23
Chauré, sq.	20	G22
Chaussée-d'Antin, r. de la	9	F13-E12
Chaussin, pass.	12	M22
Chausson, imp.	10	F17-E17
Chausson, r. Pierre	10	F16
Chautard, r. Paul	15	L8
Chauveau-Lagarde, r.	8	F11
Chauvelot, r.	15	P8-P9
Chauvière, r. Emmanuel	15	L5-L6
Chauvin, r. Jeanne	13	P19
Chavez, r. Géo	20	G23-G22
Chazelles, r. de	17	E9
Chemin-de-Fer, r. du		A20-A21
nos 1-13, 2-12 bis	19	
nos 15-fin, 14-fin	Pantin	
Chemin-Vert, pass. du	11	H18
Chemin-Vert, r. du	11	J17-H20
Cheminets, r. des	19	C21
Chénier, r.	2	G15
Cher, r. du	20	H22-G21
Cherbourg, r. de	15	N9-P9
Cherche-Midi, r. du		K12-L11
nos 1-121, 2-130	6	
nos 123-fin, 132-fin	15	
Chéreau, r.	13	P15
Chéret, sq. Jules	20	J23
Chérioux, pl. Adolphe	15	M8
Chernoviz, r.	16	J6
Chéroy, r. de	17	D11
Chérubini, r.	2	G13
Cheval-Blanc, pass. du	11	J18-K18
Chevaleret, r. du	13	R19-N17
Chevalier, pl. Maurice	20	G20
Chevalier, r. Honoré	6	K13-K12
Chevaliers, imp. des	20	F21
Chevert, r.	7	J9
Cheverus, r. de	9	E12
Chevet, r. du	11	G18
Chevreau, r. Henri	20	G20-F20
Chevreuil, r. Victor	12	M22
Chevreul, r.	11	K20
Chevreuse, r. de	6	M12
Cheysson, villa	16	M3
Chine, r. de la	20	F21-G22
Choderlos-de-Laclos, r.	13	N19
Choiseul, pass.	2	G13
Choiseul, r. de	2	G13-F13
Choisy, av. de	13	R17-P16
Choisy, parc de	13	P16
Choisy, porte de	13	R17
Chomel, r.	7	K12
Chopin, pl.	16	J5
Choron, r.	9	E14-E13
Chouraqui, r. Nicole	19	D19
Chrétien-de-Troyes, r.	12	L19
Christiani, r.	18	D15
Christine, r.	6	J14-J13
Chuquet, r. Nicolas	17	C9
Churchill, av. Winston	8	G10
Cicé, r. de	6	L12
Cimarosa, r.	16	G7
Cimetière, chemin du	12	R23
Cimetière-des-Batignolles, av. du	17	B10
Cimetière-St-Benoît, r. du	5	K14
Cino-del-Duca, r.	17	D6
Cinq-Diamants, r. des	13	P15
Cinq-Martyrs-du-Lycée-Buffon, pl. des	15	M10-M11
Cirque, r. du	8	G10-F10
Ciseaux, r. des	6	K13
Cité, r. de la	4	J15-J14
Cité-Universitaire, r. de la	14	R14
Cîteaux, r. de	12	L19-K19
Citerne, r. Georges	15	K7
Citroën, parc André	15	L5-M5
Citroën, quai André	15	K6-M4
Civiale, r.	10	F18
Civry, r. de	16	L3

D

Index des rues

I

J

Index des rues

U

V

Practical information - Praktische Informationen - Informazioni pratiche
Informaciones prácticas - Praktische inlichtingen

MARCHÉS

MARKETS / MÄRKTE / MERCATI / MERCADOS / MARKTEN

● *Marché alimentaire couvert* **BIO** *Marché alimentaire spécialisé biologique*

1er

H 14 **Saint-Eustache-Les Halles** Rue Montmartre Ⓜ **Châtelet Les Halles** .... *Jeu. 12h30-20h30, dim. 7h-15 h*
G 12 **Saint-Honoré** Pl. du Marché St-Honoré Ⓜ **Pyramides** .... *Merc. 12h30-20h30, sam. 7h-15h*

2e

G 14 **Bourse** Pl. de la Bourse Ⓜ **Bourse** .... *Mar. et vend. 12h30-20h30*

3e

H 16 **Enfants Rouges** ● 39 rue de Bretagne
Ⓜ **Temple, Filles du Calvaire** .... *Mar-jeu. 8h30-13h et 16-19h30 (vend.20h), sam.16- 20h), dim. 8h30-14h*

4e

J 16 **Baudoyer** Place Baudoyer Ⓜ **Hôtel de Ville** .... *Merc. 12h30-20h30, sam. 7h-15h*

5e

K 15 **Maubert** Place Maubert Ⓜ **Maubert Mutualité** .... *Mar. et jeu. 7h-14h30, sam. 7h-15h*
Monge Place Monge Ⓜ **Place Monge** .... *Merc. et vend. 7h-14h30, dim. 7h-15h*
L 15 **Port-Royal** Bd de Port-Royal, le long de l'hôpital du Val de Grâce Ⓜ **Port Royal** .. *Mar. et jeu. 7h-14h30, sam. 7h-15h*

6e

K 12 **Raspail** **BIO** Boulevard Raspail entre les rues du Cherche-Midi et Rennes Ⓜ **Rennes** .... *Dim. 9h-15h*
K 12 **Raspail** Boulevard Raspail entre les rues du Cherche-Midi et Rennes Ⓜ **Rennes** .... *Mar. et vend. 7h-14h30*
K 13 **Saint-Germain** ● 4/6 rue Lobineau
Ⓜ **Mabillon** .... *Mar.-vend. 8h30-13h et 16h-20h, sam. 8h30-13h30 et 15h30-20h, dim. 8h-13h30*

7e

K 10 **Saxe-Breteuil** Avenue de Saxe Ⓜ **Ségur** .... *Jeu., 7h-14h30 et sam., 7h-15h*

8e

F 11 **Aguesseau** Place de la Madeleine, côté bd Malesherbes Ⓜ **Madeleine** .... *Mar. et vend. 7h-14h30*
D 11 **Batignolles** **BIO** Bd des Batignolles Ⓜ **Rome, Place de Clichy** .... *Sam. 7h-15h*
E 10 **Treilhard** ● 1 rue Corvetto Ⓜ **Villiers** .... *Lun.-sam. 8h30-20h30*

9e

D 14 **Anvers** Sq. d'Anvers et av. Trudaine, nos 15 à 17 Ⓜ **Anvers** .... *Vend. 15h-20h30*

10e

F 17 **Alibert** R. Alibert, le long de l'hôpital St-Louis Ⓜ **Goncourt** .... *Dim. 7h-15h*
F 16 **Saint-Martin** ● 31/33 rue du Château d'Eau
Ⓜ **Château d'Eau** .... *Mar.-vend. 9h30-13h, 16h-19h30, sam. 9h-19h30, dim. 9h-13h30*
E 16 **Saint-Quentin** ● 85 bis Bd Magenta
Ⓜ **Gare de l'Est** .... *Mar.-vend. 9h-13h, 16h-19h30, sam. 9h-13h, 15h30-19h30, dim. 8h30-13h30*

11e

J 18 **Bastille** Bd Richard Lenoir entre les rues Amelot et St-Sabin
Ⓜ **Bastille** .... *Dim. 7h-15h*
F 19 **Belleville** Bd de Belleville Ⓜ **Belleville** .... *Mar. et vend. 7h-14h30*
J 21 **Charonne** Bd de Charonne, entre le n°129 et la rue Alexandre Dumas
Ⓜ **Alexandre Dumas** .... *Merc. 7h-14h30, sam. 7h-15h*

G 19 **Père-Lachaise** Bd Ménilmontant, entre les rues Panoyaux et des Cendriers
Ⓜ **Ménilmontant** ... *Mar. et vend. 7h-14h30*

G 18 **Popincourt** Bd Richard-Lenoir entre les rues Oberkampf et Jean-Pierre Timbaud
Ⓜ **Oberkampf** ... *Mar. et vend. 7h-14h30*

12e

K 19 **Aligre** Rue d'Aligre Ⓜ **Ledru-Rollin** ... *Mar.-dim. 7h-14h (fin ventes-13h30)*

K 19 **Beauvau-St-Antoine** ● Place d'Aligre
Ⓜ **Ledru-Rollin** ... *Mar. 9h-13h, 16h-19h30, Merc- sam. 9h-13h*

N 20 **Bercy** Entre le n°14 place Lachambeaudie et le n°11 rue Baron-le-Roy
Ⓜ **Cour St-Émilion** ... *Merc. 15h-20h, dim. 7h-15h*

L 22 **Cours de Vincennes** Cours de Vincennes, entre bd de Picpus et la rue Arnold Netter,
Ⓜ **Nation, Porte de Vincennes** ... *Merc., 7h-14h30, sam., 7h-15h*

M 20 **Daumesnil** Bd de Reuilly, entre la rue de Charenton et la place Félix Éboué
Ⓜ **Daumesnil, Dugommier** ... *Mar. et vend. 7h-14h30*

L 18 **Ledru-Rollin** Avenue Ledru-Rollin entre les rues de Lyon et de Bercy
Ⓜ **Gare de Lyon, Quai de la Rapée** ... *Jeu. 7h-14h30, sam. 7h-15h*

N 22 **Poniatowski** Du 91 du bd Poniatowski à l'avenue Daumesnil
Ⓜ **Porte Dorée** ... *Jeu. 7h-14h30, dim. 7h-15h*

L 20 **Saint-Éloi** 36-38 rue Reuilly Ⓜ **Reuilly-Diderot** ... *Jeu. 7h-14h30, dim. 7h-15h*

13e

P 14 **Alésia** Rue de la Glacière côté impair et rue de la Santé côté impair, du n°137 à la fin
Ⓜ **Glacière** ... *Merc. 7h-14h30, sam. 7h-15h*

P 15 **Auguste-Blanqui** Bd Blanqui entre pl. d'Italie et rue Barrault
Ⓜ **Corvisart, Place d'Italie** ... *Mar. et vend. 7h-14h30, dim. 7h-15h*

R 15 **Bobillot** Rue Bobillot, entre place de Rungis et rue de la Colonie Ⓜ **Tolbiac** ... *Mar. et vend. 7h-14h30*

P 17 **Jeanne d'Arc** Place Jeanne d'Arc Ⓜ **Olympiades ou Nationale** ... *Jeu. 7h-14h30, dim. 7h-15h*

Maison-Blanche Av. d'Italie entre les n° 110 à 162 Ⓜ **Maison Blanche** ... *Jeu. 7h-14h30, dim. 7h-15h*

N 19 **Paris Rive Gauche** Rue Jean Anouilh et rue Neuve Tolbiac en vis-à-vis n°18 et 20
Ⓜ **Bibliothèque François Mitterrand** ... *Vend. 12h-20h45*

M 17 **Salpêtrière** Bd de l'Hôpital, le long du square Marie Curie Ⓜ **Saint Marcel** ... *Mar. et vend. 7h-14h30*

N 17 **Vincent-Auriol** Bd Vincent Auriol entre n° 64 et rue Jeanne d'Arc Ⓜ **Chevaleret** ... *Merc. 7h-14h30, sam. 7h-15h*

14e

M 11 **Brancusi** *BIO* Place Constantin Brancusi Ⓜ **Gaîté** ... *Sam. 9h-15h*

P 10 **Brune** Bd Brune, entre le n°71 et l'impasse Vandal Ⓜ **Porte de Vanves** ... *Jeu. 7h-14h30, dim. 7h-15h*

M 11 **Edgar-Quinet** Bd Edgar Quinet, entre le n°36 et la rue du Départ Ⓜ **Edgar Quinet** ... *Merc. 7h-14h30, sam. 7h-15h*

R 12 **Jourdan** Bd Jourdan, entre rue Henri Barboux et Emile Faguet Ⓜ **Porte d'Orléans** ... *Merc. et sam. 7h-14h30*

N12 **Mouton-Duvernet** Place Jacques Demy Ⓜ **Mouton Duvernet** ... *Mar. et vend. 7h-14h30*

N 10 **Villemain** Avenue Villemain Ⓜ **Plaisance** ... *Merc. 7h-14h30, dim. 7h-15h*

15e

N 8 **Brassens** Place J. Marette Ⓜ **Convention** ... *Vend. 12h-20h*

M 9 **Cervantès** Entre rue Bargue et rue de la Procession, en face de la rue Gager Gabillot
Ⓜ **Volontaires** ... *Merc. 7h-14h30, sam. 7h-15h*

N 8 **Convention** Rue de la Convention, entre les rues Alain Chartier et de l'Abbé Groult
Ⓜ **Convention** ... *Mar. et jeu. 7h-14h30, dim. 7h-15h*

K 8 **Grenelle** Bd de Grenelle, entre les rues de Lourmel et du Commerce
Ⓜ **La Motte Picquet Grenelle** ... *Merc. 7h-14h30, dim. 7h-15h*

M 6 **Lecourbe** Rue Lecourbe, entre les rues Vasco de Gama et Leblanc
Ⓜ **Balard, Lourmel** ... *Merc. 7h-14h30, sam. 7h-15h*

P 7 **Lefebvre** Bd Lefebvre, entre les rues Olivier de Serres et de Dantzig
Ⓜ **Porte de Versailles** ... *Merc. 7h-14h30, sam. 7h-15h*

L 6 **Saint-Charles** Rue St-Charles, entre la rue de Javel et le rond-point St-Charles
Ⓜ **Javel André Citroën** ... *Mar. et vend. 7h-14h30*

16e

F 6 **Amiral Bruix** Bd Bruix, entre les rues Weber et Marbeau Ⓜ **Porte Maillot** ... *Merc. 7h-14h30, sam. 7h-15h*

K 4 **Auteuil** Place Jean Lorrain Ⓜ **Michel Ange Auteuil** .... *Merc. 7h-14h30, dim. 7h-15h*
K 5 **Gros-La-Fontaine** Rue Gros, rue La Fontaine Ⓜ **Ranelagh** .... *Mar. et vend. 7h-14h30*
J 5 **Passy** ● Place de Passy
Ⓜ **La Muette** .... *Mar. au vend., 8h-13h, 16h-19h, sam. 8h30-13h, 15h30-19h, dim. 8h-13h*
M 3 **Point du Jour** Av. de Versailles entre la rue Le Marois et la rue Gudin
Ⓜ **Porte de St-Cloud** .... *Mar. et jeu. 7h-14h30, dim. 7h-15h*
L 2 **Porte Molitor** Place de la Porte Molitor (centre sportif)
Ⓜ **Michel Ange Molitor** .... *Mar. et vend. 7h-14h30*
G 8 **Président Wilson** Av. du Pdt Wilson, entre la rue Debrousse et la place d'Iéna
Ⓜ **Alma Marceau, Iéna** .... *Merc. 7h-14h30, sam. 7h-15h*
G 6 **Saint-Didier** ● Rues Mesnil et St Didier
Ⓜ **Victor Hugo** .... *à l'extérieur : lun.-vend. 8h-19h30, sam. 8h-13h30, à l'intérieur : mar-sam. 8h-13h30*

17e

C 11 **Batignolles** ● 96 bis rue Lemercier
Ⓜ **Brochant** .... *Mar-vend. 8h30-13h, 15h30-20h, sam. 8h30-20h, dim. 8h30-14h*
D12 **Batignolles** *BIO* 34 Bd des Batignolles Ⓜ **Place de Clichy** .... *sam. 9h-15h*
C 8 **Berthier** Bd de Reims, le long du sq. André Ulmann Ⓜ **Porte de Champerret** .... *Merc. 7h-14h30, sam. 7h-15h*
B 11 **Navier** Entre les rues Navier, Lantiez, et des Épinettes Ⓜ **Guy Môquet** .... *Mar. et vend. 7h-14h30*
D 7 **Ternes** ● 8 bis rue Lebon Ⓜ **Ternes** .... *Mar.-sam. 8h-13h, 16h-19h30, dim. 8h-13h*

18e

D 15 **Barbès** Bd de la Chapelle, face à l'hôpital Lariboisière Ⓜ **Barbès Rochechouart** .... *Merc. 8h-13h, sam. 7h-15h*
C 16 **La Chapelle** ● 10 rue l'Olive
Ⓜ **Marx Dormoy** .... *Mar.-vend. 9h-13h, 16h-19h30, sam. 9h-13h, 15h30-19h30, dim. 8h30-13h*
A 13 **Ney** Bd Ney, entre les rues Jean Varenne et Camille Flammarion
Ⓜ **Porte de St-Ouen, Porte de Clignancourt** .... *Jeu. et sam. 8h-13h*
B 13 **Ordener** Rue Ordener, entre les rues Montcalm et Championnet Ⓜ **Guy Môquet** .... *Merc. et sam. 8h-13h*
B 14 **Ornano** Bd Ornano entre les rues du Mont-Cenis et Ordener Ⓜ **Simplon** .... *Mar, vend et dim. 8h-13h*

19e

B 18 **Crimée-Curial** Rue de Crimée, entre les n° 236 et 246 Ⓜ **Crimée** .... *Mar. et vend. 7h-14h30*
C 20 **Jean-Jaurès** Av. Jean-Jaurès, entre n° 195 et rue Adolphe Mille
Ⓜ **Ourcq, Porte de Pantin** .... *Mar. et jeu. 7h-14h30, dim. 7h-15h*
C 19 **Joinville** Place de Joinville Ⓜ **Crimée** .... *Jeu. 7h-14h30, dim. 7h-15h*
E 21 **Place des Fêtes** Place des Fêtes Ⓜ **Place des Fêtes** .... *Mar. et vend. 7h-14h30, dim. 7h-15h*
D 21 **Porte Brunet** Av. de la Pte Brunet Ⓜ **Pré Saint-Gervais** .... *Merc. 7h-14h30, sam. 7h-15h*
A 18 **Porte d'Aubervilliers** Av. de la Pte d'Aubervilliers
Ⓜ **Porte de la Chapelle** .... *Merc. 7h-14h30, sam. 7h-15h*
D 18 **Secrétan** ● 33 av. Secrétan Ⓜ **Bolivar** .... *(En travaux)*
F 18 **Villette** Bd de la Villette, entre les n° 27 et 41 Ⓜ **Belleville** .... *Merc. 7h-14h30, sam. 7h-15h*

20e

G 22 **Belgrand** Rues Belgrand, de la Chine et pl. Édith Piaf Ⓜ **Gambetta** .... *Merc. 7h-14h30, sam. 7h-15h*
J 23 **Davout** Bd Davout, entre av. la Pte Montreuil et rue Mendelssohn
Ⓜ **Porte de Montreuil** .... *Mar. et vend. 7h-14h30*
G 23 **Mortier** Bd Mortier, entre le n° 90 et la rue Maurice Berteaux
Ⓜ **St-Fargeau, Pelleport** .... *Jeu. 7h-14h30, dim. 7h-15h*
F 21 **Pyrénées** Rue des Pyrénées, entre les rues l'Ermitage et de Ménilmontant
Ⓜ **Pyrénées** .... *Jeu. 7h-14h30, dim. 7h-15h*
J 22 **Réunion** Place de la Réunion Ⓜ **Alexandre Dumas** .... *Jeu. 7h-14h30, dim. 7h-15h*
F 21 **Télégraphe** Rue du Télégraphe, entre la rue de Belleville et les n°40 et 43
Ⓜ **Télégraphe** .... *Merc. 7h-14h30, sam. 7h-15h*

Marchés spécialisés

3e

G 17 **Carreau du Temple** 2 rue Perrée
Ⓜ **Temple, Arts et Métiers** ...... *Boutiques : mar.-sam. 9h-19h, dim. 9h-12h. Stands : du mar.-vend. 9h-12h, week-end 9h-12h30*

4e

J 15 **Marché aux fleurs** Place Louis Lépine et quais alentours Ⓜ **Cité** ...... *Lun.-sam. 8h-19h30*
J 15 **Marché aux oiseaux et autres petits animaux d'agrément** Place Louis Lépine et quais alentour
Ⓜ **Cité** ...... *Dim. 8h-19h*

8e

F 11 **Marché aux fleurs de la Madeleine** Place de la Madeleine Ⓜ **Madeleine** ...... *Lun.-sam. 8h-19h30*
G 10 **Marché aux timbres des Champs-Elysées** Angle des avenues de Marigny et Gabriel
Ⓜ **Champs Élysées Clemenceau** ...... *Jeu., sam. et dim. 9h-19h*

11e

J 18 **Marché de la création Bastille** Bd Richard Lenoir Ⓜ **Bastille, Bréguet Sabin** ...... *Sam. 9h-19h30*

12e

K 19 **Marché aux vieux habits, fruits, légumes, brocante**
Place et rue d'Aligre, entre les rues de Charenton et Crozatier Ⓜ **Ledru-Rollin** ...... *Tlj sf lun. 7h30-13h30*

14e

R 10 **Marché aux puces de Vanves** Av. Georges Lafenestre Ⓜ **Porte de Vanves** ...... *Sam. et dim. 7h-17h*
P 9 **Marché aux puces de Vanves** Av. Marc Sangnier Ⓜ **Porte de Vanves** ...... *Sam. et dim. 7h-13h*
M 12 **Marché de la création Edgar Quinet** Terre-plein du boulevard
Ⓜ **Edgar Quinet** ...... *Dim. 9h-19h30*

15e

P 8 **Marché aux livres anciens et d'occasion Georges Brassens** 104, rue de Brancion
Ⓜ **Porte de Vanves, Convention** ...... *Sam. et dim. 9h-18h*

17e

E 8 **Marché aux fleurs des Ternes** Place des Ternes Ⓜ **Ternes** ...... *Mar-dim. 8h-19h30*

18e

A 14 **Marché aux puces de Clignancourt** Terre plein situé à l'angle du stade Bertrand Dauvin, entre la rue Binet et le boulevard périphérique Ⓜ **Porte de Clignancourt** ...... *Lun, sam et dim. 7h-19h30*
A 14 **Marché aux puces de la rue Jean Henri Fabre** Rue Jean-Henri Fabre
Ⓜ **Porte de Clignancourt** ...... *Lun, sam et dim. 7h-19h*

19e

C 18 **Bric-à-brac Riquet Emmmaüs** ● 42 rue Riquet Ⓜ **Riquet** ...... *Sam. 10h-18h*

20e

J 23 **Marché aux puces de Montreuil** Avenue du Professeur André Lemierre
Ⓜ **Porte de Montreuil** ...... *Lun, sam et dim. 7h-19h30*

Bouquinistes Sur la rive droite, du pont Marie au quai du Louvre et sur la rive gauche, du quai de la Tournelle au quai Voltaire

TÉLÉPHONES UTILES

USEFUL TELEPHONE NUMBERS - NÜTZLICHE TELEFONNUMMERN - NUMERI DI TELEFONO UTILI - TELÉFONOS ÚTILES - NUTTIGE TELEFOONNUMMERS

Urgences

Emergency – Notdienste – Emergenze – Úrgencia - Alarmnummers

Numéro d'urgence (téléphones mobiles et langues étrangères) 112
Police Secours (Paris et banlieue) 17
Pompiers : Incendies, asphyxies (y compris en banlieue) 18
SAMU (Paris) 15
SOS Médecin (Paris Île de France) .... 3624 (0.12€/mn)
Urgences médicales de Paris 24h/24 .... 01 53 94 94 94
Sécurité Parcs et Jardins (téléphone en cas de danger ou d'agression) 01 53 66 51 00
Centre anti-poisons de Paris 24h/24 .... 01 40 05 48 48

Pharmacies ouvertes la nuit

84 av. des Champs-Élysées
(Galerie des Champs), 8e .... 24h/24 - 7j/7 .... 01 45 62 02 41
6 place Clichy, 9e .... 24h/24 - 7j/7 .... 01 48 74 65 18
17bis bd de Rochechouart, 9e .... 9h-minuit - 7j/7 .... 01 48 78 03 01
13, place de la Nation, 11e .... 8h-minuit - 7j/7 .... 01 43 73 24 03
6 place Félix-Éboué, 12e .... 24h/24 - 7j/7 .... 01 43 43 19 03
86 bd Soult, 12e .... 24h/24 - 7j/7 .... 01 43 43 13 68
61 av. d'Italie, 13e .... 8h-2h - 7j/7 .... 01 44 24 19 72
106 bd de Montparnasse, 14e.... 9h-minuit, sauf dim. et j. fériés 01 43 35 44 88
52 rue du Commerce, 15e .... 8h-minuit - 7j/7 .... 01 45 79 75 01
64 bd Barbès, 18e .... 8h-2h - 7j/7 .... 01 46 06 02 61

Cartes bancaires perdues ou volées

American Express .... 24h/24 - 7j/7 .... 01 47 77 72 00
Carte Bleue/Visa .... 24h/24 - 7j/7 .... 0 892 705 705 (0,34 €/mn)
Diners Club .... 24h/24 - 7j/7 .... 0 820 820 143 (0,12 €/mn)
Eurocard/Mastercard .... 24h/24 - 7j/7 .... 0 892 705 705 (0,34 €/mn)

Objets perdus et trouvés

Voie publique rue des Morillons, 15e .... 0 821 00 25 25 (0,12 €/mn)
Objets perdus dans les égouts - intervention urgente 24h/24 - 7j/7 .... 01 44 75 22 75
RATP .... 3246 (0,34 €/mn)
SNCF Serveur vocal (24h/24) et objets trouvés .... 3658 (0,225 €/mn)
Fourrière, enlèvement/déplacement de véhicules 0 891 012 222

Personnes à mobilité réduite

SNCF Accessibilité Service (www.accessibilité.sncf.com) .... 0 890 640 650 (0,11 €/mn)
RATP : Infomobi (www.infomobi.com) 09 70 81 83 85
(prix d'un appel local depuis un poste fixe)
PAM 75 (Paris accompagnement mobilité)
48 rue Gabriel Lamé 12e (www.pam.paris.fr) 0 810 810 075
(Prix d'un appel local) .... ou 01 53 44 12 59
Pour connaître les établissements et équipements adaptés :
Groupement pour l'Insertion des Personnes Handicapées Physiques (GIHP)
61, rue du Faubourg Poissonnière 9e 01 43 95 66 36

TAXIS

TAXEN - TAXI - TAXI'S

Compagnies de Taxis-radio

Radio-taxi companies, Funktaxi-Gesellschaften, Compagnie di radiotaxi, Compañias de radio-taxi, Taxibedrijven met radio-oproepsysteem

Alpha-Taxis (www.alphataxis.fr)....................01 45 85 85 85
Taxis G7 (www.taxisg7.fr)........ 36 07 (0,15€/mn), en anglais 01 41 27 66 99
Taxis G7 MaxiCab (www.taxisg7.fr) précisez MaxiCab........ 36 07 (0,15€/mn)
Taxis bleus (www.taxi-bleus.com).................... 36 09 (0,15€/mn)

Stations de taxis avec borne téléphonique

Taxi ranks with phone numbers, Taxistationen mit Telefon, Stazioni di taxi con colonnina telefonica, Paradas de taxis con teléfono, Taxistandplaatsen met telefoon :

Numéro de téléphone unique pour toutes les stations : 01 45 30 30 30
(prix d'un appel local)

1er

J 15	**Châtelet** Place du Châtelet
G 11	**Concorde-Rivoli** 252, rue de Rivoli
G 12	**Place Vendôme** 25, place Vendôme
H 13	**Palais Royal** Place André-Malraux

2e

F 13	**Opéra** 2, place de l'Opéra
G 14	**Place des Victoires** 4bis, place des Victoires
G 15	**Strasbourg-Saint-Denis** 19, bd Saint-Denis

3e

H 15	**Beaubourg** 24, r. Beaubourg
G 17	**République** Place de la République
H 16	**Temple** Square du Temple

4e

J 16	**Saint-Paul** Face au 10, r. de Rivoli

5e

M 15	**Gobelins** 92, bd St-Marcel - Place des Gobelins
K 15	**Maubert-Mutualité** 62, bd St-Germain - Place Maubert
L 14	**Panthéon** 26, r. Soufflot - Place Edmond Rostand
L 15	**Place Monge** 75bis, rue Monge
J 14	**Place Saint-Michel** 31, quai St-Michel
K 16	**Tournelle** Quai de la Tournelle

6e

K 13	**Mabillon** 2, r. du Four
K 13	**Odéon** Place Henri Mondor
M 13	**Port-Royal-Observatoire** 18, av. de l'Observatoire
L 11	**Rennes-Montparnasse** Place du 18-juin-1940
J 13	**Saint-Germain des Prés** 149, bd St-Germain
L 11	**Saint-Sulpice** Place Saint-Sulpice
K 12	**Sèvres-Babylone** Place Alphonse-Deville

7e

H 8	**Alma-Branly** 2, av. Bosquet
J 12	**Bac-Saint-Germain** 54, r. du Bac
J 9	**École Militaire** 28, av. de Tourville
H 10	**Gare des Invalides** R. Robert-Esnault-Pelterie
J 10	**Place Vauban** 2, av. de Tourville
H 11	**Solférino** 11, rue Solférino
J 7	**Tour Eiffel** Quai Branly
J 10	**La Tour-Maubourg-Invalides** Place Santiago-du-Chili

8e

F 9	**Friedland** 1, av. Friedland
E 12	**Gare Saint-Lazare**
F 11	**Madeleine** 4, bd Malesherbes
G 9	**Place de l'Alma** 1, av. George-V
E 10	**Place de Rio de Janeiro** 34, av. de Messine
E 8	**Place des Ternes** 272, r. du Faubourg-St-Honoré
G 10	**Rond-Point des Champs-Élysées** Rond-Point des Champs-Élysées
F 11	**Saint-Augustin** 44, bd Malesherbes

9e

F 13	**Drouot** 2, bd Haussmann
E 14	**Montholon** 2, r. Pierre Semard
E 13	**Notre-Dame-de-Lorette** 5, r. Fléchier
E 12	**Trinité-d'Estienne d'Orves** Place d'Estienne-d'Orves

10e

D 15	**Hôpital Lariboisière** R. Amboise Paré
F 17	**Hôpital Saint-Louis** 1, av. Claude-Vellefaux
E 15	**Place Franz-Liszt** 5-7 place Franz Liszt

11e

K 19	**Hôpital Saint-Antoine** 2 rue Faidherbe
J 19	**Mairie du 11e - Léon Blum** Place Léon-Blum

K 21	**Nation** 3, av. du Trône
J 20	**Philippe-Auguste** 97, av. Philippe Auguste
G 17	**République** 10, place de la République
H 18	**Saint-Ambroise** 55, bd Voltaire

12e

K 17	**Bastille** 8, place de la Bastille
M 19	**Bercy-Palais Omnisports** Bd /rue de Bercy
N 20	**Cour Saint-Émilion** 8, r. des Pirogues de Bercy
M 21	**Daumesnil Félix Éboué** 3-5, place Félix-Éboué
L 18	**Gare de Lyon**
M 20	**Mairie du 12e** 130, av. Daumesnil
N 23	**Porte Dorée** 1, place Edouard-Renard

13e

R 15	**Abbé Georges-Hénocque** 8, pl. de l'Abbé-Georges-Hénocque
L 17	**Gare d'Austerlitz**
N 14	**Glacière** 125, bd Auguste-Blanqui
P 18	**Patay-Tolbiac** 117, rue de Patay
P 16	**Place d'Italie** Face au 213, bd Vincent-Auriol
S 17	**Porte de Choisy** 34, av. de la Porte de Choisy
S 16	**Porte d'Italie** 166, bd Masséna
P 18	**Tolbiac-Bibliothèque Nationale** 38-40, r. Neuve-Tolbiac

14e

N 12	**Denfert-Rochereau** Face au 297, bd Raspail
M 11	**Gare Montparnasse**
P 14	**Place Coluche - Amiral Mouchez** Place Coluche - Amiral Mouchez
N 10	**Plaisance** Face au 135, r. Raymond-Losserand
P 9	**Porte de Vanves** 216, rue Raymond-Losserand
R 12	**Porte d'Orléans** 1-5, place du-25-Août-1944

15e

M 8	**Convention-Vaugirard** 304, rue de Vaugirard
M 7	**Félix Faure - Boucicaut** 40-44, av. Félix Faure
M 5	**Hôpital Georges-Pompidou** 32, rue Leblanc
M 8	**Mairie du 15e** 252, r. de Vaugirard
K 8	**La Motte-Picquet-Grenelle** 66, av. de la Motte-Picquet
M 5	**Place Balard** 3-4, place Balard
L 6	**Place Charles-Michels** 48, rue Linois
N 7	**Porte de Versailles** Place de la Porte de Versailles
L 10	**Sèvres-Lecourbe** 1, bd Pasteur

16e

G 5	**Henri-Martin** 78bis, av. Henri-Martin
K 5	**Maison de la Radio** Place Clément-Ader
K 4	**Mozart-Jasmin** 80, av. Mozart
J 5	**La Muette** 9-11, chaussée de la Muette
J 6	**Passy-Costa-Rica** 10, bd Delessert
L 5	**Place de Barcelone** 3, rue Mirabeau
G 6	**Place Victor-Hugo** 12, place Victor-Hugo
K 3	**Porte d'Auteuil** 144, bd Exelmans
M 3	**Porte de Saint-Cloud** 5, place de la Porte de St-Cloud
H 6	**Trocadéro** 1, av. d'Eylau

17e

D 10	**Courcelles-Chazelles** 94, bd de Courcelles
F 8	**Etoile-Wagram** 1-5, av. de Wagram
D 8	**Maréchal-Juin** 3, place Maréchal-Juin
C 10	**Pont Cardinet** Face au 167, rue de Rome
C 9	**Porte d'Asnières** Bd Berthier
B 10	**Porte de Clichy** Av. de la Porte de Clichy
D 7	**Porte de Champerret** 1, bd Gouvion-Saint-Cyr
E 6	**Porte Maillot** 78, av. de la Grande-Armée
B 12	**Porte de Saint-Ouen** Av. de la Porte de St-Ouen
D 10	**Villiers-Courcelles** 3-15, av. de Villiers

18e

C 15	**Château Rouge** 1, r. Custine
B 12	**Guy-Môquet** 86, av. de St-Ouen
C 14	**Mairie du 18e** 30, r. Hermel
C 16	**Marx-Dormoy-Ordener** 76, r. Marx-Dormoy
A 18	**Porte d'Aubervilliers** 3, av. de la Porte d'Aubervilliers
D 12	**Place de Clichy** Face au 140, bd de Clichy
A 14	**Porte de Clignancourt** 1, av. de la Porte de Clignancourt
A 16	**Porte de la Chapelle** 188, r de la Chapelle
D 14	**Place du Tertre** Place du Tertre

19e

E 20	**Buttes Chaumont-Botzaris** 1, r. du Gal Brunet
B 19	**Flandre-Argonne** Face au 152, av. de Flandre
C 18	**Flandre-Riquet** 67, av. de Flandre
D 17	**Flandre-Stalingrad** 13, av. de Flandre
D 19	**Mairie du 19e** 1, av. de Laumière
E 18	**Place du Colonel-Fabien** 116, bd de la Villette
E 22	**Porte des Lilas** av. de la Porte des Lilas
C 21	**Porte de Pantin** 211, av. Jean Jaurès
A 20	**Porte de la Villette** 1, av. de la Porte de la Villette

20e

F 20	**Belleville-Pyrénées** 360, r. des Pyrénées
G 21	**Mairie du 20e-Gambetta** 16, av. du Père Lachaise
F 21	**Ménilmontant-Belleville** Face au 148, bd de Ménilmontant
G 22	**Pelleport-Gambetta** Place Paul-Signac
H 20	**Père-Lachaise-Ménilmontant** 30, bd de Ménilmontant
H 23	**Porte de Bagnolet** Pl. de la Porte de Bagnolet
J 23	**Porte de Montreuil** 1-3, av. de la Porte de Montreuil
L 23	**Porte de Vincennes** 99, cours de Vincennes
K 22	**Pyrénées-Avron** 69, r. des Pyrénées

TRANSPORTS

TRANSPORTATION - VERKEHRSMITTEL -TRASPORTI - COMUNICACIONES - VERVOER

RATP (Bus - Métro) (Régie Autonome des Transports Parisiens)

Centre de Renseignements, 54 quai de la Rapée, 12e, ...32 46 (0,34 €/mn)
Calculer un itinéraire précis d'adresse à adresse sur le site de la RATP .... www.ratp.fr

SNCF

SNCF ....36 35 (0,34 €/mn)
.... www.sncf.fr
Service Informations Ile-de-France en cas de perturbations importantes........ 0 805 700 805
Serveur vocal (24h/24) et objets trouvés ....3658 (0,225 €/mn)
Chercher un itinéraire, état du trafic en temps réel .... 32 46 (0.34€/mn)
.... www.transilien.com
Renseignements et réservations...36 35 (0,34 €/mn)
.... www.voyages-sncf.com
Voyageurs à mobilité réduite : SNCF Accessibilité Service........... 0 890 640 650 (0,11 €/mn)
EUROSTAR (www.eurostar.com) ....0 892 35 35 39 (0,34 €/mn)
EUROTUNNEL (www.eurotunnel.com) ....0 810 63 03 04 (0,34 €/mn)
THALYS (www.thalys.com)..0 825 84 25 97 (0,34 €/mn)

Adresses des gares

Gare d'Austerlitz, 85, quai d'Austerlitz, 13e.. **M 17**
Gare de Bercy, 48 bis, bd de Bercy, 12e .... **M 19**
Gare de l'Est, place du 11-Novembre-1918, 10e....................................... **E 16**
Gare de Lyon, place Louis-Armand, 12e .... **L 18**
Gare Montparnasse 1 (Porte Océane), 16-24, Place Raoul-Dautry, 15e .... **M 11**
Gare Montparnasse 2 (Pasteur), place des 5 Martyrs du Lycée Buffon, 15e .... **M 11**
Gare Montparnasse 3 (Vaugirard), rue du Cotentin, 15e.................................. **M 10**
Gare du Nord, 18, rue de Dunkerque, 10e... **E 16**
Gare Saint-Lazare, rue St-Lazare, 8e .... **E 12**

LOCATION DE VOITURES

Car rental companies, Autovermietung, Noleggio di automobili, Coches de alquiler, Autoverhuur

Ada (www.ada.fr) .... 0 825 169 169 (0,15 €/mn)
Avis (www.avis.fr) .... 0 821 230 760 (0,12 €/mn)
Budget France (www.budget.fr) .... 0 825 003 564 (0,15 €/mn)
Europcar-Inter-Rent (www.europcar) .... 0 825 358 358 (0,15 €/mn)
Hertz-France (www.hertz.fr)....................................0 825 861 861 (0,15€/mn)
National-Citer (www.nationalciter.fr).......................... 0 825 161 212 (0,15 €/mn)
Sixt-Eurorent (www.sixt.fr) .... 0 820 007 498 (0,12 €/mn)

AÉROPORTS

Airports - Flughäfen - Aeroporti - Aeropuertos - Luchthavens

Aéroports de Paris (ADP) -
Horaires des vols du jour actualisés .. (24h/24)............ 3950 (0,34 €/mn)
.... www.aeroportsdeparis.fr
Aéroport Roissy-Charles-de-Gaulle (CDG) Roissy-en-France (95) .... 3950 (0,34 €/mn)
Aéroport d'Orly (ORY) Orly – Aérogare (94) .... 3950 (0,34 €/mn)
Aéroport de Paris-Beauvais (BVA) Tillé (60) ....0 892 68 20 66 (0,37 €/mn)

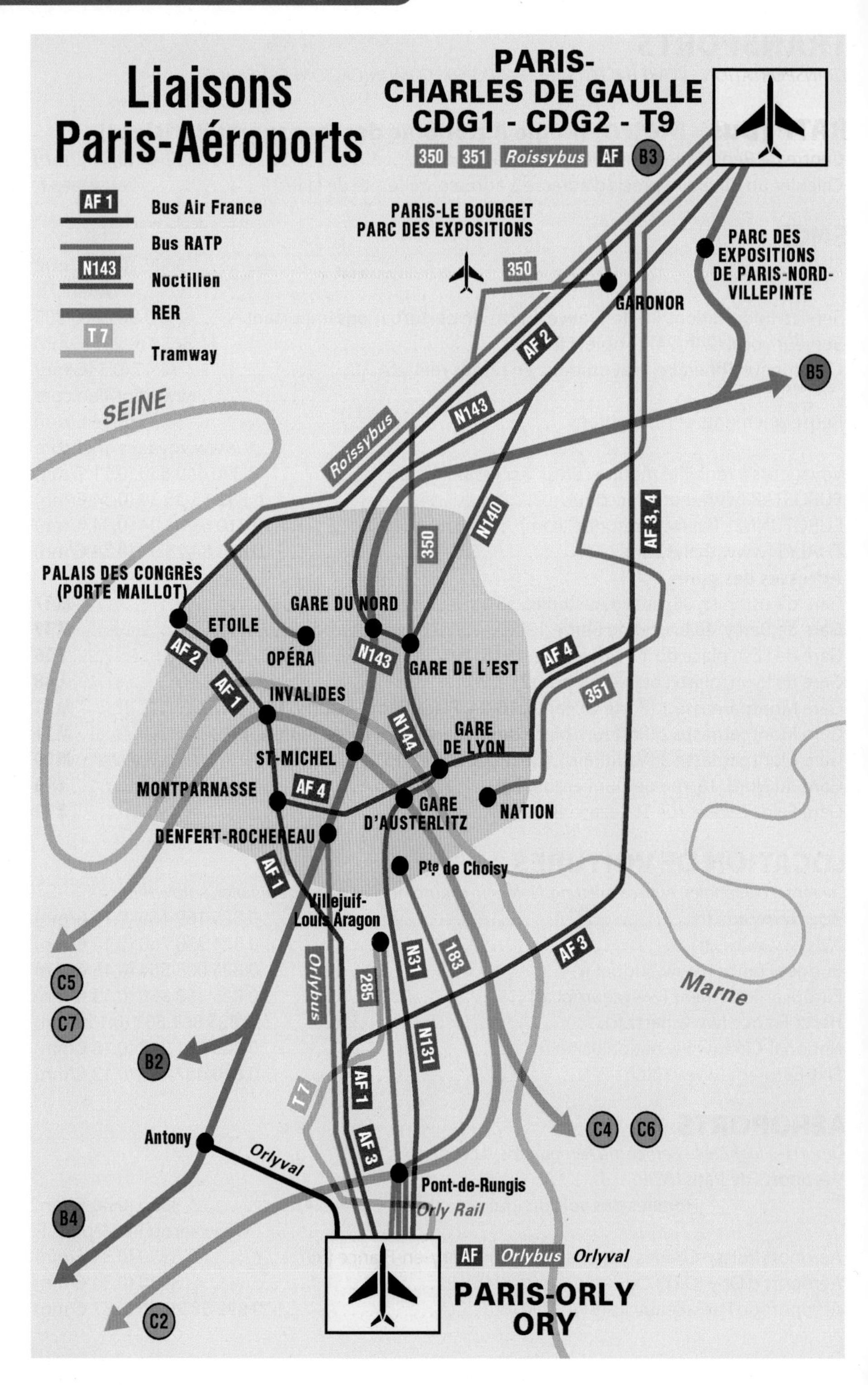
Liaisons Paris-Aéroports
PARIS-
CHARLES DE GAULLE
CDG1 - CDG2 - T9
350 351 Roissybus AF B3
AF 1 Bus Air France
Bus RATP
N143 Noctilien
RER
T7 Tramway
PARIS-LE BOURGET
PARC DES EXPOSITIONS
350
GARONOR
PARC DES
EXPOSITIONS
DE PARIS-NORD-
VILLEPINTE
B5
SEINE
AF 2
N143
Roissybus
N140
350
AF 3, 4
PALAIS DES CONGRÈS
(PORTE MAILLOT)
ETOILE
GARE DU NORD
OPÉRA
N143
GARE DE L'EST
AF 2
AF 1
INVALIDES
AF 4
351
N144
GARE
DE LYON
ST-MICHEL
MONTPARNASSE
AF 4
GARE
D'AUSTERLITZ
NATION
DENFERT-ROCHEREAU
AF 1
Pte de Choisy
Villejuif-
Louis Aragon
Orlybus
285
N31
183
AF 3
Marne
C5
C7
B2
N131
AF 1
AF 3
T7
C4
C6
Antony
Orlyval
Pont-de-Rungis
Orly Rail
B4
AF Orlybus Orlyval
PARIS-ORLY
ORY
C2

Comment recharger son véhicule?

Sur les bornes sur voirie : se munir d'une carte magnétique et suivre les indications sur l'écran.
Pour tout dysfonctionnement : Tél 01 69 12 70 07 - Fax 01 69 12 70 08 ou sim@semeru.fayat.com
Dans les parcs de stationnement : des prises sont disponibles, pour leur fonctionnement, adressez-vous au bureau d'accueil du parking.
Achat des cartes magnétiques : Espace Mobilités Électriques - 16 rue de la Tour des Dames - 75009 Paris - Tél 01 53 20 09 69/89 - www.espacemobelec.fr
Remarque : le stationnement des véhicules électriques est gratuit sur toutes les places de stationnement payant de la voirie à Paris. Pour profiter de cette gratuité, la carte de stationnement est nécessaire.
Délivrance des cartes de stationnement : Mairie de Paris - Direction de la voirie et des déplacements - Section du stationnement sur la voie publique - 15, boulevard Carnot - 75012 Paris

100 Borne sur voirie - **100** Borne dans les parcs souterrains - **100** Borne dans les parcs de surfaces - **100** Recharge rapide dans les stations services

1er
- 1 r. de l'Amiral de Coligny — H 14
- 2 **VENDOME** pl. Vendôme — G 12
- 3 **MARCHÉ ST-HONORÉ** 39, pl. du Marché St-Honoré — G 12
- 4 **ST-GERMAIN L'AUXERROIS** pl. du Louvre — H 14
- 5 **SÉBASTOPOL** 37, bd de Sébastopol — H 15
- 6 **ST-EUSTACHE** r. Coquillière — H 14
- 7 **PYRAMIDE** 14, r. des Pyramides — G 13

2e
- 14 6, r. d'Aboukir — G 14
- 15 **BOURSE** pl. de la Bourse — G 14

3e
- 18 r. Perrée - Mairie — H 16

4e
- 20 pl. Saint-Gervais — J 15
- 21 **LOBAU-RIVOLI** r. de Lobau — J 15
- 22 **NOTRE DAME** r. de la Cité — J 15
- 23 **HOTEL DE VILLE** quai de Gesvres — J 15
- 24 **ST-MARTIN-RIVOLI** angle r. St-Bon — J 15
- 25 **RIVOLI-SEBASTOPOL** 5, r. Pernelle — J 15

5e
- 29 pl. du Panthéon — L 14
- 30 **SOUFFLOT** 18, r. Soufflot — L 14
- 31 **MAUBERT-SAINT-GERMAIN** 39, bd Saint-Germain — K 15

6e
- 36 76, r. de Rennes — K 12
- 37 **ÉCOLE DE MÉDECINE** 21, r. de l'Ecole de Médecine — K 14
- 38 **MARCHÉ ST-GERMAIN** 14, r. Lobineau — K 13

7e
- 41 20, av. de Ségur — K 9
- 42 9, av. de Villars — K 10
- 43 152, r. de Grenelle — J 10
- 44 **QUAI BRANLY** Quai branly — H 8
- 45 **LA TOUR-MAUBOURG** 2, bd de la Tour-Maubourg — H 9
- 46 **SEVRE-BABYLONE** r. Velpeau, magasin Bon Marché — K 12
- 47 **ORSAY 2** 51-71, quai d'Orsay — H 9
- 48 **SAXE** 53-59, av. de Saxe — L 10

8e
- 53 r. Louis Murat — E 9
- 54 **GEORGE V** face au 103 av. des Champs Élysées, et au 35 av. George V — F 9
- 55 **PIERRE CHARRON** r. Pierre Charron — G 9
- 56 **MARCEAU** 75 bis, av. Marceau — F 8
- 57 **CONCORDE** angle av. Gabriel et pl. de la Concorde — G 10
- 58 **FRANCOIS 1er** 24, r. François 1er — G 9
- 59 **FRANKLIN D. ROOSEVELT** 45, av. Franklin D. Roosevelt — G 10

9e
- 65 31, bd de Clichy — D 13
- 66 33, bd de Rochechouart — D 14
- 67 **SAINT-LAZARE** 29, r. de Londres — E 12
- 68 **MONTHOLON** square Montholon — E 14
- 69 **TRINITÉ D'ESTIENNE D'ORVES** 10-12, r. Jean-Baptiste Pigalle — E 13

10e
- 75 129, r. du Fbg Saint-Martin — F 16
- 76 42, bd Magenta — F 16
- 77 85 bis, bd Magenta — E 16
- 78 147 r. Lafayette — E 16
- 79 **SAINT-LOUIS** 1 av. Claude Vellefaux — F 17
- 80 **GARE DE L'EST** Cour du 11 novembre 1918 — E 16

11e
- 85 94, r. Saint-Maur — G 19

12e
- 90 r. des Pirogues de Bercy — N 20
- 91 130, av. Daumesnil — M 20
- 92 **MÉDITERRANÉE** 26 et 44, r. de Chalon — L 18
- 93 **CHALON SUD** r. de Chalon — L 18
- 94 **PICPUS-NATION** 65, bd de Picpus — L 21
- 95 **GARE DE BERCY** 48 bis, bd de Bercy — M 19
- 96 **BERCY** 210, quai de Bercy — M 18

13e
- 101 133, r. du Chevaleret — N 18
- 102 3, pl. d'Italie — N 16
- 103 **PORTE DE CHOISY** 109, bd Masséna — R 17
- 104 **VINCENT AURIOL (Jean Vilar)** 21, r. Abel Gance — N 18
- 105 **TOLBIAC BIBLIOTHEQUE** 19, r. Emile Durkheim — N 18
- 106 **ITALIE 2** 30, av. d'Italie — P 16
- 107 **GARE D'AUSTERLITZ** 85, quai d'Austerlitz — L 17
- 108 **CHARLETY-COUBERTIN** 17, av. Pierre de Coubertin — S 4
- 109 **AUGUSTE BLANQUI** 122-134, bd Auguste Blanqui — N 14

14e
- 117 r. Durouchoux Mairie — N 12
- 118 **CITÉ UNIVERSITAIRE** 24, bd Jourdan — R 14
- 119 **PORTE D'ORLÉANS** r. de la Légion Étrangère et av. de la Porte d'Orléans — R 12
- 120 **GARE MONTPARNASSE OCÉANE** 30, av. du Maine — M 11
- 121 **MONTPARNASSE-GAITÉ** 15, r. du Commandant Mouchotte — M 11
- 122 **ALÉSIA** face au 205 av. du Maine — P 12
- 123 **CATALOGNE** 36, r. du Commandant Mouchotte — M 11
- 124 **SAINT-JACQUES** 50, bd St-Jacques — N 13

15e
- 131 3, av. de la Porte Brancion — P 8
- 132 r. Armand Moisant — M 11
- 133 pl. de la Porte de Versailles 63, bd Victor — N 7
- 134 **MONOPRIX BEAUGRENELLE** 19, r. Linois — K 6
- 135 **LECOURBE MAIRIE DU XVe** face au 143 r. Lecourbe — M 8
- 136 **GARE MONTPARNASSE PASTEUR** pl. des 5 Martyrs du Lycée Buffon — M 11
- 137 **GRENELLE** 31-39, bd de Grenelle — K 7
- 138 **LECOURBE** 33-55, bd Garibaldi — L 9
- 139 **PASTEUR** 61-69, bd Pasteur — M 10
- 140 **Station BP** 1, bd Victor — N 5

16e
- 150 24, 30 av. Paul Doumer — H 6
- 151 69, av. de la Grande Armée — E 6
- 152 Porte de Saint-Cloud — M 2
- 153 1 r. Chardon-Lagache — L4
- 154 **VERSAILLES REYNAUD** 188, av. de Versailles — M 3
- 155 **PASSY** 78-80, r. de Passy — J 5
- 156 **KLÉBER - LONGCHAMP** 65, av. Kléber — G 7
- 157 **HENRI MARTIN** 101-115, av. Henri Martin — H 4
- 158 **MANDEL** 36-56, av. Georges Mandel — H 6
- 159 **WILSON** 38-50, av. du Président Wilson — H 7

17e
- 164 r. Mariotte - Mairie — D 11
- 165 Pl. du Maréchal Juin — D 8
- 166 **MAIRIE DU XVIIe** 16-20, r. des Batignolles — D 12
- 167 **TERNES** 38, av. des Ternes — E 7
- 168 **MAC MAHON** 17, av. Mac Mahon — E 7
- 169 **CARNOT** 14 bis, av. Carnot — E 7
- 170 **PORTE DE CHAMPERRET** bd de lYser — D 7
- 171 **MAILLOT PEREIRE** 220-236, bd Pereire — E 6
- 172 **CARDINET** 168, r. Cardinet — C 10

18e
- 180 angle r. Poulet - Barbès — C 15
- 181 2, square de Clignancourt - Mairie — B 14
- 182 **GOUTTE D'OR** 10-12 r. de la Goutte d'Or — D 5

19e
- 190 pl. Armand Carrel - Mairie — D 19
- 191 171, av. Jean Jaurès — C 20
- 192 215, av. Jean Jaurès — C 21
- 193 10, av. de Flandre — D 18
- 194 **VILLETTE-MUSIQUE** 211, av. Jean Jaurès — C 21
- 195 **GÉODE-ZÉNITH** 30, av. Corentin Cariou (accès boulevard Sérurier) — B 20
- 196 **ROBERT DEBRE** av. de la Porte du Pré St-Gervais — E 22

20e
- 200 13, av. du Père Lachaise — H 21
- 201 **PORTE DES LILAS** 55, r. des Frères Flaviens — E 23

List of city buses - Stadtische Autobuslinien - Linee urbane d'autobus Líneas urbanas - Lijndiensten stadsautobussen

Service général de 7h à 20h30 - Normal service from 7am to 8.30pm - Normaler Busverkehr von 7 bis 20.30 Uhr - Linee diurne in servizio dalle 7 alle 20.30 - Circulación general de 7h a 20h30 - Normale dienst van 7 u. tot 20.30 u.

♿ Ligne accessible pour personnes à mobilité réduite - Access for disabled people - Linie mit barrierefreien Zugang - Linea accessibile alle persone con mobilità ridotta - Línea accesible a minusválidos - Toegankelijk voor gehandicapten.

🕓 Service assuré jusqu'à 0h30 - Buses running to 0.30am - Busverkehr bis 0.30 Uhr - Servizio fino alle 24.30 - Servicio hasta las 0h30 - Rijdt tot 0.30 u.

● Service assuré les dimanches et fêtes - Buses running on Sundays and holidays - Busverkehr auch an Sonn- and Feiertagen - In servizio domenica e festivi - Servicio los domingos y festivos - Rijdt op zon- en feestdagen.

20 ♿ ● **Gare St-Lazare** - Opéra - Richelieu Drouot - Strasbourg Saint-Denis - République - Filles du Calvaire - Bastille - **Gare de Lyon**

21 ♿ 🕓 ● **Gare St-Lazare** - Opéra - Palais Royal - Châtelet - Cluny - Luxembourg - Glacière Tolbiac - **Stade Charléty**

22 ♿ **Porte de Saint-Cloud** - Église d'Auteuil - La Muette Boulainvilliers - Trocadéro - Boissière - Ch. de Gaulle Étoile - Friedland Haussmann - Saint-Augustin - Gare St-Lazare - **Opéra**

24 ♿ **Gare St-Lazare** - Madeleine - Concorde - Musée d'Orsay - Pont Neuf - St-Michel - Maubert Mutualité - Gare d'Austerlitz - Gare de Lyon - Bercy - Porte de Bercy - **École Vétérinaire de Maisons-Alfort**
(🕓 Gare d'Austerlitz - Maisons-Alfort)-(● : Maubert Mutualité - Maisons-Alfort)

26 ♿ 🕓 ● **Gare St-Lazare** - Trinité - Carrefour de Châteaudun - Gare du Nord - Pyrénées - Gambetta - Maraîchers - Cours de Vincennes - **Nation-Place des Antilles**

27 ♿ 🕓 ● **Gare St-Lazare** - Opéra - Palais Royal - Pont Neuf - St-Michel - Cluny - Luxembourg - Les Gobelins - Place d'Italie - Patay-Tolbiac - **Porte de Vitry - Claude Regaud**

28 ♿ ● **Gare St-Lazare** - Saint-Augustin - Rond-Point des Champs-Élysées - École Militaire - Duroc - Gare Montparnasse - Alésia - **Porte d'Orléans**

29 ♿ **Gare St-Lazare** - Opéra - Louvre Étienne Marcel - Rambuteau C. G. Pompidou - Bastille - Gare de Lyon - Daumesnil - **Porte de Montempoivre**
(● : C. G. Pompidou - Porte de Montempoivre)

30 ♿ **Trocadéro** - Ch. de Gaulle-Étoile - Ternes - Place de Clichy - Pigalle - Barbès Rochechouart - **Gare de l'Est**

31 ♿ 🕓 ● **Ch. de Gaulle-Étoile** - Ternes - Pont Cardinet - Brochant - Guy Môquet - Mairie du 18e Jules Joffrin - Barbès-Rochechouart - **Gare de l'Est**

32 ♿ **Porte d'Auteuil** - Porte de Passy - La Muette-Boulainvilliers - Trocadéro - Saint-Augustin - Gare St-Lazare - Trinité - Carrefour de Châteaudun - **Gare de l'Est**

35 ♿ 🕓 ● **Gare de l'Est** - Gare du Nord – Marx Dormoy – Porte d'Aubervilliers-Cité Ch. Hermite - Saint - **Mairie d'Aubervilliers**

38 ♿ 🕓 ● **Porte d'Orléans** - Alésia - Denfert-Rochereau - Port-Royal - Luxembourg - Cluny - St-Michel - Châtelet - Châtelet Les Halles - Rambuteau Pompidou - Strasbourg Saint-Denis - Gare de l'Est - **Gare du Nord**

39 ♿ **Issy Frères Voisin** - Balard - Convention Vaugirard - Mairie du 15e Vaugirard - Duroc - Sèvres-Babylone - St-Germain-des-Prés - Palais Royal - Richelieu Drouot - Strasbourg Saint-Denis - Gare de l'Est - **Gare du Nord**

42 ♿ 🕓 **Hôpital Européen Georges Pompidou** - Balard - Charles Michels - Champ de Mars - Alma Marceau - Rond-Point des Champs-Élysées - Concorde - Madeleine - Opéra - Carrefour de Châteaudun - **Gare du Nord**

43 ● **Neuilly-Bagatelle** - Pont de Neuilly - Ternes - Friedland Haussmann - Saint-Augustin - Gare St-Lazare - Trinité - Carrefour de Châteaudun - **Gare du Nord** (● : Gare St-Lazare - Neuilly Bagatelle).

46 ● **Gare du Nord** - Gare de l'Est - Colonel Fabien - Parmentier - Voltaire - Faidherbe Chaligny - Daumesnil - Porte Dorée - Saint-Mandé Demi-Lune (Parc Zoologique) - **Château de Vincennes**

47 ♿ 🕓 ● **Gare de l'Est** - Strasbourg Saint-Denis - Rambuteau Pompidou - Châtelet Les Halles - Hôtel de Ville - Maubert Mutualité - Cardinal Lemoine - Les Gobelins - Place d'Italie - Tolbiac - Porte d'Italie - **Fort du Kremlin-Bicêtre** (● Châtelet jusqu'à Fort du Kremlin-Bicêtre)

48 **Palais Royal** - Richelieu Drouot - Gare du Nord - Mairie du 19e - Place des Fêtes - Pré-Saint-Gervais - **Porte des Lilas**

52 ● **Parc de Saint-Cloud** - Boulogne Pont de St-Cloud - Porte d'Auteuil - Église d'Auteuil - Radio France - La Muette Boulainvilliers - Victor Hugo - Ch. de Gaulle Étoile - Friedland Haussmann - Madeleine - **Opéra** - (🕓 : Ch. de Gaulle Étoile - Porte d'Auteuil)

53 ♿ **Pont de Levallois** - Porte d'Asnières - Pont Cardinet - Gare St-Lazare - **Opéra**

54 ♿ 🕓 ● **Asnières-Gennevilliers - Gabriel Péri** - Porte de Clichy - Brochant - Place de Clichy - Pigalle - Barbès Rochechouart - Gare du Nord - Crimée - **Porte d'Aubervilliers**

56 ♿ **Porte de Clignancourt** - Barbès Rochechouart - Gare du Nord - Gare de l'Est - République - Oberkampf - Voltaire - Charonne - Nation - **Château de Vincennes**

57 ♿ 🕓 ● **Arcueil-Laplace** - Place d'Italie - Gare d'Austerlitz - Gare de Lyon - Nation - Maraîchers - Porte de Montreuil - **Porte de Bagnolet - Louis Ganne**

58 ♿ ● **Vanves Lycée Michelet** - Porte de Vanves - Gare Montparnasse - Odéon - Pont Neuf - **Châtelet**

60 ♿ ● **Porte de Montmartre** - Mairie du 18e Jules Joffrin - Marx Dormoy - Crimée - Laumière - Mairie du 19e - Place des fêtes - **Gambetta**

61 🕓 ● **Gare d'Austerlitz** - Gare de Lyon - Voltaire - Père Lachaise - Gambetta - Porte des Lilas - Jean Jaurès - **Église de Pantin**

62 ♿ 🕓 ● **Porte de Saint-Cloud** - Église d'Auteuil - Javel - Convention Vaugirard - Vercingetorix - Alésia - Glacière Tolbiac - Tolbiac - Patay-Tolbiac - **Bibliothèque François Mitterrand**

63 ♿ 🕓 ● **Porte de la Muette** - Trocadéro - Alma Marceau - Invalides - Bac Saint-Germain - St-Germain-des-Prés - Odéon –Cluny - Maubert Mutualité - Gare d'Austerlitz - **Gare de Lyon**

64 ♿ 🕓 ● **Gambetta** - Maraîchers - Cours de Vincennes - Daumesnil - Bibliothèque François Mitterrand - Patay-Tolbiac - **Place d'Italie**

65 ♿ 🕓 ● **Gare de Lyon** - Bastille - Filles du Calvaire - République - Gare de l'Est - Gare du Nord - Marx Dormoy - **Porte de la Chapelle** (●: Gare de l'Est - Mairie d'Aubervilliers)

66 ♿ 🕓 ● **Clichy Victor Hugo** - Brochant - Gare St-Lazare - **Opéra**

67 ♿ **Pigalle** - Carrefour de Châteaudun - Louvre Étienne Marcel - Châtelet - Hôtel de Ville - Place d'Italie - **Stade Charléty** (🕓 ● : Châtelet-Hôtel de Ville).

68 ♿ ● **Place de Clichy** - Trinité - Opéra - Bac Saint-Germain - Sèvres Babylone -

Denfert-Rochereau - Alésia - Porte d'Orléans - Mairie de Montrouge - **Châtillon Montrouge** (● Porte d'Orléans - Châtillon Montrouge)

69 **Champ de Mars** - Bac Saint-Germain - Palais Royal - Châtelet - Hôtel de Ville - Saint-Paul - Bastille - Voltaire - Père Lachaise - **Gambetta**

70 **Radio-France** - Charles Michels - Mairie du 15e Vaugirard - Duroc - Sèvres Babylone - St-Germain-des-Prés - Odéon - Pont Neuf - Châtelet - **Hôtel de Ville**

72 ◷ ● **Parc de Saint-Cloud** - Boulogne Pont de St-Cloud - Porte de Saint-Cloud - Radio France - Alma Marceau - Concorde - Palais Royal - Châtelet - **Hôtel de Ville**

73 **La Garenne-Colombes Place de Belgique** - La Défense - Pont de Neuilly - Porte Maillot - Ch. de Gaulle-Étoile - Rond-Point des Champs-Élysées - Concorde - **Musée d'Orsay**

74 **Clichy Berges de Seine** - Porte de Clichy - Brochant - Place de Clichy - Carrefour de Châteaudun - Louvre Étienne Marcel - Châtelet - **Hôtel de Ville** (◷ ● : Porte de Clichy - Berges de Seine)

75 ● **Pont Neuf** - Châtelet - Hôtel de Ville - République - Colonel Fabien - Mairie du 19e - Danube - **Porte de Pantin**

76 ◷ ● **Louvre-Rivoli** - Châtelet - Hôtel de Ville - Saint-Paul - Bastille - Charonne - Porte de Bagnolet-Louis Ganne - **Louise Michel**

80 ♿ ◷ ● **Porte de Versailles** - Convention Vaugirard - Mairie du 15e Vaugirard - Cambronne - La Motte-Picquet-Grenelle - École Militaire - Alma Marceau - Rond-Point des Champs-Élysées - Saint-Augustin - Gare St-Lazare - Place de Clichy - **Mairie du 18e Jules Joffrin**

81 ♿ **Porte de Saint-Ouen** - Guy Môquet - Place de Clichy - Trinité - Opéra - Palais Royal - **Châtelet**

82 ♿ ● **Neuilly Hôpital Américain** - Porte Maillot - Victor Hugo - Boissière - Champ de Mars - École Militaire - Duroc - **Luxembourg**

83 ♿ **Friedland Haussmann** - Rond-Point des Champs-Élysées - Invalides - Bac Saint-Germain - Sèvres Babylone - Port-Royal - Les Gobelins - Place d'Italie - **Porte d'Ivry Claude Regaud**

84 **Porte de Champerret** - Saint-Augustin - Madeleine - Concorde - Bac Saint-Germain - Sèvres Babylone - Luxembourg - **Panthéon**

85 **Mairie de Saint-Ouen** - Porte de Clignancourt - Mairie du 18e Jules Joffrin - Carrefour de Châteaudun - Louvre Étienne Marcel - Châtelet - St-Michel - Cluny - **Luxembourg** (◷ ● : Mairie du 18e Jules Joffrin - Mairie de Saint-Ouen)

86 ● **Saint-Germain-des-Prés** –Odéon - Cluny - Maubert Mutualité - Sully Morland - Bastille - Faidherbe Chaligny - Nation - Cours de Vincennes - Porte de Vincennes - **Saint-Mandé-Demi Lune**

87 ♿ **Champ de Mars** - École Militaire - Sèvres Babylone - Saint-Germain-des-Prés - Odéon - Cluny - Maubert Mutualité - Sully Morland - Bastille - Gare de Lyon - Bercy - **Porte de Reuilly** (◷ ● de Bastille à Porte de Reuilly)

88 ♿ **Hôpital Européen Georges Pompidou** - Javel - Charles Michels - Mairie du15e Vaugirard - Montparnasse 2 Gare TGV - Denfert-Rochereau - **Montsouris Tombe-Issoire**

89 ♿ **Gare de Vanves-Malakoff** - Mairie du15e Vaugirard - Duroc - Gare Montparnasse - Luxembourg - Panthéon - Cardinal Lemoine - Gare d'Austerlitz - **Bibliothèque François Mitterrand**

91 ♿ ◷ ● **Montparnasse 2 Gare TGV** - Gare Montparnasse - Port-Royal - Les Gobelins - Gare d'Austerlitz - Gare de Lyon - **Bastille**

92 ♿ 🕓 ● **Porte de Champerret** - Ch. de Gaulle Étoile - Alma Marceau - École Militaire - Duroc - **Gare Montparnasse**

93 **Suresnes De Gaulle** - Pont de Neuilly - Porte de Champerret - Ternes - Friedland Haussmann - Rond-Point des Champs-Élysées - **Invalides**

94 ♿ **Levallois Louison Bobet** - Porte d'Asnières - Saint-Augustin - Gare St-Lazare - Madeleine - Concorde - Bac Saint-Germain - Sèvres Babylone - **Gare Montparnasse** (● : Levallois Louison Bobet - Gare St-Lazare)

95 ♿ 🕓 ● **Porte de Vanves** - Gare Montparnasse - St-Germain-des-Près - Palais Royal - Opéra - Gare St-Lazare - Place de Clichy - **Porte de Montmartre**

96 ♿ **Gare Montparnasse** - St-Germain-des-Près - Odéon - Cluny - St-Michel - Châtelet - Hôtel de Ville - Saint-Paul - Filles du Calvaire - Oberkampf - Parmentier - **Porte des Lilas** (🕓: Châtelet - Porte des Lilas).
(● : Gare Montparnasse - Porte des Lilas - Pré-St-Gervais)

PC1 ♿ 🕓 ● **Porte de Champerret-Berthier** - Porte Maillot - Porte de la Muette - Porte de Passy - Porte d'Auteuil - Porte de Saint-Cloud - **Pont du Garigliano**

PC3 ♿ 🕓 ● **Porte Maillot** - Porte de Champerret - Porte d'Asnières - Porte de Clichy - Porte de Saint-Ouen - Porte de Montmartre - Porte de Clignancourt - **Porte de la Chapelle**

Lignes de métro et de tramway : voir plan du métro.

Montmartrobus ● **Pigalle** - Funiculaire (Sacré-Cœur)**Mairie du 18e**

Bb (Balabus) ● Les dimanches et jours fériés de 12h30 à 20h30 d'avril à septembre.
La Défense - Pont de Neuilly - Porte Maillot - Charles de Gaulle-Étoile - Rond-Point des Champs Élysées - Invalides/Concorde - Musée d'Orsay/Musée du Louvre - Pont Neuf - Saint Michel/Châtelet - Île Saint-Louis/Hôtel de Ville - Bastille - Gare de Lyon

501 ♿ **La Traverse de Charonne** (boucle)
● De 7h30 à 20h30 du lundi au samedi et de 8h à 20h30 les dimanches et jours fériés.
Gambetta - Pelleport-Bagnolet - Albert Marquet - Hôpital de la Croix St-Simon - Porte de Montreuil - Lagny - Buzenval - Place de la Réunion - Place des Grès - Pelleport-Bagnolet - Pelleport - **Gambetta**

513 ♿ **La Traverse Bièvre Montsouris** (boucle) ●
De 7h30 à 20h30 toutes les 15 minutes, tous les jours.
Place de l'Abbé Georges Hénocque - Rungis - Vergnault-Tolbiac - Glacière-Tolbiac - Place Jules Hénaffe - Prisse d'Avesne - Alésia-Général Leclerc - La Tombe Issoire - Paul Fort - Place Jules Hénaffe - La Sibelle - Glacière-Tolbiac - Place de Rungis - Moulin de la Pointe - **Place de l'Abbé Georges Hénocque**

519 ♿ **La Traverse Ney Flandre** (boucle) ● De 7h30 à 20h30 tous les jours.
Porte d'Aubervilliers - Oberlé - Porte d'Aubervilliers - Riquet - Maroc - Place de la Chapelle - Pajol-Riquet –Curial-Crimée - Porte d'Aubervilliers - Porte de la Chapelle - Abeille - Porte de la Chapelle - **Porte d'Aubervilliers** - Oberlé

♿ **La Traverse Batignolles-Bichat** (boucle) ● De 7h30 à 20h30 du lundi au samedi - De 8h30 à 20h30 dimanche et jours fériés.
Hôpital Bichat - Porte de St-Ouen - Guy Môquet - Ganneron-Dames - Mairie du 17e - Pont Cardinet - Guy Môquet – Porte Pouchet - **Hôpital Bichat**

♿ **La Traverse Brancion-Commerce** (boucle) ● De 7h à 21h30 du lundi au vendredi - De 9h à 17h les samedis et dimanches et jours fériés.
Parc Georges Brassens - Brancion - Chauvetot - Procession - Mairie du 15e – Félix Faure - Convention Vaugirard – Porte de Versailles - **Parc Georges Brassens**

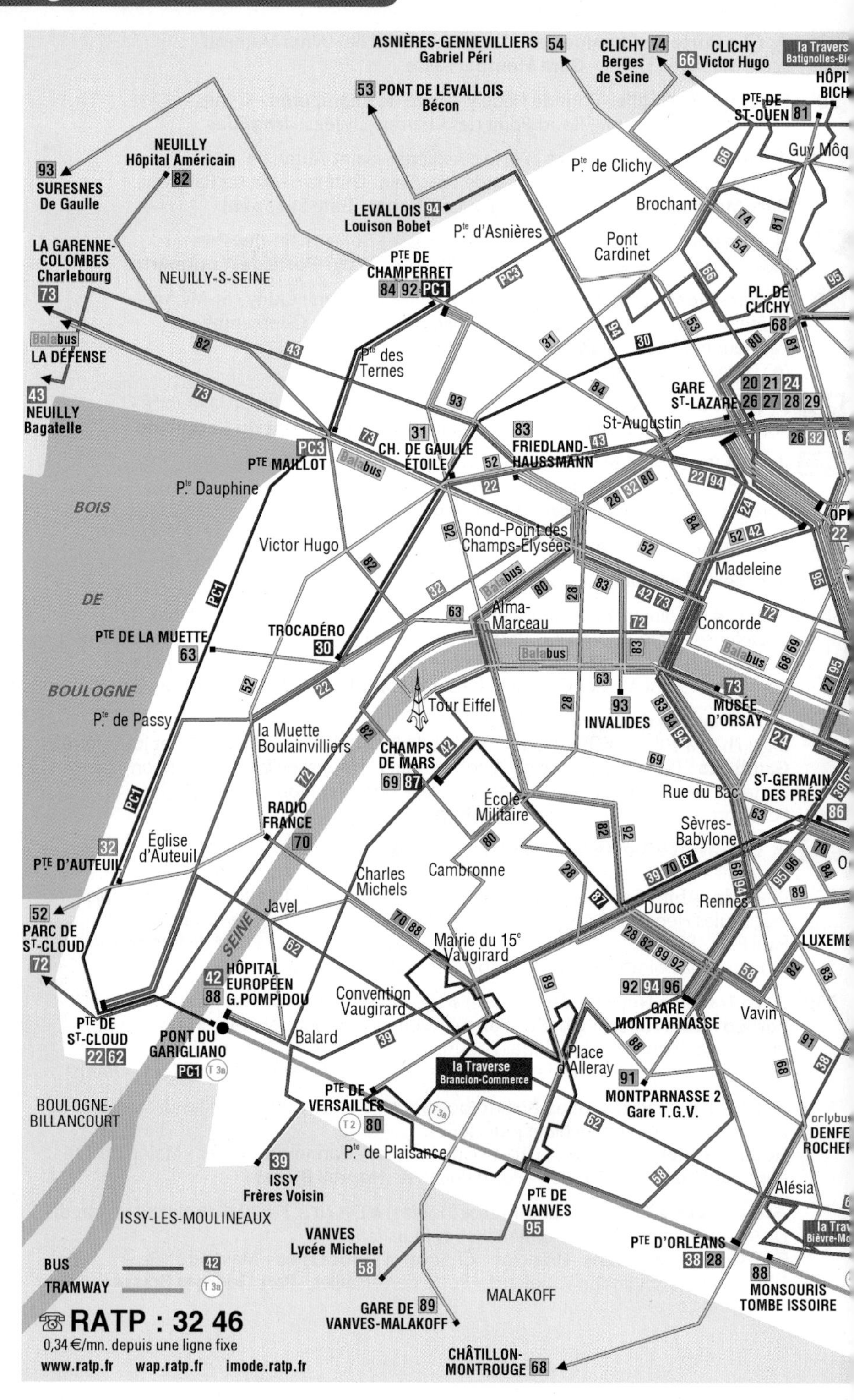
ASNIÈRES-GENNEVILLIERS Gabriel Péri 54
CLICHY Berges de Seine 74
CLICHY Victor Hugo 66
53 PONT DE LEVALLOIS Bécon
NEUILLY Hôpital Américain 82
93 SURESNES De Gaulle
LEVALLOIS 94 Louison Bobet
Pte de Clichy
Brochant
Pte d'Asnières
Pont Cardinet
LA GARENNE-COLOMBES Charlebourg 73
NEUILLY-S-SEINE
PTE DE CHAMPERRET 84 92 PC1
PTE DE ST-OUEN 81
PL. DE CLICHY 68
LA DÉFENSE
Pte des Ternes
43 NEUILLY Bagatelle
GARE ST-LAZARE 20 21 24 26 27 28 29
St-Augustin
CH. DE GAULLE ÉTOILE 31
FRIEDLAND-HAUSSMANN 83 43
PTE MAILLOT PC3
Pte Dauphine
BOIS DE BOULOGNE
Victor Hugo
Rond-Point des Champs-Élysées
Madeleine
Alma-Marceau
Concorde
PTE DE LA MUETTE 63
TROCADÉRO 30
Tour Eiffel
INVALIDES 93
MUSÉE D'ORSAY 73
Pte de Passy
la Muette Boulainvilliers
CHAMPS DE MARS 69 87
ST-GERMAIN DES PRÉS
Rue du Bac
École Militaire
Sèvres-Babylone
RADIO FRANCE 70
Église d'Auteuil
PTE D'AUTEUIL 32
Charles Michels
Cambronne
Duroc
Rennes
Javel
52 PARC DE ST-CLOUD 72
Mairie du 15e Vaugirard
LUXEMB
SEINE
HÔPITAL EUROPÉEN G.POMPIDOU 42 88
Convention Vaugirard
GARE MONTPARNASSE 92 94 96
Vavin
PTE DE ST-CLOUD 22 62
PONT DU GARIGLIANO PC1
Balard
Place d'Alleray
la Traverse Brancion-Commerce
PTE DE VERSAILLES T2 80
MONTPARNASSE 2 Gare T.G.V. 91
BOULOGNE-BILLANCOURT
Pte de Plaisance
39 ISSY Frères Voisin
PTE DE VANVES 95
Alésia
ISSY-LES-MOULINEAUX
VANVES Lycée Michelet 58
PTE D'ORLÉANS 38 28
88 MONSOURIS TOMBE ISSOIRE
BUS
TRAMWAY
MALAKOFF
GARE DE VANVES-MALAKOFF 89
RATP : 32 46
0,34 €/mn. depuis une ligne fixe
www.ratp.fr wap.ratp.fr imode.ratp.fr
CHÂTILLON-MONTROUGE 68

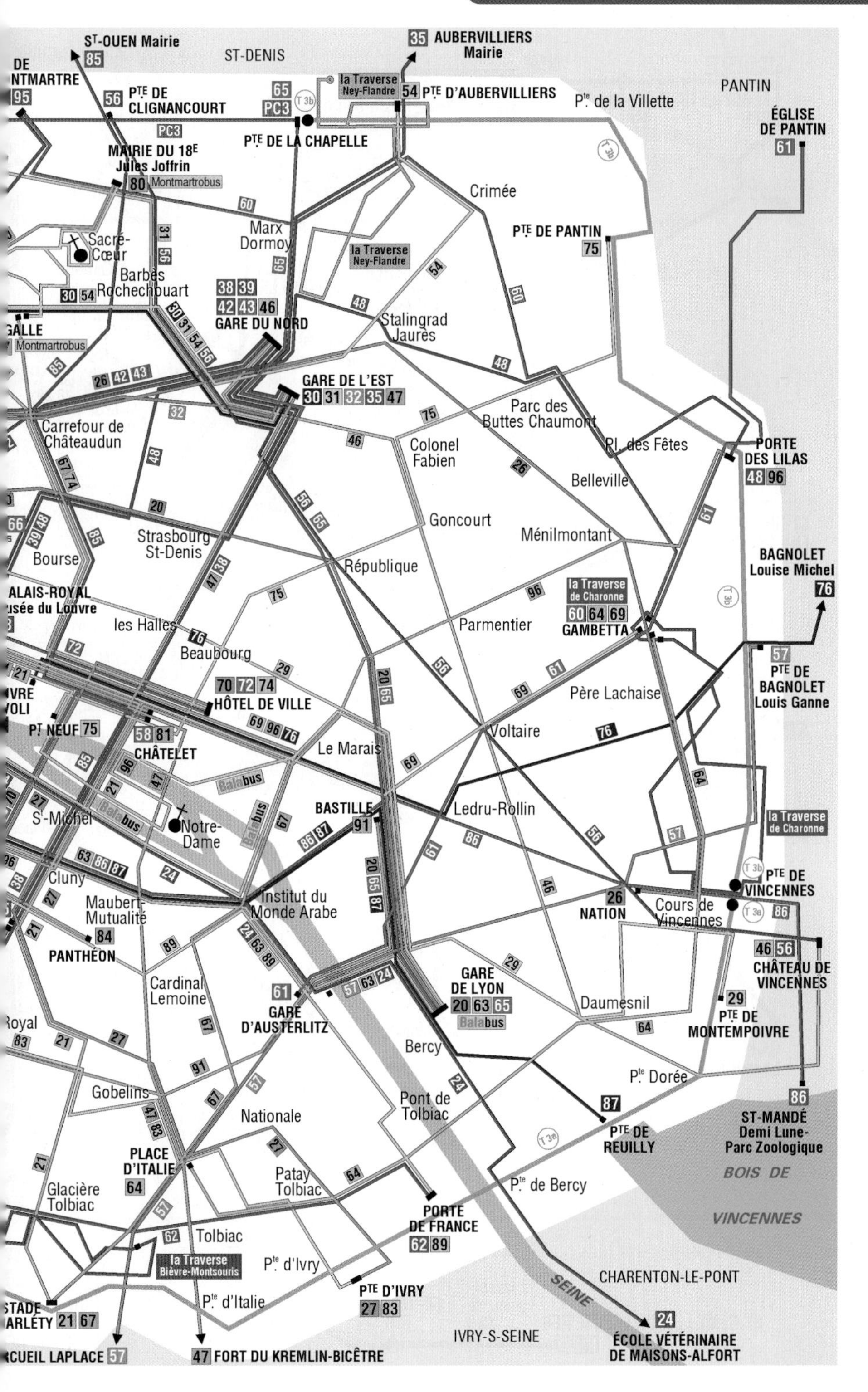
ST-OUEN Mairie 85
ST-DENIS
35 AUBERVILLIERS Mairie
PANTIN
56 PTE DE CLIGNANCOURT
65 PC3
la Traverse Ney-Flandre
54 PTE D'AUBERVILLIERS
Pte de la Villette
ÉGLISE DE PANTIN 61
PTE DE LA CHAPELLE
MAIRIE DU 18E Jules Joffrin 80 Montmartrobus
Crimée
Marx Dormoy
Sacré-Cœur
Barbès Rochechouart
PTE DE PANTIN 75
38 39 42 43 46 GARE DU NORD
Stalingrad Jaurès
GARE DE L'EST 30 31 32 35 47
Parc des Buttes Chaumont
Carrefour de Châteaudun
Colonel Fabien
Pl. des Fêtes
PORTE DES LILAS 48 96
Belleville
Goncourt
Ménilmontant
Strasbourg St-Denis
Bourse
République
BAGNOLET Louise Michel 76
la Traverse de Charonne
60 64 69 GAMBETTA
Parmentier
les Halles
Beaubourg
70 72 74 HÔTEL DE VILLE
Père Lachaise
57 PTE DE BAGNOLET Louis Ganne
PT NEUF 75
58 81 CHÂTELET
Voltaire
Le Marais
Balabus
Ledru-Rollin
BASTILLE 91
Notre-Dame
S-Michel
Cluny
Institut du Monde Arabe
PTE DE VINCENNES
26 NATION
Cours de Vincennes
Maubert-Mutualité
84 PANTHÉON
46 56 CHÂTEAU DE VINCENNES
GARE DE LYON 20 63 65 Balabus
Cardinal Lemoine
61 GARE D'AUSTERLITZ
Daumesnil
29 PTE DE MONTEMPOIVRE
Bercy
Gobelins
Pte Dorée
Pont de Tolbiac
Nationale
87 PTE DE REUILLY
86 ST-MANDÉ Demi Lune-Parc Zoologique
PLACE D'ITALIE 64
BOIS DE VINCENNES
Glacière Tolbiac
Patay Tolbiac
Pte de Bercy
PORTE DE FRANCE 62 89
Tolbiac
la Traverse Bièvre-Montsouris
Pte d'Ivry
CHARENTON-LE-PONT
SEINE
PTE D'IVRY 27 83
Pte d'Italie
STADE CHARLÉTY 21 67
24 ÉCOLE VÉTÉRINAIRE DE MAISONS-ALFORT
IVRY-S-SEINE
ARCUEIL LAPLACE 57
47 FORT DU KREMLIN-BICÊTRE

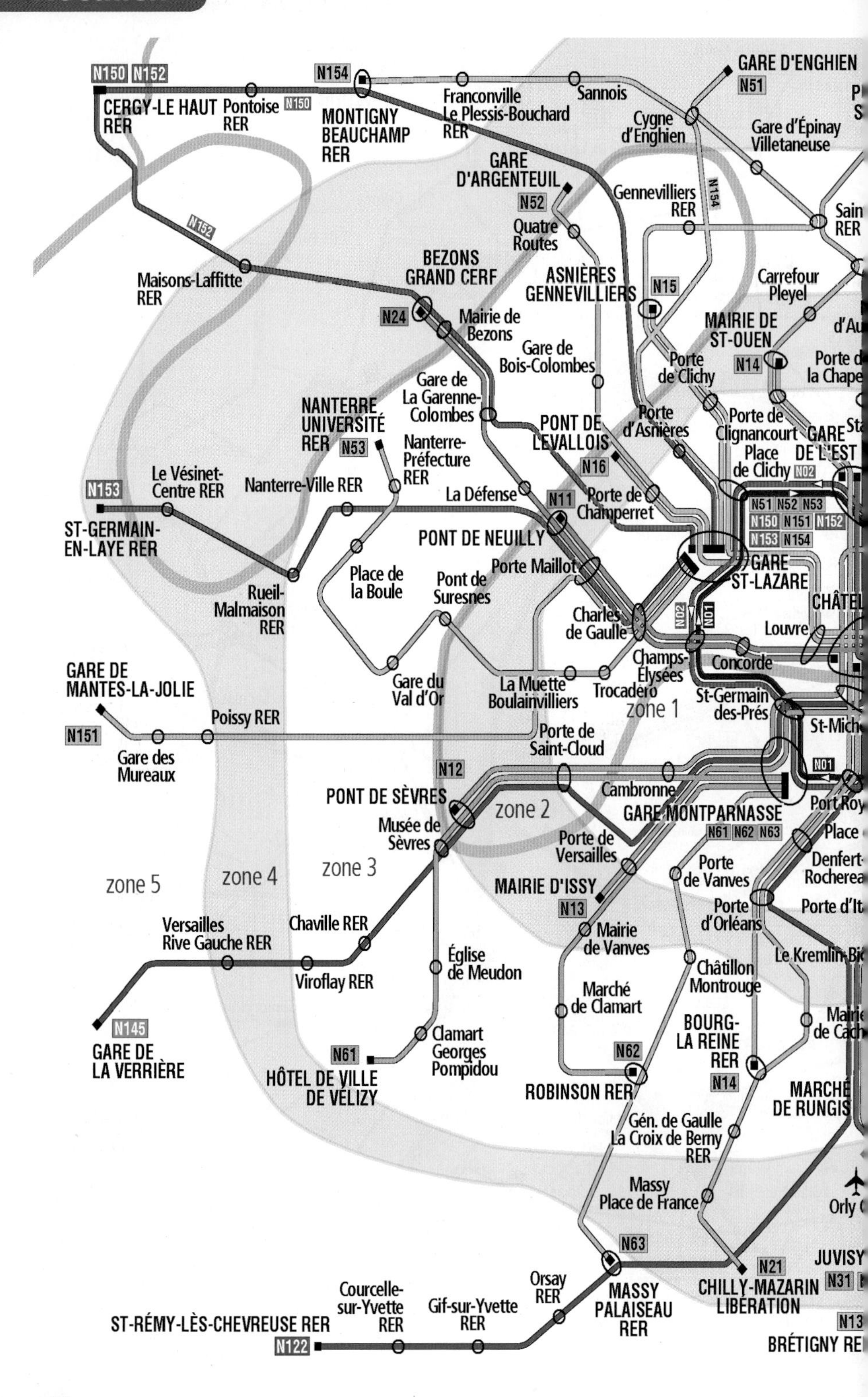
N150 N152
CERGY-LE HAUT RER
Pontoise RER
N154
MONTIGNY BEAUCHAMP RER
Franconville Le Plessis-Bouchard RER
Sannois
GARE D'ENGHIEN
N51
Cygne d'Enghien
Gare d'Épinay Villetaneuse
GARE D'ARGENTEUIL
N52
Gennevilliers RER
N154
Quatre Routes
N152
Maisons-Laffitte RER
BEZONS GRAND CERF
N24
Mairie de Bezons
ASNIÈRES GENNEVILLIERS
N15
Carrefour Pleyel
MAIRIE DE ST-OUEN
N14
Gare de Bois-Colombes
Porte de Clichy
Gare de La Garenne-Colombes
NANTERRE UNIVERSITÉ RER
N53
Nanterre-Préfecture RER
PONT DE LEVALLOIS
N16
Porte d'Asnières
Porte de Clignancourt
Place de Clichy
GARE DE L'EST
N02
Le Vésinet-Centre RER
N153
ST-GERMAIN-EN-LAYE RER
Nanterre-Ville RER
La Défense
N11
Porte de Champerret
N51 N52 N53
N150 N151 N152
N153 N154
PONT DE NEUILLY
Porte Maillot
GARE ST-LAZARE
Place de la Boule
Pont de Suresnes
Rueil-Malmaison RER
Charles de Gaulle
N02
N01
Louvre
Concorde
Champs-Élysées
GARE DE MANTES-LA-JOLIE
Gare du Val d'Or
La Muette Boulainvilliers
Trocadéro
zone 1
St-Germain des-Prés
Poissy RER
N151
Gare des Mureaux
Porte de Saint-Cloud
N12
N01
PONT DE SÈVRES
Cambronne
zone 2
GARE MONTPARNASSE
N61 N62 N63
Musée de Sèvres
Porte de Versailles
Porte de Vanves
zone 5
zone 4
zone 3
MAIRIE D'ISSY
N13
Porte d'Orléans
Versailles Rive Gauche RER
Chaville RER
Mairie de Vanves
Viroflay RER
Église de Meudon
Châtillon Montrouge
Marché de Clamart
BOURG-LA REINE RER
N14
N145
GARE DE LA VERRIÈRE
N61
HÔTEL DE VILLE DE VÉLIZY
Clamart Georges Pompidou
N62
ROBINSON RER
MARCHÉ DE RUNGIS
Gén. de Gaulle La Croix de Berny RER
Massy Place de France
N63
N21
CHILLY-MAZARIN LIBÉRATION
MASSY PALAISEAU RER
Orsay RER
Courcelle-sur-Yvette RER
Gif-sur-Yvette RER
ST-RÉMY-LÈS-CHEVREUSE RER
N122

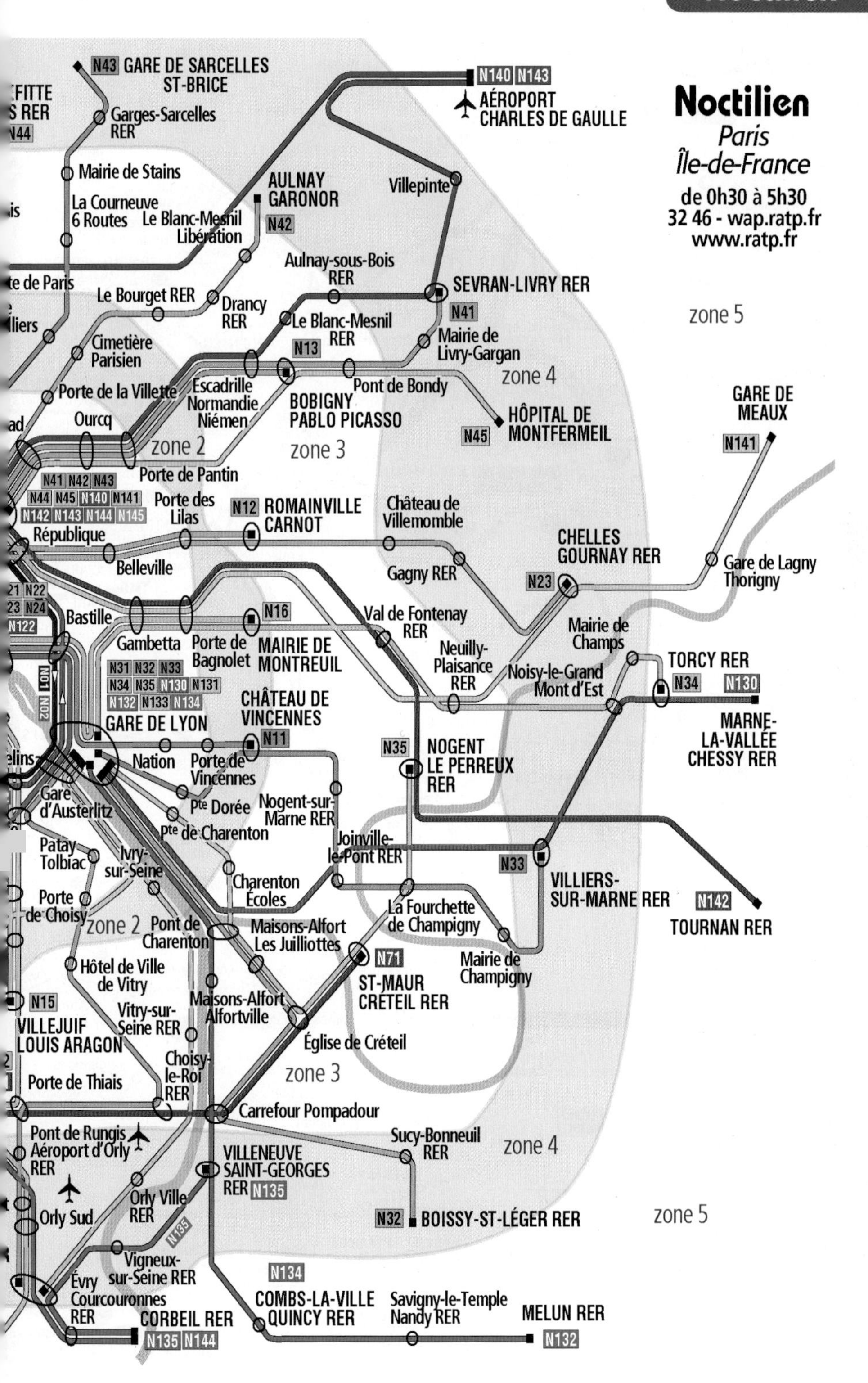
Noctilien
Paris
Île-de-France
de 0h30 à 5h30
32 46 - wap.ratp.fr
www.ratp.fr
GARE DE SARCELLES ST-BRICE
Garges-Sarcelles RER
Mairie de Stains
La Courneuve 6 Routes
Le Blanc-Mesnil Libération
AULNAY GARONOR
AÉROPORT CHARLES DE GAULLE
Villepinte
Aulnay-sous-Bois RER
SEVRAN-LIVRY RER
Le Bourget RER
Drancy RER
Le Blanc-Mesnil RER
Mairie de Livry-Gargan
Cimetière Parisien
Porte de la Villette
Escadrille Normandie Niémen
BOBIGNY PABLO PICASSO
Pont de Bondy
HÔPITAL DE MONTFERMEIL
GARE DE MEAUX
Ourcq
Porte de Pantin
Porte des Lilas
ROMAINVILLE CARNOT
Château de Villemomble
République
Belleville
Gagny RER
CHELLES GOURNAY RER
Gare de Lagny Thorigny
Bastille
Gambetta
Porte de Bagnolet
MAIRIE DE MONTREUIL
Val de Fontenay RER
Neuilly-Plaisance RER
Mairie de Champs
Noisy-le-Grand Mont d'Est
TORCY RER
MARNE-LA-VALLÉE CHESSY RER
CHÂTEAU DE VINCENNES
GARE DE LYON
Nation
Porte de Vincennes
NOGENT LE PERREUX RER
Gare d'Austerlitz
Pte Dorée
Nogent-sur-Marne RER
Pte de Charenton
Joinville-le-Pont RER
VILLIERS-SUR-MARNE RER
TOURNAN RER
Patay Tolbiac
Ivry-sur-Seine
Charenton Écoles
Porte de Choisy
Pont de Charenton
Maisons-Alfort Les Juilliottes
La Fourchette de Champigny
Mairie de Champigny
Hôtel de Ville de Vitry
ST-MAUR CRÉTEIL RER
Maisons-Alfort Alfortville
VILLEJUIF LOUIS ARAGON
Vitry-sur-Seine RER
Église de Créteil
Porte de Thiais
Choisy-le-Roi RER
Carrefour Pompadour
Pont de Rungis Aéroport d'Orly RER
VILLENEUVE SAINT-GEORGES RER
Sucy-Bonneuil RER
Orly Sud
Orly Ville RER
BOISSY-ST-LÉGER RER
Vigneux-sur-Seine RER
Évry Courcouronnes RER
CORBEIL RER
COMBS-LA-VILLE QUINCY RER
Savigny-le-Temple Nandy RER
MELUN RER
zone 2
zone 3
zone 4
zone 5
N11 N12 N13 N15 N16 N23 N32 N33 N34 N35 N41 N42 N43 N45 N71
N41 N42 N43 N44 N45 N140 N141 N142 N143 N144 N145
N31 N32 N33 N34 N35 N130 N131 N132 N133 N134
N01 N02 N122
N130 N132 N134 N135 N140 N141 N142 N143 N144

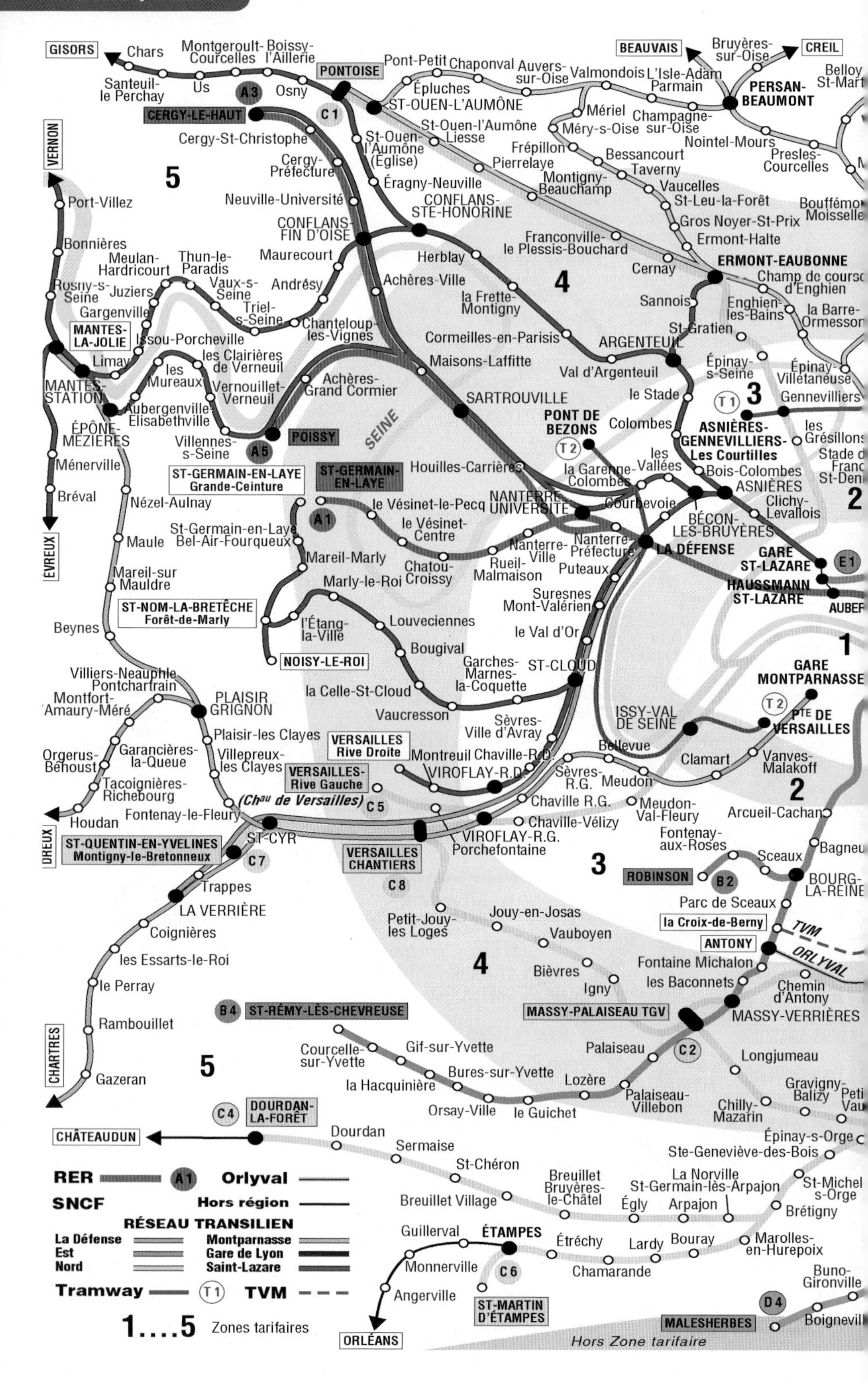
GISORS
Chars
Montgeroult-Courcelles
Boissy-l'Aillerie
Santeuil-le Perchay
Us
Osny
PONTOISE
CERGY-LE-HAUT
A3
C1
Pont-Petit
Chaponval
Auvers-sur-Oise
Valmondois
L'Isle-Adam Parmain
BEAUVAIS
Bruyères-sur-Oise
CREIL
PERSAN-BEAUMONT
Belloy St-Mart
Épluches
ST-OUEN-L'AUMÔNE
Mériel
Méry-s-Oise
Champagne-sur-Oise
Nointel-Mours
Presles-Courcelles
Cergy-St-Christophe
St-Ouen-l'Aumône (Église)
St-Ouen-l'Aumône-Liesse
Frépillon
Bessancourt
Taverny
VERNON
Cergy-Préfecture
Pierrelaye
Montigny-Beauchamp
Vaucelles
St-Leu-la-Forêt
Bouffémo
Moisselle
5
Port-Villez
Neuville-Université
Éragny-Neuville
CONFLANS-STE-HONORINE
Gros Noyer-St-Prix
Ermont-Halte
CONFLANS-FIN D'OISE
Franconville-le Plessis-Bouchard
ERMONT-EAUBONNE
Bonnières
Meulan-Hardricourt
Thun-le-Paradis
Maurecourt
Herblay
Cernay
Champ de course d'Enghien
Rosny-s-Seine
Juziers
Vaux-s-Seine
Andrésy
Achères-Ville
4
Sannois
Enghien-les-Bains
La Barre-Ormesson
Gargenville
Triel-s-Seine
la Frette-Montigny
MANTES-LA-JOLIE
Issou-Porcheville
Chanteloup-les-Vignes
Cormeilles-en-Parisis
St-Gratien
ARGENTEUIL
Épinay-s-Seine
Épinay-Villetaneuse
Limay
les Clairières de Verneuil
les Mureaux
Maisons-Laffitte
Val d'Argenteuil
MANTES-STATION
Vernouillet-Verneuil
Achères-Grand Cormier
le Stade
T1
3
Gennevilliers
Aubergenville-Elisabethville
SARTROUVILLE
ÉPÔNE-MÉZIÈRES
Villennes-s-Seine
POISSY
A5
SEINE
PONT DE BEZONS
Colombes
ASNIÈRES-GENNEVILLIERS-Les Courtilles
les Grésillons
Stade de France St-Denis
T2
Ménerville
ST-GERMAIN-EN-LAYE Grande-Ceinture
ST-GERMAIN-EN-LAYE
Houilles-Carrières
la Garenne-Colombes
les Vallées
Bois-Colombes
ASNIÈRES
2
Bréval
Nézel-Aulnay
le Vésinet-le-Pecq
NANTERRE-UNIVERSITÉ
Courbevoie
Clichy-Levallois
A1
le Vésinet-Centre
BÉCON-LES-BRUYÈRES
St-Germain-en-Laye Bel-Air-Fourqueux
Nanterre-Ville
Nanterre-Préfecture
LA DÉFENSE
GARE ST-LAZARE
E1
Maule
ÉVREUX
Mareil-Marly
Chatou-Croissy
Rueil-Malmaison
Puteaux
Mareil-sur Mauldre
Marly-le-Roi
HAUSSMANN ST-LAZARE
AUBER
Suresnes Mont-Valérien
ST-NOM-LA-BRETÊCHE Forêt-de-Marly
Louveciennes
Beynes
l'Étang-la-Ville
le Val d'Or
1
Bougival
NOISY-LE-ROI
Garches-Marnes-la-Coquette
ST-CLOUD
GARE MONTPARNASSE
Villiers-Neauphle Pontchartrain
PLAISIR GRIGNON
la Celle-St-Cloud
Montfort-l'Amaury-Méré
Vaucresson
ISSY-VAL DE SEINE
PTE DE VERSAILLES
Sèvres-Ville d'Avray
Plaisir-les Clayes
VERSAILLES Rive Droite
Bellevue
Garancières-la-Queue
Orgerus-Behoust
Villepreux-les Clayes
Montreuil
Chaville-R.D.
Clamart
Vanves-Malakoff
VIROFLAY-R.D.
Sèvres-R.G.
Meudon
VERSAILLES-Rive Gauche
Tacoignières-Richebourg
2
(Chau de Versailles)
C5
Chaville R.G.
Meudon-Val-Fleury
Arcueil-Cachan
Houdan
Fontenay-le-Fleury
Chaville-Vélizy
ST-QUENTIN-EN-YVELINES Montigny-le-Bretonneux
ST-CYR
VIROFLAY-R.G.
Porchefontaine
Fontenay-aux-Roses
Bagneux
DREUX
C7
VERSAILLES CHANTIERS
3
Sceaux
ROBINSON
B2
BOURG-LA-REINE
Trappes
C8
LA VERRIÈRE
Parc de Sceaux
Jouy-en-Josas
la Croix-de-Berny
TVM
Coignières
Petit-Jouy-les Loges
Vauboyen
ANTONY
ORLYVAL
les Essarts-le-Roi
4
Bièvres
Fontaine Michalon
le Perray
Igny
les Baconnets
Chemin d'Antony
Rambouillet
B4
ST-RÉMY-LÈS-CHEVREUSE
MASSY-PALAISEAU TGV
MASSY-VERRIÈRES
CHARTRES
Courcelle-sur-Yvette
Gif-sur-Yvette
Palaiseau
C2
Longjumeau
5
Bures-sur-Yvette
Gazeran
la Hacquinière
Lozère
Gravigny-Balizy
Palaiseau-Villebon
Orsay-Ville
le Guichet
Chilly-Mazarin
C4
DOURDAN-LA-FORÊT
CHÂTEAUDUN
Dourdan
Épinay-s-Orge
Sermaise
Ste-Geneviève-des-Bois
St-Chéron
Breuillet Bruyères-le-Châtel
La Norville St-Germain-lès-Arpajon
St-Michel s-Orge
Breuillet Village
Égly
Arpajon
Brétigny
RER
A1
Orlyval
SNCF
Hors région
RÉSEAU TRANSILIEN
La Défense
Montparnasse
Est
Gare de Lyon
Nord
Saint-Lazare
Guillerval
ÉTAMPES
Étréchy
Lardy
Bouray
Marolles-en-Hurepoix
Monnerville
C6
Chamarande
Tramway
T1
TVM
Angerville
Buno-Gironville
1....5
Zones tarifaires
ST-MARTIN D'ÉTAMPES
D4
MALESHERBES
Boigneville
ORLÉANS
Hors Zone tarifaire

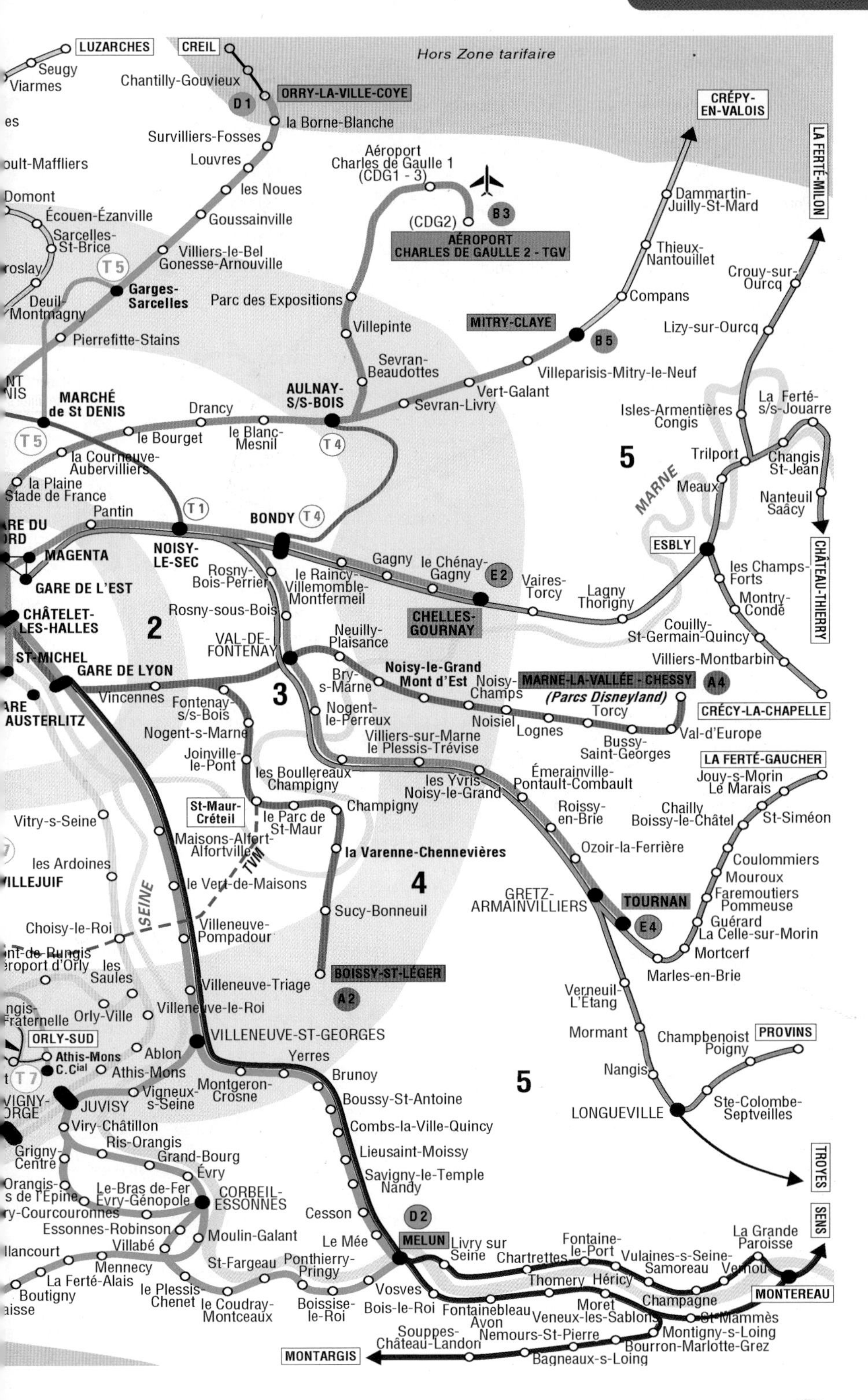
Hors Zone tarifaire
LUZARCHES
CREIL
Seugy
Viarmes
Chantilly-Gouvieux
ORRY-LA-VILLE-COYE
D 1
la Borne-Blanche
Survilliers-Fosses
Louvres
les Noues
Goussainville
Villiers-le-Bel Gonesse-Arnouville
Écouen-Ézanville
Sarcelles-St-Brice
Domont
Garges-Sarcelles
Deuil-Montmagny
Pierrefitte-Stains
Aéroport Charles de Gaulle 1 (CDG1 - 3)
(CDG2)
B 3
AÉROPORT CHARLES DE GAULLE 2 - TGV
Parc des Expositions
Villepinte
Sevran-Beaudottes
AULNAY-S/S-BOIS
Sevran-Livry
Vert-Galant
Villeparisis-Mitry-le-Neuf
MITRY-CLAYE
B 5
Compans
Thieux-Nantouillet
Dammartin-Juilly-St-Mard
CRÉPY-EN-VALOIS
LA FERTÉ-MILON
Crouy-sur-Ourcq
Lizy-sur-Ourcq
La Ferté-s/s-Jouarre
Isles-Armentières Congis
Trilport
Changis St-Jean
Meaux
Nanteuil Saâcy
CHÂTEAU-THIERRY
MARNE
ESBLY
les Champs-Forts
Montry-Condé
Couilly-St-Germain-Quincy
Villiers-Montbarbin
CRÉCY-LA-CHAPELLE
MARCHÉ de St DENIS
Drancy
le Bourget
le Blanc-Mesnil
la Courneuve-Aubervilliers
la Plaine Stade de France
Pantin
T 1
T 4
T 5
BONDY
NOISY-LE-SEC
MAGENTA
GARE DE L'EST
Rosny-Bois-Perrier
Rosny-sous-Bois
le Raincy-Villemomble-Montfermeil
Gagny
le Chénay-Gagny
E 2
CHELLES-GOURNAY
Vaires-Torcy
Lagny Thorigny
CHÂTELET-LES-HALLES
ST-MICHEL
GARE DE LYON
AUSTERLITZ
VAL-DE-FONTENAY
Neuilly-Plaisance
Bry-s-Marne
Noisy-le-Grand Mont d'Est
Noisy-Champs
MARNE-LA-VALLÉE - CHESSY
(Parcs Disneyland)
A 4
Noisiel
Lognes
Torcy
Bussy-Saint-Georges
Val-d'Europe
Vincennes
Fontenay-s/s-Bois
Nogent-s-Marne
Joinville-le-Pont
Nogent-le-Perreux
Villiers-sur-Marne le Plessis-Trévise
les Boullereaux Champigny
les Yvris Noisy-le-Grand
Émerainville-Pontault-Combault
Roissy-en-Brie
Ozoir-la-Ferrière
GRETZ-ARMAINVILLIERS
TOURNAN
E 4
LA FERTÉ-GAUCHER
Jouy-s-Morin Le Marais
St-Siméon
Chailly Boissy-le-Châtel
Coulommiers
Mouroux
Faremoutiers Pommeuse
Guérard La Celle-sur-Morin
Mortcerf
Marles-en-Brie
St-Maur-Créteil
le Parc de St-Maur
Champigny
la Varenne-Chennevières
Sucy-Bonneuil
BOISSY-ST-LÉGER
A 2
Vitry-s-Seine
Maisons-Alfort-Alfortville
TVM
les Ardoines
VILLEJUIF
le Vert-de-Maisons
SEINE
Choisy-le-Roi
Villeneuve-Pompadour
les Saules
Villeneuve-Triage
Orly-Ville
Villeneuve-le-Roi
ORLY-SUD
Athis-Mons
C.Cial
Ablon
VILLENEUVE-ST-GEORGES
Yerres
Brunoy
Montgeron-Crosne
Vigneux-s-Seine
JUVISY
Viry-Châtillon
Ris-Orangis
Grand-Bourg
Évry
Le-Bras de-Fer Évry-Génopole
CORBEIL-ESSONNES
Essonnes-Robinson
Moulin-Galant
Villabé
Mennecy
La Ferté-Alais
Boutigny
le Plessis Chenet
St-Fargeau
le Coudray-Montceaux
Ponthierry-Pringy
Boissise-le-Roi
Vosves
Bois-le-Roi
Boussy-St-Antoine
Combs-la-Ville-Quincy
Lieusaint-Moissy
Savigny-le-Temple Nandy
Cesson
Le Mée
D 2
MELUN
Livry sur Seine
Chartrettes
Fontaine-le-Port
Vulaines-s-Seine-Samoreau
Thomery
Héricy
Vernou
La Grande Paroisse
MONTEREAU
Champagne
Moret Veneux-les-Sablons
St-Mammès
Fontainebleau Avon
Montigny-s-Loing
Bourron-Marlotte-Grez
Nemours-St-Pierre
Souppes-Château-Landon
Bagneaux-s-Loing
MONTARGIS
Verneuil-L'Étang
Mormant
Champbenoist Poigny
PROVINS
Nangis
LONGUEVILLE
Ste-Colombe-Septveilles
TROYES
SENS
2
3
4
5

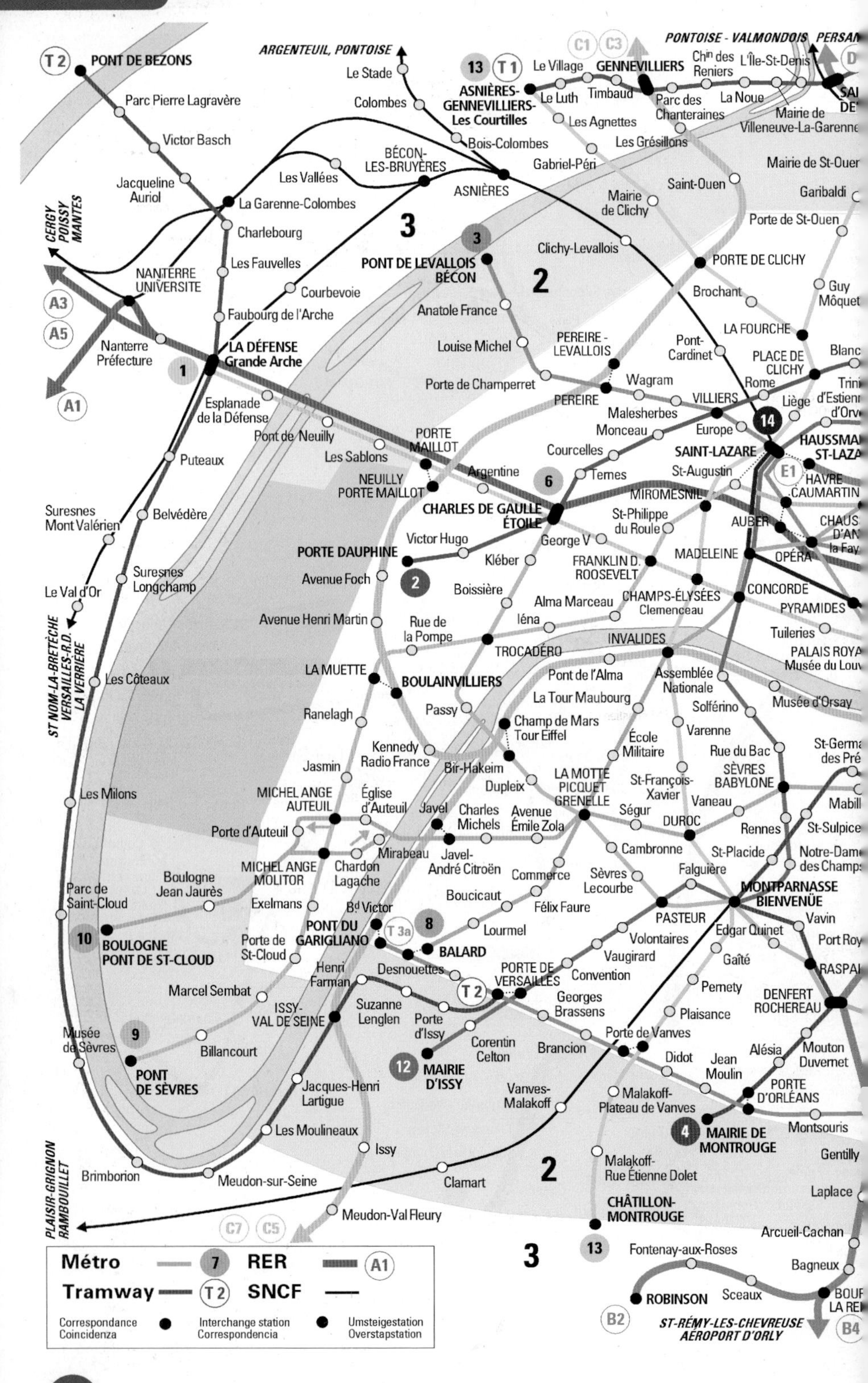
T 2
PONT DE BEZONS
Parc Pierre Lagravère
Victor Basch
Jacqueline Auriol
ARGENTEUIL, PONTOISE
Le Stade
Colombes
13
T 1
ASNIÈRES-GENNEVILLIERS-Les Courtilles
Le Village
GENNEVILLIERS
Le Luth
Timbaud
Les Agnettes
Bois-Colombes
C1
C3
PONTOISE - VALMONDOIS
PERSAN
Chin des Reniers
L'Île-St-Denis
Parc des Chanteraines
La Noue
Mairie de Villeneuve-La-Garenne
Les Grésillons
Gabriel-Péri
Les Vallées
BÉCON-LES-BRUYÈRES
ASNIÈRES
La Garenne-Colombes
Charlebourg
CERGY POISSY MANTES
3
Mairie de St-Ouen
Saint-Ouen
Mairie de Clichy
Garibaldi
Porte de St-Ouen
Clichy-Levallois
PONT DE LEVALLOIS BÉCON
NANTERRE UNIVERSITE
Les Fauvelles
Courbevoie
Faubourg de l'Arche
2
PORTE DE CLICHY
Brochant
Guy Môquet
A3
A5
Nanterre Préfecture
LA DÉFENSE Grande Arche
1
A1
Anatole France
Louise Michel
Porte de Champerret
PEREIRE - LEVALLOIS
Pont-Cardinet
LA FOURCHE
PLACE DE CLICHY
Blanc
Wagram
PEREIRE
Malesherbes
VILLIERS
Rome
Liège
Trini d'Estienn d'Orv
Esplanade de la Défense
Pont de Neuilly
Les Sablons
PORTE MAILLOT
NEUILLY PORTE MAILLOT
Argentine
Monceau
Courcelles
Ternes
Europe
14
SAINT-LAZARE
St-Augustin
HAUSSMA ST-LAZA
E1
HAVRE CAUMARTIN
Puteaux
6
MIROMESNIL
CHARLES DE GAULLE ÉTOILE
St-Philippe du Roule
AUBER
CHAUS D'AN la Fay
Suresnes Mont Valérien
Belvédère
Victor Hugo
George V
MADELEINE
OPÉRA
PORTE DAUPHINE
Kléber
FRANKLIN D. ROOSEVELT
Avenue Foch
2
Suresnes Longchamp
Le Val d'Or
Boissière
Alma Marceau
CHAMPS-ÉLYSÉES Clemenceau
CONCORDE
PYRAMIDES
Avenue Henri Martin
Rue de la Pompe
Iéna
Tuileries
ST NOM-LA-BRETÈCHE VERSAILLES-R.D. LA VERRIÈRE
TROCADÉRO
INVALIDES
PALAIS ROYA Musée du Louv
Les Côteaux
LA MUETTE
BOULAINVILLIERS
Pont de l'Alma
Assemblée Nationale
La Tour Maubourg
Musée d'Orsay
Passy
Solférino
Ranelagh
Champ de Mars Tour Eiffel
Varenne
École Militaire
Rue du Bac
St-Germa des Pré
Kennedy Radio France
Bir-Hakeim
Jasmin
Dupleix
LA MOTTE PICQUET GRENELLE
St-François-Xavier
SÈVRES BABYLONE
Les Milons
MICHEL ANGE AUTEUIL
Église d'Auteuil
Javel
Charles Michels
Avenue Émile Zola
Ségur
Vaneau
Mabill
DUROC
Porte d'Auteuil
Rennes
St-Sulpice
Mirabeau
Javel-André Citroën
Cambronne
St-Placide
Notre-Dam des Champs
MICHEL ANGE MOLITOR
Chardon Lagache
Commerce
Sèvres Lecourbe
Falguière
Parc de Saint-Cloud
Boulogne Jean Jaurès
Exelmans
Boucicault
MONTPARNASSE BIENVENÜE
Félix Faure
PASTEUR
Vavin
Bd Victor
PONT DU GARIGLIANO
T 3a
8
Lourmel
Volontaires
Edgar Quinet
Port Roy
10
BOULOGNE PONT DE ST-CLOUD
Porte de St-Cloud
BALARD
Vaugirard
Gaîté
Desnouettes
PORTE DE VERSAILLES
Convention
RASPAI
Henri Farman
Pernety
Marcel Sembat
T 2
Georges Brassens
DENFERT ROCHEREAU
ISSY-VAL DE SEINE
Suzanne Lenglen
Porte d'Issy
Plaisance
Musée de Sèvres
9
Billancourt
Corentin Celton
Brancion
Porte de Vanves
Alésia
Mouton Duvernet
Didot
Jean Moulin
PONT DE SÈVRES
12
MAIRIE D'ISSY
PORTE D'ORLÉANS
Jacques-Henri Lartigue
Vanves-Malakoff
Malakoff-Plateau de Vanves
Montsouris
4
MAIRIE DE MONTROUGE
Les Moulineaux
Issy
Gentilly
PLAISIR-GRIGNON RAMBOUILLET
Brimborion
Meudon-sur-Seine
Clamart
2
Malakoff-Rue Étienne Dolet
Laplace
Meudon-Val Fleury
CHÂTILLON-MONTROUGE
Arcueil-Cachan
C7
C5
13
3
Fontenay-aux-Roses
Bagneux
ROBINSON
Sceaux
BOUR LA REI
B2
ST-RÉMY-LES-CHEVREUSE AÉROPORT D'ORLY
B4
Métro
7
RER
A1
Tramway
T 2
SNCF
Correspondance Coincidenza
Interchange station Correspondencia
Umsteigestation Overstapstation